★

1. Las glorias...

SAN ALFONSO MA. DE LIGORIO

LAS GLORIAS DE MARÍA

XXXI Edición

SAN PABLO

Título original:
"LE GLORIE DI MARÍA"
Traductor: P. Ramón García, S.J.

Puede imprimirse
Felipe Hernández F.
Vicario Provincial de la Sociedad de San Pablo
México, D.F. 8-V-1975

Nada obsta
Francisco Sirito
Censor
México, D.F. 14-V-l975

Primera edición, 1950
31ª edición, 2012

DR. © 1950 by EDITORIAL ALBA, S.A. DE C.V.
Calle Alba 1914 - San Pedrito, Municipio de Tlaquepaque, Jal.

Impreso y hecho en México
Printed and made in Mexico

ISBN: 978-970-685-010-2

LAS GLORIAS DE MARÍA

Obra clásica y popular indispensable para conocer y amar las grandezas de la Madre de Dios, también Madre nuestra.

La obra está dividida en dos partes: En la primera, trata de las muchas y copiosas gracias que María dispensa a sus devotos.

El santo autor, en esta primera parte, desgrana una a una las bendiciones de esta Esperanza nuestra, proclamadas con tanta vehemencia en la "canción náutica", nombre primitivo de nuestra consoladora "Salve Regina".

En la segunda, trata de sus fiestas principales y de sus dolores. Luego nos lleva a la escuela de María: sus virtudes; y finalmente sugiere a los hijos amantes de esta dulce Madre una corona de florecillas, de obsequios para pagar con amor el amor que nos tiene.

¡Conozcamos, amemos e imitemos a nuestra Madre!

F.A.

PROTESTA DEL AUTOR

Por si alguno creyera demasiado avanzada alguna proposición escrita en este libro de *Las Glorias de María,* hago aquí pública protesta de haberla escrito y entendido en el sentido de la santa Iglesia católica y de la santa teología.

Así por ejemplo: al llamar a María *Mediadora,* mi intención ha sido llamarla tan sólo como mediadora de gracias, a diferencia de Jesucristo que es el primero y único Mediador de justicia.

Llamando a María *Omnipotente* (como por lo demás la han llamado grandes doctores antiguos: san Juan Damasceno, san Pedro Damián, san Buenaventura, san Cosme de Jerusalén y otros muchos) he pretendido significar que Ella, como Madre de Dios, obtiene del Señor cuanto le pide a beneficio de sus devotos; puesto que ni de este atributo divino ni de ningún otro puede ser capaz una pura criatura como es María. Llamando, en fin, a María Santísima nuestra *Esperanza,* entiendo llamarla tal, porque todas las gracias, como lo defiende san Bernardo, "pasan por sus manos".

ALFONSO MARÍA DE LIGORIO
del Santísimo Redentor
Año del Señor 1750

PRIMERA PARTE

DE LAS GRACIAS ABUNDANTES QUE, NUESTRA SEÑORA, LA VIRGEN REPARTE A SUS DEVOTOS DECLARADAS EN LA "SALVE REGINA"

CAPÍTULO PRIMERO

DIOS TE SALVE, REINA Y MADRE DE MISERICORDIA

1. De la confianza que debemos tener en la Virgen, por ser Reina de Misericordia

Con justa razón venera la santa Iglesia a la Virgen María, exhortando a los fieles a invocarla bajo el título glorioso de Reina, por haber sido ensalzada a la dignidad de Madre del Rey de los reyes. Si el Hijo es Rey, dice san Atanasio, justo título tiene también la Madre para llamarse Reina. Desde el instante en que dio su consentimiento para ser Madre del Verbo eterno, añade san Bernardino de Sena, mereció ser proclamada Reina de todo lo creado. Si la carne de María no fue diversa de la de Jesús, ¿cómo puede la Madre, en expresión de san Arnoldo, abad, ser ajena de la monarquía del Hijo? Así es que, entre ambos, la dignidad real no es común como quiera, sino una misma. Y Ruperto, abad: "Si Jesús es Rey del universo, María también lo es". Y san Bernardino: "Todas cuantas son las criaturas que sirven a Dios, otras tantas deben igualmente servir a María, pues que estando los ángeles y los hombres, y todas las cosas, sujetos al imperio de Dios, lo están, del mismo modo, al dominio de María". De aquí es que, hablando Guerrico, abad, con la soberana Señora, le dice, lleno de afecto: "Sigue, Señora, disponiendo a tu voluntad de todos los bienes de tu santísimo Hijo, porque siendo Madre y Esposa del Rey del universo, pertenece a ti, como Reina, el dominio de todas las criaturas".

Es Reina, pues, María, pero nunca olvidemos, para nuestro consuelo, que es Reina dulce, Reina clemente. Reina siempre inclinada a favorecer a los miserables pecadores. Por esto quiere la santa Iglesia que la saludemos llamándola Reina de misericordia. El mismo nombre de Reina está diciendo piedad y clemencia, pues, como observaron Séneca y Alberto Magno, la magnificencia de los reyes consiste especialmente en aliviar y consolar a los infelices, causa por qué distan entre sí tanto tirano y rey; pues el tirano se propone su propia utilidad, pero el rey debe tener por fin el bien de los vasallos, y por eso a los reyes, cuando los consagran, les ungen la cabeza con aceite, símbolo de misericordia, para darles a entender que han de abrigar en el pecho, más que otra cosa, pensamientos de piedad y beneficencia, si bien esto no ha de quitar el justo castigo de los malhechores.

Pero María no es Reina de justicia para castigar, sino solamente de misericordia, siempre dispuesta a usarla con los pecadores, por lo cual la santa Iglesia quiere que la invoquemos con tan glorioso título. Considerando el canciller de París, Juan Gersón, aquellas palabras del Profeta Rey: "Dos cosas oí, y fueron que en Dios hay potestad y misericordia", dice que, consistiendo el gobierno de Dios en justicia y misericordia, lo dividió, reservando para Sí la justicia y cediendo a su Madre la misericordia, para que todos los beneficios que se dispensen a los hombres pasen por sus manos virginales y ella los reparta según quisiere. Lo mismo siente el Angélico santo Tomás.

Constituyó el Eterno Padre a Jesucristo Rey de justicia, haciéndole Juez universal, como cantó el Profeta: "Oh Dios, da tu juicio al Rey, y tu justicia al hijo del Rey"; sobre cuyas palabras dice un docto intérprete: "Señor, a tu Hijo Rey has dado la justicia, y la misericordia a la Madre del Rey"; cuyo texto acomoda san Buenaventura, diciendo acertadamente: "Señor, da tu juicio al Rey y tu misericordia a la Madre del Rey", que es también doctrina de Ernesto, arzobispo de Praga. Por esta razón, el Real Profeta predijo que el mismo Dios había de consagrar a María, por decirlo así como Reina de misericordia, ungiéndola con óleo de alegría: *unxit te Deus oleo laetitiae*, para que nosotros, miserables hijos de Adán, nos alegrásemos al considerar que tenemos en el cielo a esta santísima Reina, llena de unción, de piedad y misericordia, como dice san Buenaventura.

¡Cuán bien se aplica a este propósito la historia de la reina Ester, figura de María! Leemos en el libro de Ester que, reinando Asuero, salió una orden que mandaba quitar la vida a todos los judíos cautivos en sus estados. Al instante acudió Mardoqueo a Ester, su sobrina, suplicándole con insistencia que se interpusiese con el rey para obtener la revocación de la sentencia. Ester lo rehusaba, temiendo indignar más el ánimo del rey; pero Mardoqueo replicó que no debía pensar en salvarse a sí sola, habiéndola Dios elevado al trono para bien de todos los judíos.

Así dijo Mardoqueo a la reina Ester, y así podemos decir nosotros a nuestra Reina sacratísima, si es que alguna vez rehusase alcanzarnos el perdón de las penas justamente merecidas por nuestros pecados: "Señora, no creas que sólo para tu gloria te haya Dios ensalzado a la dignidad de Reina del mundo, sino para que, constituida en tan alto lugar, puedas mejor ampararnos y favorecernos". Luego que el rey Asuero vio a Ester en su presencia, le preguntó afablemente qué quería, y respondió la reina: "Mi rey y señor, si he hallado gracia en tus ojos, dame a mi pueblo: esto es lo que pido". Asuero accedió, mandando al instante revocar la sentencia. Ahora bien, si este rey, porque amaba a su esposa, le concedió la gracia, ¿cómo podrá Dios, amando infinitamente a María, dejar de oír los ruegos que le presente en favor de los pecadores que recurren a su patrocinio, cuando ella le diga: "Señor y Dios mío, si hallé gracia en tus ojos (y bien sabe que la halló, bien sabe que es la bendita, la bienaventurada, la única que halló la gracia perdida por el hombre; bien sabe que es la amada del Señor, y mucho más amada que todos los ángeles y santos juntos), si me amas, Señor dame estos pecadores por quienes te ruego?" ¿Es posible que Dios no escuche tan amorosas palabras? ¿Quién no sabe la eficacia que tienen los ruegos de su Madre? *Lex clementiae in lingua ejus.* Toda súplica suya es como una ley de misericordia que Dios ha dado para que se use con todos aquellos por quienes interceda. Pregunta san Bernardo por qué la Iglesia la llama Reina de misericordia, y responde: "Para que sepamos que ella es la que abre los tesoros infinitos de la misericordia divina a quien quiere, cuando quiere y como quiere; tanto que no hay pecador, por grande que sea, que se pueda perder si le protege María".

Pero viéndonos tan pecadores, ¿se podrá temer que se desdeñe de interponerse en nuestro favor? O, siendo tanta su santidad y majestad, ¿esto nos ha de retraer acaso de echarnos a sus pies e implorar su poderoso auxilio? "De ninguna manera, dice san Gregorio, pues cuanto más santa es y en lugar más elevado está, tanto es más dulce y piadosa con los pecadores arrepentidos que recurren a su protección". Aquella majestad de que están rodeados los reyes de la tierra causa temor en los vasallos, y muchos no se atreven a estar en su presencia. "Pero ¿qué temor, dice san Bernardo, puede nadie tener en presentarse a esta Reina de misericordia, cuando en ella nada hay que sea terrible ni austero, sino que toda es dulzura y afabilidad? A todos nos ofrece y da leche y lana". Leche de misericordia, para animarnos a la confianza, y lana de refugio, para defendernos de los rayos de la ira divina.

Cuenta Suetonio que Tito, emperador, no acertaba a negar cosa alguna de cuantas le pedían, antes bien, que a veces prometía mucho más, diciendo que no está bien que el príncipe despida descontento a nadie. Con todo, ni decía siempre la verdad, ni cumplía siempre sus promesas. Pero nuestra poderosa Reina, que no puede mentir, tiene en sus manos inagotables tesoros que dispensar, y corazón tan benigno, que no le sufre despedir a nadie descontento de su presencia. "¿Y cómo podrías, Señora, le dice san Bernardo, desechar a los miserables, siendo tú la Reina de la misericordia? ¿Quiénes son los súbditos de la misericordia, sino los miserables? Pues siendo tú la Reina y yo el más infeliz de tus esclavos, se sigue que debes tener más cuidado de mí que de todos los demás".

Sé, pues, clemente con nosotros, ¡oh Reina de la misericordia!, para que nos salvemos. No digas "no puedo", viendo la multitud de nuestros pecados, porque mayor que todos ellos es tu poder y la piedad de tu corazón. No hay cosa que pueda resistir a tu poder, porque el Creador que te honra como Madre, estima como propia tu gloria, siendo indudable que, si es infinita la obligación que tienes para con tu Hijo, por la dignidad a que te elevó, también es grande la suya para contigo, de quien recibió el ser humano; y por eso, ahora que gozas de su gloria, te concede, por especial honor, todo cuanto le pides.

¡Cuánta debe ser nuestra confianza en esta dulce Reina, sabiendo lo que puede con Dios y la abundancia de su misericordia! No hay persona en la tierra que no participe de sus favores. Así lo reveló a santa Brígida la misma Virgen, diciendo: "Yo soy la Reina del cielo, Madre de misericordia, alegría de los justos y puerta de salvación para los pecadores; ni vive en la tierra pecador alguno tan infeliz que esté del todo privado de mi bondad y misericordia; porque, lo que menos logran por mi intercesión es no ser molestados de tentaciones, como sin mi favor lo serían. Nadie, sino el que ya es maldito (se entiende con la maldición final e irrevocable de los condenados), se ve tan desechado por Dios, que, si me invoca, no encuentre propicia mi propensa misericordia. Todos me llaman Madre de misericordia, y, verdaderamente, la que usa Dios con los hombres hace que yo también sea con ellos tan misericordiosa como soy. Por lo mismo, el que pudiendo acudir a mí no lo haga, será infeliz en esta vida, y en la otra lo será para siempre".

Acudamos, pues, acudamos todos a los pies de esta Reina dulce, si queremos salvarnos con seguridad; y cuando la multitud de nuestros pecados nos desaliente, acordémonos que fue elegida Madre de misericordia para salvar, con su protección poderosa, a los pecadores, por grandes que sean, que recurran a ella. Éstos han de ser en el cielo su corona, como se lo prometió en los Cantares su divino Esposo: "Ven del Líbano, Esposa mía: ven del Líbano, ven, y serás coronada... de las cuevas de los leones, de los montes, de los leopardos". Y éstos ¿quiénes son sino los pecadores, cuyas almas se hacen, por el pecado, cuevas de monstruos espantosos? "Pues estos mismos (como interpreta Ruperto, abad), Reina soberana, salvos por tu medio, te han de servir en el cielo de diadema de gloria, porque su salvación será tu corona, corona digna de la Reina de misericordia". Aquí viene bien el siguiente:

EJEMPLO. Se cuenta en la Vida de Sor Catalina de San Agustín, que en el pueblo donde moraba había también una mujer llamada María, que habiendo sido escandalosa en su juventud, no era mejor siendo ya vieja, por lo cual la echaron del pueblo, y se refugió en una cueva, donde al cabo murió medio podrida, sin sacramentos, abandonada de todo el mundo, y así, la enterraron en el campo como a una bestia. Sor Catalina, aunque acostumbrada encomendar a Dios muy de veras las almas de las personas que allí morían, habiendo sabido la desgraciada muerte de la vieja, no pensó en pedir por ella teniéndola, como ya todos la tenían, por condenada. Al cabo de cuatro años, se le aparece de pronto un alma en pena, que le dice: —Catalina, ¿he de tener yo tan mala suerte? Tú encomiendas a Dios a todos los que mueren aquí, y sólo de mi alma no tienes compasión. —¿Quién eres? —le preguntó la sierva de Dios. —Soy María, la que murió en la cueva. —¡Cómo!, ¿tú en carrera de salvación? —Sí —volvió a decir el alma—, lo estoy gracias a la misericordia de la Reina del cielo. Oye cómo fue. Cuando ya vi cerca la muerte, mirándome tan abandonada y llena de pecados, volví los ojos a la Madre de Dios, diciendo: Señora, no hay quien me valga en este último trance; pero tú acoges a todos los desamparados, tú eres mi única esperanza, tú sola me puedes ayudar; ten compasión de mí. No se hizo sorda la Virgen sacratísima; me alcanzó de Dios la gracia de hacer un acto de verdadera contrición, morí entonces, y así me salvé. Ahora, en el purgatorio, me ha obtenido también el favor de que se me abrevie la pena, haciendo que sufra con más intensidad lo que hubiera tenido que padecer por muchos años, y sólo me falta que se celebren algunas misas por mi alma, las cuales te pido que me mandes decir, y yo te prometo rogar siempre en el cielo por ti a Dios y a su Santísima Madre. Cuidó Sor Catalina que al instante se aplicasen las misas, y a los pocos días se le volvió a aparecer el alma más resplandeciente que el sol, dándole gracias por el beneficio, y diciendo que iba a la gloria a cantar para siempre las misericordias del Señor y a rogar por ella.

ORACIÓN.— Aquí me tienes, Señora, delante de ti, como un pobre andrajo y lleno de llagas en presencia de una Reina poderosa; aquí estoy delante de la Reina del cielo y de la tierra. Desde ese trono tan elevado, no desdeñes de volver a este miserable pecador tus ojos misericordiosos. Dios te colmó de tantas riquezas para que socorras a los pobres, y te hizo Reina de misericordia para que ampares a los miserables. Mírame, pues, y compadécete de mí. Mírame, y no me dejes hasta cambiarme totalmente de pecador en justo. Bien conozco ser indigno de todo favor, y aun merezco ser privado, por mis ingratitudes, de todos los beneficios que por tu medio he recibido de la mano divina; pero tú, como Reina que eres de misericordia, no buscas méritos, sino miserias para remediarlas. Pues, ¿dónde habrá en el mundo otro más necesitado que yo? ¡Oh, Virgen excelsa! Siendo tú, la Reina de todo el universo, eres también reina mía por lo cual me ofrezco a servirte con más empeño que hasta aquí, para que en todas las cosas dispongas de mí según sea de tu mayor agrado; y así te diré con san Buenaventura: Rígeme y gobiérname, Señora; rígeme, y nunca me dejes a mi discreción. Mírame y dime lo que tengo que hacer, y si falto alguna vez, castígame como quieras, porque para mí será muy saludable cualquier castigo que venga de tu piadosa mano. En más estimo ser tu esclavo, que señor de toda la tierra: *tuus sum ego, salvum me fac*. Recíbeme, Virgen soberana, como hijo tuyo y cuida continuamente de mi salvación. Yo no quiero ser mío, todo me entrego a ti. Si hasta ahora, por mi desgracia, te he servido mal, si he dejado perder tantas ocasiones en que pude agradarte, propongo ser en adelante uno de tus siervos más leales. No, no quiero ya que ninguno me aventaje en amarte y servirte, ¡oh Reina mía amabilísima! Así te lo prometo, y así espero cumplirlo con tu auxilio poderoso. Amén.

2. Que debemos tener mayor confianza en la Virgen María, por ser nuestra Madre

No en vano llaman sus devotos Madre a la Santísima Virgen María, ni parece que acierten a invocarla de otra manera, sin cansarse nunca de darle tan dulce nombre. Madre, sí porque verdaderamente lo es, no carnal, sino espiritual, de nuestras almas, para conseguirnos con amor de Madre la eterna salvación. Cuando por el pecado perdimos la gracia divina, fue perder la vida del alma: estábamos muertos miserablemente; vino al mundo nuestro divino Redentor, y muriendo en la cruz, nos recobró la vida que habíamos perdido, según Él mismo aseguró: "Vine para que tengan vida y más abundante". Más abundante, porque dicen los teólogos que fue más el bien que Jesucristo nos trajo con la redención, que el mal que Adán nos había causado con la desobediencia. De este modo, el Señor, reconciliándonos con Dios, se hizo Padre de nuestras almas en la nueva Ley, conforme a la predicación en que el profeta Isaías anunció que el Salvador había de ser nuestro Padre.

Pero si Jesús es Padre de nuestras almas, María es Madre: porque, habiéndonos dado a Jesús, nos dio la verdadera vida, y habiéndole ofrecido en el monte Calvario por nuestra salvación, fue como darnos a luz, o hacernos nacer a la vida de la gracia.

Dos veces se hizo nuestra Madre espiritual, dicen los santos Padres, la primera fue cuando mereció concebir en sus purísimas entrañas al Hijo de Dios, pues al dar para ello su consentimiento, empezó a pedir con afecto ardiente nuestra salvación, y se dedicó de tal suerte a procurárnosla, que desde entonces nos llevó en su seno como amorosa Madre. Refiriendo san Lucas el nacimiento del Señor, dice que María dio a luz a su Hijo primogénito. Luego, si fue su primogénito, se debe inferir, añade un autor, que tuvo después más hijos. Pues siendo artículo de fe que hijo carnal no tuvo ninguno, fuera de Jesús, se sigue claramente que los demás fueron hijos espirituales, y éstos somos todos nosotros.

Lo mismo reveló el Señor a santa Gertrudis, la cual leyendo un día en el Evangelio aquellas palabras, quedó confusa, sin alcanzar a entender cómo podía ser que no habiendo tenido la Virgen más Hijo que Jesús, allí se dijese que fue su primogénito según la carne, y los demás hombres los segundos hijos, según el espíritu. Así también se entiende lo que se dice de María en los Cantares: "Tu vientre es como un montón de trigo cercado de azucenas". Lugar que explica san Ambrosio diciendo que, aunque en el seno purísimo de María hubo solamente un grano que fue Jesucristo, no obstante se le llama montón, porque en aquel grano estaban encerrados todos los escogidos, de los cuales María había de ser Madre. Y por esta razón añade Guillermo, abad, que al dar a luz al Salvador del mundo, nos dio también a todos la vida y la salud.

La segunda fue cuando en el monte Calvario se ofreció con gran dolor al Eterno Padre por nuestra salvación; y así dice san Agustín que, habiendo entonces cooperado con tanto amor a que los fieles naciesen a la vida de la gracia, se hizo igualmente Madre espiritual de todos nosotros, que somos miembros de Jesucristo, nuestra cabeza; y es precisamente lo que testifica en los Cantares la misma bienaventurada Virgen: "Me puso a guardar sus viñas; pero la mía no la guardé". Para salvar nuestras almas sacrificó la vida de su dulcísimo Hijo, como explica Guillermo, diciendo que a este fin de tanta caridad entregó a la muerte la suya. Y ¿cuál es el alma de María? ¿Quién es su vida y su amor, sino Jesucristo? Así vemos por qué le anunció Simeón que había de llegar un día en que su pecho se viese traspasado con cuchillo de gran dolor, como lo fue la lanza que abrió el costado de Jesús, donde vivía el alma de la Madre. Entonces fue cuando con sus dolores nos dio la vida, y eterna; y así podemos todos llamarnos justamente hijos de sus dolores. Siempre estuvo esta Madre amorosa conforme en todo con la divina voluntad, y de aquí reflexiona san Buenaventura, que viendo el infinito amor del Padre para con los hombres en querer que su Hijo amado muriese por ellos, y el del mismo Hijo en aceptar la muerte, dio también su consentimiento, uniéndose con rendida y entera voluntad al beneplácito divino por la salud del hombre. En verdad que en el negocio importante de nuestra salvación quiso el Señor ser solo; mas viendo el deseo ardiente que tenía también su piadosa Madre del humano remedio, dispuso que con el sacrificio y oferta de su mismo Hijo cooperase a nuestra salvación, y así viniese a ser Madre de nuestras almas. Esto es lo que significó cuando, poco antes de expirar, mirándola desde lo alto de la cruz, y mirando al discípulo amado, dijo a María: "Ése es tu hijo"; como si le dijese: "Ves ahí el hombre que, en virtud del ofrecimiento que por su salvación haces de mi vida, ya nace a la vida de la gracia" y dirigiéndose después al discípulo, añadió: "Esa es tu Madre", con cuyas palabras quedó constituida por Madre, no sólo de san Juan, sino también de todos los hombres, a quien tanto amó; siendo por esto muy de advertir que el Evangelio no pone el nombre de Juan, sino de discípulo, para dar a entender que el Salvador la dio por Madre a todos los que por profesión de cristianos son discípulos suyos.

"Yo soy la Madre del Amor hermoso", dice María; porque su amor, al mismo tiempo que hace a las almas hermosas a los ojos de Dios, le estimula a recibirnos por hijos como amorosa Madre. Y ¿qué madre ama tanto a los suyos, mira por ellos con tanta solicitud como tú lo haces, Reina y Madre dulcísima?

¡Felices los que viven bajo la protección de Madre tan amante y poderosa! El profeta David, aunque en su tiempo no hubiese aún nacido María, ya se daba por hijo suyo, y esto alegraba a Dios para que le salvase diciendo: "Salva, Señor, al hijo de tu esclava". "¿De qué esclava?", pregunta san Agustín. De la que dijo al ángel: "Aquí está la esclava del Señor". ¿Y quién tendrá la osadía de arrancar a sus hijos de aquel seno materno, habiéndose refugiado ellos allí para librarse de los golpes de sus enemigos? ¿Qué furia infernal, o qué pasión, por violenta que sea, podrá vencer a los que han puesto toda su confianza en el patrocinio de esta gran Madre? Cuentan de la ballena, que si por la furia de alguna tempestad o por temor de los pescadores ve a sus hijos en riesgos, abre la boca y los guarda dentro del seno mientras pasa el peligro. De este modo, nuestra dulce Madre, cuando ve a sus hijos expuestos al furor de las borrascas que levantan las tentaciones, ¿qué hace? Movida de su gran amor, los esconde dentro de sus entrañas, y allí los tiene y protege hasta colocarlos en el puerto de la gloria eterna. ¡Oh Madre amantísima! ¡Oh Madre piadosa! ¡Bendita seas para siempre, y bendito sea el Señor que te dio a nosotros por Madre y seguro refugio de todos los peligros de esta vida!

Dijo la misma Virgen a santa Brígida que si una madre viese a sus hijos entre las espadas del enemigo, haría todos los esfuerzos posibles para librarlos; así, dice, lo hago y haré yo por los míos, aunque son pecadores, siempre que recurran ellos a mí. Fiémonos, pues, en su palabra, seguros de que en todas las luchas que sostengamos con los enemigos infernales saldremos vencedores con sólo acudir a ella invocándola y repitiendo: "Bajo tu amparo nos acogemos, santa Madre de Dios". ¡Oh, cuántas victorias han alcanzado del infierno los fieles con esta breve, pero eficaz oración! ¡Así vencía siempre a los demonios aquella gran sierva de Dios Sor María del Crucifijo, de la Orden de san Benito!

Alégrense, pues, hijos de María, y alegrémonos todos sabiendo que adopta benignamente como hijos a cuantos lo quieren ser. Alégrense, y no teman perderse, pues con todo su poder los defiende y protege su Madre poderosa. Si la aman de todo corazón, si ponen en ella su confianza, bien pueden cobrar ánimo y decir con san Buenaventura: "¿Qué temes, alma mía? La causa de tu salvación no se puede perder, porque la sentencia está en manos de Jesús, que es hermano tuyo, y de María, que es tu querida Madre". Con este mismo pensamiento que alegra tanto los corazones, nos exhorta san Anselmo a la confianza. Oigamos, pues, las voces de nuestra Madre que, como a niños tiernos, amorosamente nos llama: *Si quis est parvulus, veniat ad me*. Los niños tienen siempre en la boca la palabra "madre", y ante cualquier susto o peligro, claman al momento: "¡Madre, madre!" ¡Oh, Madre amorosa! Esto es lo que tú deseas: que cual niños te llamemos y corramos a ti, porque ciertamente quieres favorecernos y salvarnos, como lo has hecho siempre con todos tus hijos.

EJEMPLO.- Se cuenta en la historia de la fundación de la Compañía de Jesús, en el reino de Nápoles, que hubo un joven escocés llamado Guillermo, pariente del rey Jacobo, nacido y criado en la herejía, el cual, ilustrado con los rayos de la divina luz, que le iban descubriendo sus errores, vino a Francia, donde por consejo de un Padre de la Compañía, y mucho más por la intercesión de la Virgen nuestra Señora, conoció al fin, la verdad, abjuró los errores y se convirtió a la fe. Pasó de allí a Roma, donde hallándole un día muy afligido y lloroso un amigo suyo, y preguntándole la causa, respondió que se le había aparecido la noche antes su madre difunta y condenada, diciéndole: *Hijo, dichoso tú, que has entrado en el seno de la verdadera Iglesia; yo estoy condenada por haber muerto en la herejía.* A consecuencia de esta triste visión, comenzó a enfervorizarse en la devoción a la Virgen Santísima, eligiéndola desde entonces por única Madre, la cual le inspiró el deseo de entrar en religión, y el joven hizo de ello voto. Habiendo caído enfermo, fue a Nápoles a cambiar de aires, y allí murió, pero ya religioso, porque desahuciado a poco de llegar, fueron tantos sus ruegos y lágrimas, que al fin los superiores le recibieron, y delante del Santísimo Sacramento, cuando le llevaban al Señor por viático, hizo los votos religiosos y quedó agregado a la Compañía. Después de lo cual enternecía los corazones con todos los devotos afectos con que, sin cesar daba gracias a la sacratísima Virgen de haberlo sacado de las tinieblas de la herejía y traído a morir en el seno de la Iglesia y de la religión, entre los brazos de sus hermanos, y así exclamaba: *¡Oh, qué gloria es morir en medio de estos ángeles!* Le exhortaban a que no se fatigase, pero respondía: *No, ya no es tiempo de reposar, que está cerca mi fin.* Poco antes de expirar, dijo: *Hermanos míos, ¿no ven aquí a los ángeles del cielo que me asisten?* Y preguntándole uno de aquellos qué era lo que estaba diciendo entre dientes, le respondió que el ángel de la guarda le acababa de revelar que estaría muy poco en el purgatorio y que al instante volaría su alma al cielo. Empezó de nuevo a entablar dulces coloquios con la Reina de los Ángeles, y diciendo dos veces: "Madre, Madre", como un niño que se echa a dormir en los brazos de su querida madre, expiró plácidamente. Y de allí a poco supo un devoto religioso, por revelación, que estaba ya en la gloria.

ORACIÓN.— ¡Oh Madre Santísima! ¿Cómo es posible que teniendo una Madre tan santa, sea yo tan pecador?, ¿una Madre abrasada en el amor divino, y ame yo tan locamente a las criaturas?, ¿una Madre riquísima en virtudes, y me vea yo tan pobre y desnudo de ellas? Verdaderamente, Señora, no soy digno de llamarme hijo tuyo, y así me tendré por feliz en que siquiera me cuentes como el menor de tus esclavos, que por sólo este título renunciaría gustoso a todos los reinos de la tierra. No me prives de la dicha de poder, a lo menos, decirte Madre. Este nombre dulce me llena de tanta confianza, que, aunque por otra parte me aterren mis pecados y el rigor de la divina justicia, me conforta y alienta el pensar que eres Madre mía. Permíteme, pues, que te llame Madre, y Madre amable. Así quiero llamarte y así te llamaré siempre. Después de Dios, has de ser toda mi esperanza, refugio y amor, mientras viva en este valle de lágrimas, y cuando llegue la hora de mi muerte, pondré mi alma en tus manos benditas, diciendo con toda seguridad: Madre mía, Madre mía, tuyo soy; ampárame y ten misericordia de mí. Amén.

3. De la grandeza del amor que nuestra Madre nos tiene

Si, pues, María es nuestra Madre, consideremos cuánto es el amor que nos profesa. No pueden dejar las madres de amar a sus hijos, razón por la que, habiendo impuesto la divina ley, como reflexiona santo Tomás, obligación estrecha de amar a los padres, para éstos no hay mandamiento escrito, por estar impresa en la misma naturaleza tan fuertemente como aun en las fieras se ve. Y así, refieren las historias que ha habido casos en que, oyendo los tigres rugir a sus hijos, han ido nadando hasta la nave donde los llevaban. Pues, si aun los tigres hacen esta demostración, ¿cómo podrá olvidar a sus hijos una Madre que tiene el corazón tan tierno y amoroso? Y más, dado por imposible que cualquier madre no amase a los suyos, asegura la nuestra que de su parte no hay que temerlo nunca.

María es nuestra Madre, no carnal, como antes dijimos, sino Madre de amor. Por amor se hizo Madre nuestra, y de ello se gloría, siendo tanto el que nos tiene, aunque sin merecerlo, que no lo alcanza la imaginación, y tan ardiente, que deseó con vivas ansias morir por nosotros juntamente con su Hijo santísimo, inmolada en el ara de la cruz a manos de los verdugos.

Pero consideremos los motivos que tiene para amarnos, y así conoceremos mejor la grandeza de su amor. El primero nace del que tiene a Dios, porque amar a Dios y al prójimo está enlazado y contenido en un mismo precepto, como enseña el evangelista san Juan, de manera, que a medida que el uno crece, crece también el otro. Por esta causa, los santos, como amaban tanto a Dios ¿qué no hicieron por amor del hombre? Exponer y aun perder la libertad y la vida por la salvación de cualquiera.

Sabemos los trabajos que pasó en las Indias san Francisco Javier donde, a veces, buscando las almas, se encaramaba por las breñas, entre mil peligros, hasta encontrar a los miserables en las cavernas donde habitaban como fieras, y traerlos al conocimiento del verdadero Dios. Sabemos lo que hizo por convertir a los herejes de la provincia de Chablais san Francisco de Sales, que durante un año estuvo cada día atravesando el río, encima de un madero cubierto de hielo, con el peligro que se deja entender. Sabemos que san Paulino se vendió como esclavo por rescatar al hijo de una pobre viuda. Sabemos que san Fidel dio gustoso la vida predicando en otra parte a los herejes por ganarlos a Dios. Y así, todos los santos, como le tenían tan grande amor, hicieron por el prójimo cosas heroicas y admirables. Ahora bien: ¿quién hubo que amase a Dios más que María? ¿Qué digo más, si en el primer instante de su ser excedía ya con mucho en el amor al de todos los santos y ángeles juntos en todo el curso de su vida? (Esto después lo probaremos en particular). Reveló la misma Virgen a Sor María del Crucifijo, que era tan grande su amor para con Dios que con él se podrían abrasar y consumir los cielos y la tierra, siendo en su comparación como un hielo todo el amor de los serafines. Por este motivo, así como ni entre los espíritus bienaventurados hay quien más ame a Dios que María, así tampoco podemos tener nosotros quien más nos ame, siendo tan ardiente su amor, que si en un pecho se acumulase todo el de los padres y esposos, y también el de todos los santos a sus devotos, no llegaría ni de lejos al que la Virgen sacratísima tiene a cualquier alma. Confirmando esta verdad, escribe el P. Nieremberg que, en la misma comparación, todo el de las madres para con sus hijos es una sombra, puesto que la Virgen nos ama sola más que todos los ángeles y santos juntos.

Este grande amor nace también, como ya hemos considerado, de aquella caridad con que en el ara de la cruz la constituyó por nuestra Madre su divino Hijo, señalándonos a todos en la persona de san Juan: "Mujer, ése es tu hijo", que fue la postrera palabra dicha a su afligida Madre. Los últimos recuerdos que nos dejan a la hora de la muerte las personas a quienes mucho amamos, son los que más se estiman y más impresos quedan en la memoria. Además, nos ama tanto porque fue mucho lo que le costamos, como sucede a todas las madres, que aman comúnmente más a los hijos, cuya vida les costó más trabajo y dolor. Mas nosotros somos aquellos hijos por los cuales sufrió la pena indecible de ofrecer la vida de su amantísimo Jesús, y la de verle morir al rigor de los tormentos, con cuya oferta nos alcanzó la vida de la gracia. Así, pues, somos hijos suyos, y muy queridos, porque fue mucho lo que le costamos; y si el amor del Eterno Padre para con el mundo llegó al extremo que por él entregó a la muerte a su unigénito Hijo, de María se puede decir otro tanto. Mas ella, ¿cuándo lo entregó? Cuando, como dice el P. Nieremberg, le dio licencia la vez postrera para ir a padecer; cuando, abandonado de todos los demás por odio o por temor, hubiera podido defenderle delante de los jueces, y no lo hizo, que bien es creíble que las palabras de una Madre tan amante y discreta hubieran bastado a inclinar en su favor el ánimo de aquellos hombres, especialmente de Pilato, que conoció y confesó públicamente la inocencia de Jesús; pero la Madre no despegó sus labios por no impedir la muerte del que pendía la redención del mundo; finalmente, le entregó mil veces al pie de la cruz, porque durante las tres horas de agonía no cesó de ofrecer la vida de su querido Hijo por nuestro remedio, con sumo dolor, pero también con tal resolución y constancia, que san Anselmo y san Antonio llegaron a decir (¡cosa es que pasma!) que por sí misma le hubiera inmolado, a ser así la voluntad expresa del Eterno Padre porque si la fortaleza de Abraham fue tan grande que iba ya a sacrificar a su hijo por cumplir el divino mandato, mucho más santa y obediente que Abraham fue María. ¡Oh, qué agradecidos debemos estar a su excesivo amor! ¿Con qué se puede pagar una fineza semejante? Dios no dejó sin premio la obediencia del Patriarca; mas nosotros, ¿qué podríamos retribuir a la Madre de aquel Hijo incomparablemente más amado y excelente que Isaac? Muy obligados nos tienes, Señora, pues, que nadie nos amó jamás tanto, habiendo ofrecido tan a costa tuya por nuestro bien al Hijo a quien amabas más que a la propia vida.

De aquí nace otra de las razones de su amor, y es el ver que fuimos comprados con el precio de la sangre de Jesucristo. ¡Cuánto estimaría una madre a un cautivo rescatado por un hijo suyo a costa de veinte años de cárceles y trabajos! Mucho más nos aprecia María, que sabe muy bien que sólo por rescatarnos con su vida vino al mundo nuestro divino Redentor. Por lo cual, si esta Señora nos amase poco, no sería mostrar toda la estimación debida a tan preciosa sangre. Santa Isabel, monja, tuvo revelación de que la Virgen, desde el día que se consagró a Dios, en el templo, no cesó de pedir por nosotros, solicitando con insistencia la pronta venida del Mesías. Pues ¿cuánto más debemos creer que nos ame ahora después de vernos tan estimados y ya redimidos a tanta costa por su Hijo amantísimo?

Y como todos lo fuimos igualmente, no excluye a ninguno de su amor, ni a nadie deja de favorecer. Vestida de sol la vio san Juan, porque así como no hay en la tierra cosa que pueda esconderse del calor del astro, así no hay viviente privado del amor de María. ¿Quién podrá comprender el cuidado que tiene de todos, siendo Madre tan amorosa? A todos nos ofrece y dispensa su misericordia inagotable, a todos nos deseó la salvación eterna, cooperando eficazmente para que la alcanzásemos. Por esto es muy útil la práctica de algunos devotos, los cuales, como atestigua Cornelio a Lápide, tienen la costumbre de decir a Dios en sus oraciones: "Señor, dame lo que pide por mí la Santísima Virgen María"; y hacen bien en ello, dice el mismo autor, pues nuestra Madre nos desea beneficios mucho mayores que los que nosotros podemos desear; y por igual razón le aplica Alberto Magno aquellas palabras de la Sabiduría: *Praeoccupa qui se concupis-*

cunt, ut illis se prior ostendat; que quiere decir que se anticipa y viene a buscar aun a los que no la buscan. Antes de llamarla, ya está allí.

Pues, si aun con los ingratos e indolentes es tan benigna, ¿cuál será su amor para con los hijos amantes y fervorosos? ¡Qué placer es para su corazón venir y visitarlos! ¡Qué dulzura para nosotros hallarla tan llena de piedad y amor! No puede dejar de amar viéndose amada, mayormente a los que corresponden a su amor con mayor ternura; que bien conoce los que son, bien sabe distinguirlos entre los demás, llegando hasta presentarse a su servicio, en expresión del sabio Idiota. Hallábase próximo a la muerte, como cuenta la crónica, Leonardo de la Sagrada Orden de los Predicadores, el cual había tenido la práctica de invocarla doscientas veces al día. De pronto, ve a su lado a una Reina hermosísima, que le dice:
—Leonardo, ¿quieres venir conmigo donde mi Hijo está? —¿Quién eres tú? (preguntó el religioso). —La Madre de misericordia— respondió la Virgen, y pues, que tantas veces me has llamado, ahora vengo por ti: vente conmigo al cielo. En esto expiró el religioso, dejando prendas tan envidiables de salvación.

¡Oh dulce Reina! ¡Felices los que te aman¡ Decía san Juan Berchmans, de la Compañía de Jesús: "Si amo a María, puedo estar seguro de la perseverancia, y todo cuanto quiera lo alcanzaré de Dios". Por todo esto, el devoto joven no se cansaba nunca de repetir: "Quiero amar a María, quiero amar a María". Más ámenla los hijos cuanto alcancen sus fuerzas, María los ama mucho más. Ámenla tanto como san Estanislao de Kostka, cuyo amor era tan activo que, empezando a hablar de la Virgen, comunicaba su fervor a todos los presentes; tan ingenioso, que siempre estaba inventando nuevos nombres y títulos con que venerarla; tan continuo, que no empezaba ninguna cosa sin pedirle antes su bendición; tan afectuoso, que cuando rezaba su Oficio, o el santo Rosario, u otras oraciones, parecía que la estaba viendo; tan tierno, que de sólo oír cantar la Salve se le inflamaba el pecho y el semblante; tan filial, que si le preguntaban si la amaba mucho, respondía: "Es mi Madre; no puedo decir más", acompañando estas expresiones con afecto y semblante de ángel. Ámenla tanto como el Beato Ermanno, que le decía su esposa de amor, con cuyo dulce nombre le había honrado la misma soberana Señora; tanto como san Felipe Neri, que sólo de pensar en ella se llenaba su alma de consuelo, llamándola su delicia; tanto como san Buenaventura, que le decía, no sólo Madre y Señora, sino su corazón y su alma. Ámenla tanto como aquel su finísimo amante Bernardo, que con la fuerza del amor la llegó a llamar ladrona de los corazones asegurando que el suyo de cierto se lo había robado. Llámenla su querida, como san Bernardino, el cual iba diariamente a una capilla suya, y allí pasaba con ella las horas enteras en amoroso coloquio. Ámenla tanto como san Luis Gonzaga, que de sólo oírla nombrar, se le encendía el corazón y el rostro. Ámenla tanto como san Francisco Solano, que algunas veces, como fuera de sí, llevado de una santa locura, se ponía a cantar coplas cariñosas delante de una imagen, a semejanza de lo que hacen de noche los amantes del mundo. Ámenla tanto como la amaron todos sus siervos, los cuales ya no sabían qué hacer en prueba de su amor: como el P. Jerónimo Trejo de la Compañía de Jesús, que se llenaba de júbilo al considerarse esclavo suyo, y en testimonio de esclavitud iba muchas veces a visitarla a las iglesias, y allí bañaba el suelo con abundancia de lágrimas, besando y limpiando el polvo con la cara y la lengua, por ser casa de su amada Señora; como el P. Diego Martínez, S.J., que en premio a su gran devoción a la misma Virgen, en todas sus festividades le llevaban los ángeles al cielo a que viese la solemnidad con que allí se celebraban, y al subir iba diciendo a voces: "Quisiera tener todos los corazones de los ángeles y santos para amar a María; quisiera tener las vidas de todos los hombres para darlas todas en obsequio de María; protestando que de muy buena gana hubiera sufrido los mayores tormentos porque María no hubiese perdido (bien que no podía) un solo grado de su grandeza, y que si ésta hubiera estado en su mano, toda se le hubiera cedido, por ser ella incomparablemente más digna; o como Carlos, hijo de santa Brígida, que aseguraba no haber en el mundo cosa que más le llenase de gozo que el saber lo mucho que Dios amaba a María; o como san Alonso Rodríguez, que deseaba ardientemente dar la vida por ella; o como Francisco Bizancio, religioso, y santa Clotilde, reina, que se esculpieron en el pecho su dulce nombre. Lleguen hasta marcárselo a ruego, como hicieron, arrebatados de amor, Juan Bautista Arquinto y Agustín Espinosa, de dicha Compañía. Hagan, finalmente, todo lo que el amor más apasionado y ardiente les pueda inspirar, que nunca llegarán sus amantes a quererla tanto como ella los ama. "Sé muy bien, Señora (decía san Pedro Damián), que eres amantísima y que en el amar no te dejas vencer de nadie". Se hallaba una vez delante de una imagen suya san Alonso Rodríguez, y sintiéndose abrasado en su amor, le dijo: "Madre mía, ¡si tú me amaras tanto como te amo yo!" A lo cual respondió la Virgen: "Eso no, Alonso; que por grande que tu amor sea, es mucho más el mío".

Tiene razón san Buenaventura para exclamar: "¡Felices los que son firmes en el amor de esta amabilísima Señora! Felices porque, siendo tan agradecida, no deja que nadie la exceda en el amor, imitando en esto, como en todo lo demás a su Hijo santísimo, que en pago de cualquier obsequio vuelve duplicados los favores. Exclamaré yo también con san Anselmo: "derrítase mi corazón en el amor de Jesús y María". Haz, Señor; haz, Madre mía, que llegue a amarte tanto como mereces. ¡Oh, Dios, enamorado de los hombres!, pues que diste voluntariamente la vida por ellos, ¿podrás negar ahora tu amor a quien pide amarte con todo el corazón a ti y a tu dulce Madre?

EJEMPLO.— Cuenta el P. Auriema que una pastorcilla que guardaba ganado, tenía puesta toda su afición y delicia en ir muchas veces a una ermita de Nuestra Señora, edificada en el monte, y pasar allí el tiempo en obsequio y amorosos coloquios con su dulce Madre. Y por no estar la imagen, que era de bulto, tan adornada como convenía, le hizo con mucha fatiga un manto decente. Un día trajo una guirnalda de flores silvestres, y subiéndose al altar se la puso diciendo: "Madre mía, yo quisiera que fuese una corona de oro y piedras preciosas; pero como pobre, te ofrezco esta guirnalda de flores; acéptala en testimonio de lo mucho que te amo". Con estos y otros obsequios semejantes procuraba venerarla y servirla.

Veamos ahora cuál fue la recompensa de parte de la tierna Madre para con ésta su querida hija. Habiendo caído enferma de peligro, sucedió que yendo por allí de viaje dos religiosos, y habiéndose sentado a descansar a la sombra de un árbol, tuvieron una visión, el uno en sueños y el otro despierto. Vieron que se acercaba una compañía de doncellas muy hermosas, y una entre todas mucho más hermosa y llena de majestad, a la que preguntó uno de ellos: —Señora, ¿quién eres y a dónde vas por estos caminos? —Soy la Madre de Dios —respondió—, que con estas santas vírgenes voy a visitar aquí cerca una pastorcilla que se está muriendo, pues ella me ha visitado muchas veces a mí. Y dicho esto, desaparecieron. Los dos religiosos siervos de Dios se dijeron uno a otro:—Vamos también nosotros. Y llegando a la choza, hallaron a la moribunda echada en la paja. La saludaron, y ella les dijo: —Hermanos, pidan a Dios que les abra los ojos del alma para que vean la compañía que me asiste. Se arrodillaron y vieron a la Virgen que, con una corona en la mano, estaba consolándola. En esto comenzaron las vírgenes a cantar y, al mismo tiempo, se desató del cuerpo aquella alma dichosa. María le puso la corona, y tomándola en sus dulces brazos, se la llevó consigo al cielo.

ORACIÓN.— ¡Oh Señora, te diré con san Buenaventura, oh amable Señora, que amando y dispensando gracias robas los corazones de los hombres!: llévate también el mío, pues aunque miserable, desea amarte ardientemente. Tú, Madre mía, con tu belleza enamoraste al mismo Dios, y le trajiste del cielo a tu seno purísimo; ¿cómo podré yo vivir sin amarte? Igualmente te diré con aquel otro tu amante hijo Juan Berchmans: "No descansaré hasta conseguir un amor muy afectuoso a mi dulcísima Madre", un amor tierno y constante, pues que fue tan grande el tuyo para conmigo, sin merecerlo, antes bien a no haber sido por él y por las muchas misericordias que de Dios me has alcanzado, ¿qué sería ya de mi? Si, pues, de Dios me has alcanzado, ¿qué sería ya de mí? Si, pues, aun entonces, que no te amaba, tú me amabas tanto, ¿qué no debo esperar de la bondad de tu corazón ahora que ya te amo? Te amo, Madre mía, sí, te amo, y quisiera juntar en mi pecho el amor de cuantos infelices hay en el mundo que no quieren amarte. Quisiera tener millares de lenguas para dar a conocer tu grandeza, tu santidad, tu misericordia y el amor grande con que correspondes a todos los que te aman. Si tuviese riquezas todas las emplearía en tu honor y culto; si tuviese vasallos, a todos los quisiera obligar a ser tus amantes. Quisiera dar la vida por ti, si fuera necesario. Te amo, Madre mía, pero por otra parte temo que el mío no es amor verdadero, pues dicen que el amor hace semejantes a las personas que se aman. Y así, viéndome tan diferente de ti, lo tengo por señal de no amarte como debo. Tú tan pura, yo tan inmundo; tú tan humilde, yo tan soberbio; tú tan santa, yo tan pecador. Mas esto es lo que hoy humildemente te pido, ya que tu amor para conmigo es tan grande, me hagas semejante a ti. Poder tienes para cambiar los corazones; aquí está el mío; tómalo en tus manos sacratísimas y cámbialo enteramente, dando a conocer al mundo lo mucho que puedes en favor de los que amas, y haciéndome de este modo santo hijo digno de tan alta Madre como lo espero con toda confianza de tu bondad. Amén.

4. María también es Madre de los pecadores arrepentidos

La misma piadosa Virgen aseguró a santa Brígida que no sólo es Madre de los inocentes y justos, sino también de los pecadores, con tal de que propongan enmendarse. ¡Oh, y con qué benignidad recibe a sus pies esta Madre de misericordia a cualquier pecador arrepentido! Así lo escribía san Gregorio a la princesa Matilde: "Pon fin al pecado, y encontrarás a María más amorosa que una madre carnal; te lo prometo con toda certidumbre". La condición que nos pide para ser sus hijos es dejar la culpa. Sobre aquellas palabras de los Proverbios: *Se levantaron sus hijos*, reflexiona Ricardo que antes puso se *levantaron*, y después los llama hijos, porque no puede ser hijo de María quien primero no se levanta del estado de la culpa donde había caído; y, en efecto, si mis obras son contrarias a las de María, niego con ellas ser hijo suyo, o es lo mismo que decir que no lo quiero ser. ¿Cómo es posible que uno sea su hijo, y al mismo tiempo soberbio, deshonesto, envidioso? ¿Quién tendrá el arrojo de llamarse hijo suyo dándole con sus malas obras tanto disgusto? Le decía una vez cierto pecador: "Señora, muestra que eres Madre"; y la Virgen le respondió: "Muestra que eres hijo". Y a otro que la invocaba como Madre de misericordia, le dijo: "Ustedes, cuando quieren que los favorezca, me llaman Madre de misericordia; pero con tanto pecar, me hacen madre de miseria y de dolor". Dice el Señor, en el libro del *Eclesiástico*: "Maldito es de Dios el hombre que exaspera a su madre"; es decir, a su madre María, como explica Ricardo, porque Dios, sin duda, maldice al que con su mala vida y obstinación aflige a una madre tan buena.

Otra cosa es cuando, a lo menos, se esfuerza el pecador por salir de su mal estado, y se vale para ello del favor de María; que entonces no dejará, por cierto, esta piadosa Madre de socorrerle, para que, al fin, recobre la gracia y amistad de Dios. Así lo oyó santa Brígida una vez, de boca del mismo Jesucristo, que dijo a su Madre amantísima estas palabras: "Al que se esfuerza por volver a mí, tú, Madre mía, le ayudas, sin dejar privado a nadie de consuelo". Si el pecador se obstina, no puede merecer el amor de María; pero si aunque alguna pasión le tenga cautivo, sigue encomendándose y pidiéndole con humildad y confianza que le ayude a salir de su mal estado, sin duda le dará la mano, siendo Madre tan misericordiosa, y romperá sus prisiones y le pondrá en camino de salvación.

Viene bien explicar aquí una doctrina del sagrado Concilio de Trento, el cual condenó como herejía el decir que las oraciones y demás buenas obras hechas por la persona que está en pecado, son pecados. No lo son, porque si bien la oración en la boca del pecador no es hermosa, como dice san Bernardo, por no ir acompañada de la caridad, es, por lo menos, útil y fructuosa para salir del estado de la culpa; y aunque tampoco es meritoria, santo Tomás enseña que sirve para alcanzar la gracia del perdón, supuesto que la virtud para conseguirla no se funda en los méritos del que ruega, sino en la bondad divina y en la promesa y merecimiento de Jesucristo, que dijo en el Evangelio: "Todo el que pida, recibirá". Y lo mismo debe entenderse en orden a la Madre de Dios. Si el que pide, dice san Anselmo, no merece ser oído, los méritos de María, a quien se encomienda, harán que lo sea. Por lo cual exhorta san Bernardo a todos los pecadores a dirigirse a María, en sus oraciones, con gran confianza. Éste es su oficio de Madre, y de tan buena madre. ¿Qué no haría cualquier madre por reconciliar a dos hijos suyos que se aborreciesen y buscasen para matarse? María es Madre de Jesús y Madre del pecador; y como no puede sufrir verlos enemistados, no descansa hasta ponerlos en paz, sin exigir para ello del pecador otra cosa sino que él se lo ruegue y tenga propósito de enmendarse, porque cuando le ve pidiendo a sus pies misericordia, no mira los pecados que trae, sino el ánimo con que viene. Si viene de buena intención, aunque haya cometido todos los pecados del mundo, le abraza y sin desdeñarse de tanta miseria, le sana las heridas del alma, siendo, como es, Madre de misericordia, no sólo en el nombre, sino en las obras y en el amor y ternura con que nos recibe y favorece. En estos propios términos lo dijo a santa Brígida la misma Señora.

María, pues, es Madre de los pecadores que desean convertirse, y como tal, no sólo se compadece de ellos, sino que parece que siente como propio el mal de sus hijos. Cuando la Cananea rogó al Señor que librase a su hija de un demonio que la atormentaba, dijo: "Ten misericordia de mí; una hija mía es molestada por el demonio". Si la hija lo era y no la madre, parece que debió de haber dicho: "Señor, compadécete de mi hija". Pero la mujer habló bien, porque las madres sienten como propios los males de sus hijos. Pues, así es, puntualmente, como pide a Dios María por cualquier pecador que se acoge a ella, y podemos creer que le dice de esta manera: "Señor, esta pobre alma que está en pecado es hija mía: ten misericordia, no tanto de ella, cuanto de mí, que soy su Madre". ¡Ojalá que todos los pecadores recurriesen a tan dulce Madre! Todos alcanzarían perdón. "¡Oh María! —exclama san Buenaventura, maravillado—, tú abrazas con afecto materno al pecador que todo el mundo desecha, sin que le dejes hasta verle reconciliado con el supremo Juez". Quiere decir el santo que cuando el hombre, por el pecado, se ve aborrecido y desechado de todos; cuando aun las criaturas insensibles, como el fuego, el aire y la tierra, quisieran castigarle y vengar el honor de su Creador ofendido, María le estrecha en sus brazos con afecto de Madre, si él llega arrepentido a sus pies, y no le deja hasta reconciliarle con Dios y volverle a la gracia perdida.

Se echó a las plantas de David, como narra el segundo libro de les Reyes, una mujer de Tecua, celebrada por su discreción y le dijo así: "Señor, yo tenía dos hijos, los cuales, por desgracia mía, riñeron y el uno mató al otro, y después de haber quedado sin el uno, ahora quiere la justicia quitarme al otro. Ten compasión de mí, y no permitas señor, que me vea privada de mis hijos". El rey, compadecido, perdonó al delincuente y mandó dejarle libre. Pues esto viene a ser lo que dice María cuando ve a Dios airado contra el pecador que la invoca: Dios mío, yo tenía dos hijos, que eran Jesús y el hombre; éste ha dado a Jesús la muerte, y tu justicia quiere castigar al culpable; pero Señor, ten compasión de mí, y si perdí al uno, no consientas que pierda al otro también. ¡Ah! ¿Cómo Dios le ha de condenar, amparándole María y pidiéndole por él así, cuando el mismo Señor le dio por hijos a los pecadores? Yo se los di por hijos, parece que dice su Divina Majestad, y ella es tan solícita en el desempeño de su oficio, que a ninguno deja perecer de cuantos tiene a su cargo, especialmente si la invocan, sino que hace los mayores esfuerzos para restituirlos a mi amistad. Y ¿quién podría comprender la bondad, misericordia y caridad con que nos recibe siempre que imploramos su ayuda y favor? Postrémonos a sus sagrados pies, abracémoslos con toda confianza, y no nos apartemos de allí hasta lograr que nos bendiga y nos reconozca por hijos. Nadie desconfíe de su amor, sino dígale con todos los afectos del alma: "Madre y Señora mía, bien merezco por mis pecados ser desechado de ti y recibir de tu mano cualquier castigo; pero aunque supiera perder la vida, no he de perder la confianza de que me has de salvar. Toda mi esperanza la pongo en ti, y con sólo que me concedas morir delante de una imagen tuya implorando tu misericordia, no dudaré conseguir el perdón y volar al cielo a bendecirte en compañía de tantos siervos tuyos, que murieron implorando tu auxilio y fueron salvos por tu poderosa intercesión". Léase el ejemplo siguiente, y véase si podrá algún pecador desconfiar de la misericordia y amor de esta buena Madre, siempre que la invoque de corazón.

EJEMPLO.— Cuenta el libro que tiene por título *Espejo histórico*, que en la ciudad de Rodolfo, en Inglaterra, hubo un joven de casa noble, llamado Ernesto, el cual, habiendo repartido sus bienes a los pobres, abrazó la vida religiosa en un monasterio, donde vivía con tal observancia y perfección, que los superiores le estimaban grandemente, especialmente por su singular devoción a la Virgen, nuestra Señora. Tanta era su virtud, que habiendo entrado una epidemia en aquella ciudad, y acudiendo la gente al monasterio para solicitar de los religiosos asistencia y oraciones, mandó el abad a Ernesto que fuese a pedir favor a la Virgen, delante de su altar, sin apartarse de allí hasta que le diese respuesta, Ernesto obedeció, y a los tres días de perseverar en esta disposición, le ordenó la Virgen ciertas oraciones que se habían de decir, y así cesó la peste. Pero después se entibió y el enemigo empezó a molestarle con varias tentaciones, especialmente contra la castidad, y con la sugestión de que huyese del monasterio. El infeliz, por no haberse encomendado a la Virgen, se dejó al cabo vencer, determinando descolgarse por una pared. Pero pasando con este mal pensamiento delante de una imagen que estaba en el claustro, le habló la piadosísima Virgen, diciéndole: —Hijo mío, ¿por qué me dejas? Sobrecogido y con gran compunción respondió: —¿No ves, Señora, que ya no puedo resistir más? ¿Por qué tú no me ayudas? —Y tú, —replicó la Virgen— ¿por qué no me invocas? Si te hubieras encomendado a mí, no te sucedería eso: hazlo en adelante y no temas. Fortalecido con estas palabras, se volvió a la celda. Allí le asaltaron de nuevo las tentaciones, y como ni entonces acudió a la Virgen, finalmente se escapó del monasterio, y a poco se dio a todos los vicios, viniendo a parar, de pecado en pecado, hasta hacerse salteador de caminos. Después alquiló una venta, donde por la noche, por robar a los pasajeros, les quitaba la vida. Entre las muertes que hizo, mató a un primo del gobernador, que por varios indicios empezó a formarle proceso. Entretanto, llegó al mesón un caballero joven, y luego que anocheció, fue éste a donde dormía el huésped, con ánimo de asesinarle, según costumbre. Se acerca, y en lugar del caballero, ve tendido en la cama un Santo Cristo, que, mirándole benignamente, le dice: —Ingrato, ¿no te basta que haya muerto por ti una vez? ¿Quieres volverme a quitar la vida? Pues, extiende la mano y hiéreme. Admirado y confuso, Ernesto empezó a llorar amargamente, diciendo así: —Veme aquí, Señor: ya que usas conmigo de tan grande misericordia, quiero volverme a ti. Y sin diferirlo un instante, salió con dirección al monasterio. Pero en el camino fue preso por los ministros de la justicia y llevado al juez, delante del cual confesó todos sus delitos, por los que fue condenado a la pena de la horca, y tan rápido, que ni siquiera le dieron tiempo de confesión. Él se encomendó entonces de veras a la Virgen misericordiosa, y al tiempo de echarle los cordeles al cuello, la Virgen le detuvo para que no muriese, y después soltó la cuerda y le dijo: —Vuelve al monasterio, haz penitencia y cuando me vuelvas a ver con una cédula en la mano en que estará escrito el perdón de tus pecados, disponte a morir. Así lo hizo; contó al abad todo lo sucedido, hizo penitencia rigurosa por muchos años, al cabo de los cuales vio a la Virgen dulcísima con el papel en la mano, se acordó del aviso, se dispuso para la última partida y acabó santamente.

ORACIÓN.— ¡Oh Reina soberana, digna Madre de Dios!, el conocimiento de mi vileza y la multitud de mis pecados debieran quitarme el ánimo de acercarme a ti y llamarte Madre. Pero aunque es tanta mi infelicidad y miseria es mucho también el consuelo y confianza que siento en llamarte Madre. Merezco, bien lo sé, que me deseches; pero humildemente te ruego que mires lo que hizo y padeció por mí tu divino Hijo, y entonces, si puedes, despídeme. Es cierto que no hay pecador que haya ofendido tanto como yo a la divina Majestad; pero estando el mal ya hecho, ¿qué recurso me queda sino acudir a ti, que puedes ayudarme? Sí, Madre mía, ayúdame y no digas "no puedo", porque eres omnipotente y alcanzas de Dios todo cuanto quieres. No respondas tampoco "no quiero" o bien dime a quién he de acudir pidiendo el remedio de mi desventura. Señor, compadécete de este infeliz, y tú, Señora, intercede por él, muéstrale otros más piadosos, a quienes pueda recurrir con más confianza. Pero ¡ah!, que ni en la tierra ni en el cielo se encuentra quien tenga de los desdichados más compasión, ni quien mejor les pueda socorrer. Tú, ¡oh Jesús mío!, eres mi padre. Cuanto más infelices somos los pecadores, más nos amas y con mayor solicitud nos buscas para salvarnos. Yo soy reo de muerte eterna, yo soy el más miserable de todos los hombres; pero con todo, no es menester buscarme, ni es esto lo que ahora pretendo, pues voluntariamente corro a tus pies. Aquí me tienes postrado a tus plantas. Jesús mío, perdóname; Madre mía, intercede por mí.

CAPÍTULO SEGUNDO

VIDA Y DULZURA

1. María es vida nuestra,
porque nos alcanza el perdón de los pecados

Para conocer el motivo de llamar la santa Iglesia *vida* a la Reina de los Ángeles, es de saber, que, así como el alma es la que da vida al cuerpo, así la divina Gracia es la vida del alma, porque un alma sin la gracia de Dios tiene nombre de viva; pero en verdad, está muerta, como se dijo en el *Apocalipsis* a uno: "Tienes nombre de vivo; pero estás muerto". Y María es la que alcanzando a los pecadores la divina gracia, les restituye la vida verdadera. Así lo enseña la santa Iglesia, que le pone en la boca estas palabras de los *Proverbios*: "Los que madrugan para venir a mí, me hallarán". Y el madrugar quiere decir, al instante que puedan. Los setenta intérpretes traducen: "Hallarán la gracia"; de manera que es lo mismo hallar a María que recobrar la gracia de Dios. Y poco más abajo dice el mismo libro de los *Proverbios*: "El que me encuentra hallará la vida y recibirá de Dios la vida eterna". "Oigan —exclama aquí san Buenaventura—, oigan, los que desean el reino de Dios: honren a la Virgen María, y hallarán la vida y la salud eterna".

Llegó a decir san Bernardino de Sena, que si Dios no aniquiló a los hombres, después del pecado, fue por el amor especial con que ya miraba a esta dichosa criatura, y que no dudaba que por ella sola había concedido perdón y hecho todas las misericordias que usó con los pecadores en la antigua ley. Por esto nos exhorta san Bernardo a buscar la gracia y buscarla por medio de María, porque ella fue quien la encontró, y así la llama el santo: *la que halló la gracia: inventrix gratiae*; de lo cual la cercioró el ángel san Gabriel, diciéndole, para consuelo nuestro: "No temas, María, que has hallado la gracia". Pero ¿cómo podía decir el Ángel esto, si María nunca la había perdido, pues una cosa se dice con verdad que la encuentra quien antes no la tenía, y la Virgen siempre estuvo con Dios, siempre con la gracia, y aun llena de gracia, según el mismo Arcángel, testificó diciendo: "Dios te salve, María, llena eres de gracia"? Pues, si para sí no la encontró por haber estado siempre llena, ¿para quién fue? Para los pecadores que la habían perdido. Corran, pues, a María los pecadores que han perdido la gracia, y la hallarán seguramente; corran y díganle: "Señora, las cosas deben restituirse a quien las pierde; nosotros perdimos esta joya preciosa, a nosotros se ha de devolver". Como que agradó siempre a Dios, y le agradará eternamente, si acudimos a ella, sin duda ninguna hallaremos lo que buscamos. Dice en los *Cantares* la misma Señora: *Ego murus, et ubera mea sicut turris*: es decir, que Dios la puso en el mundo para que fuese nuestro muro y defensa. También dice en los *Cantares* que halló la paz delante de Dios; con cuyas palabras alienta san Bernardo al pecador y le dice: "Ve y busca la Madre de la misericordia, y muéstrale las llagas de tu alma, que ella pedirá a su Hijo santísimo que te perdone por aquel licor precioso con que le alimentó; y el Hijo, que la amaba tanto, no dejará de oírla". Con este espíritu nos manda la santa Iglesia pedir en aquella oración que decimos frecuentemente: "¡Oh Dios misericordioso! Ayuda nuestra fragilidad para librarnos de nuestras iniquidades, por la intercesión de nuestra Madre cuya memoria renovamos".

Motivo tenía, pues, san Lorenzo Justiniano para llamarla esperanza de malhechores, por ser ella la única que les alcanza el perdón. Motivo tenía san Bernardo para llamarla escala de pecadores, porque ella es la que da la mano a todos los caídos, sacándolos del precipicio y levantándolos de nuevo a Dios. Motivo tenía san Agustín para llamarla única esperanza de los pecadores, pues, sólo por su medio podemos esperar la remisión de todos nuestros pecados. Motivo tenía san Juan Crisóstomo para decir lo mismo por igual razón, saludándola así en nombre de todos: "Dios te salve, Madre de Dios y Madre nuestra, cielo donde Dios reside, trono en que dispensa toda suerte de gracias; pide siempre a Jesús por nosotros, a fin de que por tus oraciones obtengamos el perdón en el día del juicio, y después la eternidad feliz". Motivo tenía un autor para llamarla Aurora, porque así como la aurora es fin de la noche y principio del día, la Virgen Santísima fue extirpación y fin de todos los vicios, aquellos admirables efectos que produjo en el mundo cuando nació los produce siempre que en una alma nace su devoción, pues, disipa las tinieblas de nuestros pecados y nos pone en el camino de la virtud. ¡Oh, Madre! Tu defensa es inmortal, tu intercesión es vida, tu nombre, a quien le pronuncia con devoción, es señal de tener ya vida o de haberla de recibir en breve.

Anunció en su cántico que todas las generaciones habían de llamarla bienaventurada. "Sí, Señora, repite san Bernardo, todas las generaciones ahora y siempre te llamarán bienaventurada porque a todos has dado la vida y la gloria, y por ti han de hallar los pecadores misericordia, y los justos gracia". Pecador, no desconfíes aunque hayas cometido todos los pecados imaginables, sino acude a María, y verás sus manos llenas de misericordia, y conocerás por experiencia que es mayor su deseo de usarla contigo que el tuyo de recibirla.

En su mano tiene la seguridad del divino perdón; siempre con el bien entendido que nos hemos de servir de su amparo para reconciliarnos con Dios, pues, de este modo es como el Señor promete perdonarnos, y lo asegura con una prenda. ¿Y cuál es la prenda? María, a quien Él mismo nos dio por abogada, y por cuya intercesión, unida a los méritos de Jesucristo, perdona Dios a cuantos recurren a ella. Santa Brígida oyó de boca de un ángel que ya en tiempos antiguos se alegraban los profetas al saber que por la humanidad y pureza de esta Virgen preciosa había Dios de aplacarse y reconciliar consigo a los pecadores, que tenían provocada su justa ira.

Nunca, pues, debe temer el pecador que le despida María cuando la invoca, porque es Madre de Misericordia, y desea que se salven aun los más infelices, como que es arca de refugio, y ninguno de cuantos se acogen a ella puede perecer. En el Arca de Noé, hasta los animales se libraron de las aguas del Diluvio, y bajo el manto de María quedan salvados los pecadores. Una vez la vio santa Gertrudis con el manto tendido, bajo el cual se habían refugiado muchas fieras, como leones, osos y tigres; y María, lejos de echarlos de sí, los recibía y acariciaba con mucho agrado, entendiendo por aquí la santa que cuando los pecadores más perdidos buscan a María, no son desechados, sino acogidos y libres de la muerte eterna. Entremos, pues, en esta arca saludable, refugiémonos bajo este manto sagrado y hallaremos misericordia y lograremos la salvación.

EJEMPLO.- Cuenta el P. Bovio que una mala mujer, por nombre Elena, entró una vez en la iglesia, donde oyendo predicar un sermón de las excelencias del santo Rosario, al salir compró uno, pero por vergüenza lo llevaba escondido. Empezó, con todo, a rezarlo, y aunque al principio lo hacía sin devoción, después le infundió la Virgen tal consuelo y dulzura, que ya quería estar siempre rezando. Con esto concibió un horror tan grande de su mala vida, que no podía sosegar, sintiéndose como impelida a ir a confesarse. Lo hizo con extraordinarias muestras de arrepentimiento y admiración del confesor. Acabada la confesión fue a dar gracias a la Virgen Santísima delante de un altar; allí dijo su Rosario, y la Señora le habló así desde aquella imagen: —Elena, basta ya de ofensas, desde hoy cambia de vida, y yo te favoreceré—. Confusa con estas palabras respondió: —¡Ah, Señora, es cierto que hasta aquí he sido muy mala; pero tú, que todo lo puedes, ayúdame; en tus manos me pongo; haré penitencia todo lo que me quede de vida—. Salió de allí con esta firme resolución; vendió cuanto tenía, lo repartió a los pobres y emprendió una vida muy penitente. Tenía tentaciones, y muy terribles; pero acudiendo a la Virgen, salía victoriosa. Así llegó con el tiempo hasta merecer favores sobrenaturales, como visiones, revelaciones y profecías. Finalmente, antes de morir (de que ya tenía aviso de María Santísima) se le apareció la misma Señora en compañía de su divino Hijo, y al tiempo de expirar vieron algunas personas que el alma de aquella pecadora volaba a los cielos en figura de una paloma muy hermosa.

ORACIÓN.- ¡Oh, Madre de Dios y única esperanza mía! He aquí a tus pies a un pecador miserable, que implora tu clemencia. A una voz te dice toda la Iglesia, Madre de pecadores. Pues, si lo eres, a ti me acojo; tú me has de salvar. Bien sabes cuánto desea tu amantísimo Hijo mi salvación y lo mucho que padeció por ella. Hoy te ofrezco todas sus fatigas y dolores, el desabrigo del pesebre, los trabajos de la huida a Egipto, el cansancio y sudor, la sangre derramada y las penas con que expiró en la cruz en tu presencia. Da a conocer a todo el mundo, favoreciéndome, lo mucho que le amas, pues, por el amor que le tienes imploro tu misericordia. Da la mano a un caído digno de compasión. Si yo fuese justo no pediría misericordia; pero como soy pecador, te busco a ti, que eres Madre de piedad; y pues tu amoroso corazón se alegra de favorecer a los miserables que no se obstinan, hoy le puedes dar este gusto y a mí un gran consuelo, que, aunque pecador y digno de las penas eternas, no estoy obstinado todavía, por divina misericordia. Dime, Señora, qué tengo que hacer, y alcánzame fuerza para ello; por mi parte, dispuesto me hallo a todo lo que fuere menester para recobrar la gracia perdida. Bajo tu manto me acojo. Tu Hijo amantísimo quiere que acuda a ti, que eres Madre, para que por la virtud de su sangre y de tus ruegos poderosos, sea de ambos la gloria de haberme salvado. Él me envía para que tú me socorras. Aquí me tienes: En ti confío. Ya que pides por otro, di también por mí siquiera una palabra. Di al Señor que deseas mi salvación, y me salvará. Di que soy tuyo, y me basta.

2. También la Virgen es nuestra vida, porque nos obtiene la perseverancia

Es la perseverancia final don tan alto y precioso, que ningún hombre lo merece sino que es del todo gratuito, como tiene la Iglesia declarado en el Concilio de Trento. Con todo, san Agustín enseña que se puede alcanzar con la oración, y aun infaliblemente. Añade Suárez: "... con tal que no cesemos de pedirlo hasta el fin"; pues, en expresión de Belarmino, cada día se debe pedir para que cada día se pueda obtener. Ahora bien: conforme a la opinión común, y cierta para mí, como probaré en el capítulo cuarto, de que dispensa Dios por mano de María todas las gracias que concede a los hombres, no habrá duda en que también alcanzaremos el don de la perseverancia que es gracia suma. Sí, la alcanzaremos pidiéndosela siempre con toda confianza. Ella misma lo promete a cuantos la sirven con fidelidad, y la santa Iglesia, que es infalible, le pone en la boca las palabras que lo aseguran: *Qui operantur in me non peccabunt; qui ellucidant me, vitam aeternam habebunt.*

Para perseverar en gracia hasta la muerte necesitamos fortaleza espiritual con que resistir los asaltos del enemigo, la cual sólo se alcanza por medio de María. "Mía es la fortaleza. En mi mano ha puesto el Altísimo este don, para que lo dispense a mis devotos". "Por mí reinan los reyes. Con mi favor rigen mis siervos sus sentidos, dominan sus pasiones y se hacen dignos de reinar después eternamente". ¡Oh, qué esfuerzo sienten en sí los siervos de esta gran Señora para vencer todas las tentaciones! María es aquella torre inexpugnable ceñida de escudos y defensas, donde tienen las almas fieles, armas en abundancia para pelear y vencer a todos sus contrarios.

También se llama plátano, porque el plátano tiene las hojas grandes y parecidas a un escudo. Esta propiedad explica bien la protección y firmeza con que María defiende a los suyos; o bien porque así como los viajeros se guarecen de la fuerza del sol y la lluvia bajo las hojas de este árbol, así los hombres bajo el manto de María hallan refugio contra el ardor de las pasiones y la violencia de la tentación. ¡Desdichado de aquel que se aparta de tan segura defensa! ¡Desdichado del que olvida su devoción y no recurre a ella en los peligros! ¿Qué sucedería si llegase a faltar el sol? ¿Qué sería entonces el mundo, sino un caos tenebroso y horrendo? Pierda el alma la devoción de María, y luego se cubrirá de tinieblas, de aquellas tinieblas donde sólo habitan fieras terribles, cuales son el pecado y el diablo. ¡Ay de aquellos que se ofendan de la luz de este sol, que desprecien la devoción de María! Con sobrado motivo dudaba mucho san Francisco de Borja de la perseverancia de las personas en quienes no veía una devoción especial a esta soberana Señora. Preguntó una vez a ciertos novicios cuáles eran los santos de su mayor devoción, y advirtiendo que no la tenían particular en la Virgen Santísima, avisó al maestro de ellos que estuviese alerta, y fue así, que al fin aquellos desdichados salieron de la religión.

También tenía san Germán motivo para llamarla respiración y aliento de todo cristiano, porque si el cuerpo sin respirar no puede vivir, tampoco el alma puede conservar la vida de la gracia, sino por medio de María, que nos la consigue seguramente. Tuvo un día el Beato Alano una fuerte tentación, y por no haberse encomendado a la Virgen, poco le faltó para ser vencido y perecer; pero la soberana Señora se le apareció, y para que otra vez fuese más advertido, sintió que le daban al mismo tiempo una bofetada y que la Virgen prudente le decía: "Si hubieses acudido a mí, no te hubieras visto en semejante peligro".

Al contrario, el que oiga su voz vaya todos los días a pedir a las puertas de su misericordia luz y socorro, éste será feliz. Abundancia de luz y pronto socorro le dará María para salir de sus vicios y volver al camino de la virtud.

Inocencio III la llama hermosamente luna en la noche, y aurora temprana; y sol, al mediodía. Luna, al que vive ciego en la oscuridad del pecado, iluminando su alma, para que vea su infeliz estado y el peligro en que se halla de condenarse; aurora, al que comienza a conocer el riesgo, para ayudarle a recobrar la gracia, y sol clarísimo, al que ya está en gracia de Dios, para que no vuelva a caer en el precipicio.

Aplican a María los Doctores sagrados aquellas palabras de la Escritura Santa: "Sus lazos son ataduras saludables". ¿Y por qué lazos y ataduras? Porque liga a sus devotos para que no huyan y se extravíen por los campos del vicio. Está colocada en la plenitud de los santos, porque vive en medio de los santos, y los detiene para que no vuelvan atrás, y les conserva la virtud para que no desfallezcan, y sujeta con su poder al diablo para que no les haga daño.

Todos sus devotos tienen dos vestidos; es decir, las virtudes de Cristo y las de María, como explica doctamente Cornelio a Lápide, y así vestidos viven bien y acaban bien; por lo cual exhortaba tantas veces san Felipe Neri a sus penitentes, diciéndoles: "Hijos, si quieren perseverar, sean devotos de la Virgen Santísima"; y lo mismo aseguraba san Juan Berchmans, como ya dijimos. Es hermosa la reflexión de Ruperto a este propósito en la parábola del hijo pródigo. Dice que si hubiera tenido madre, aunque tan díscolo, no se hubiera ido de la casa paterna, o hubiera vuelto mucho antes; dando a entender que el que tiene la dicha de ser hijo de María, o no se aparta nunca de Dios, o si le acontece tal desgracia vuelve pronto por medio de la Madre amada.

¡Oh, si amasen a esta benigna y amorosa Señora todos los hombres; si luego que sintiesen la tentación corriesen a sus brazos! ¿Quién caería jamás? ¿Quién se perdería? Sólo se pierde quien no la invoca. Le aplica san Lorenzo Justiniano aquellas palabras de la Escritura: "Anduvo sobre las olas del mar"; como si dijese: "Yo me hallo con mis siervos en medio de las tempestades; para asistirlos y librarlos de la perdición eterna".

Cuenta el P. Bernardino de Busto, que a un pajarillo le enseñaron a decir "Ave María", y viniendo una vez a agarrarle un gavilán, lo dijo, y el gavilán quedó muerto. Pues si el ave, sin entender lo que decía, se libró de la muerte, mucho más debe esperar esto una persona racional si invoca de corazón su dulce nombre cuando le asalte el enemigo de las almas. Al sentir la tentación, no hay que discurrir ni hacer otra cosa sino acogernos al instante bajo el manto de María, como los polluelos bajo las alas de la madre cuando el milano viene. "Tú, Madre y Señora, nos defenderás porque no tenemos otro amparo ni otra esperanza y protección en quien después de Dios podamos confiar".

Concluyamos con aquellas palabras tan afectuosas de san Bernardo: "¡Oh, tú quienquiera que seas, advierte que en esta vida, más bien que andar por tierra firme vas navegando entre peligros y borrascas! Si quieres no quedar sumergido, mira la estrella, llama a María. En los peligros de pecar, en las tentaciones porfiadas, en las dudas, piensa que María te puede socorrer, y llámala de inmediato. No falte jamás su nombre en tu corazón con la confianza, ni de tu lengua con la invocación. Si la sigues, no errarás el camino de la salud. Si acudes a ella, no desconfiarás. Si te tiene de su mano, no caerás. Si te protege, nada temerás. En una palabra: si María toma a su cargo defenderte, alcanzarás la bienaventuranza".

EJEMPLO.- Es famosa la historia de santa María Egipciaca, como se cuenta en el libro primero de las vidas de los Padres del desierto. A los doce años se escapó de casa de sus padres, y se fue a Alejandría, donde con su mala vida era el escándalo de toda la ciudad. Pasados otros dieciséis, salió de allí y vagando llegó a Jerusalén a tiempo que se celebraba la fiesta de la Santa Cruz, y viendo entrar en la iglesia mucha gente, quiso también entrar en ella, más por curiosidad que por devoción; pero en la puerta sintió que una mano invisible la detenía. Hizo otra vez por entrar, y le sucedió lo mismo, hasta la tercera y cuarta vez. Entonces la infeliz, retirándose a un rincón del atrio conoció con luz superior que su mala conducta la echaba de la iglesia. Alzó los ojos y vio allí cerca, por dicha suya, una imagen de María Santísima, a la cual empezó a decir, llorando, de esta manera: ¡Oh, Madre de Dios, ten piedad de esta pecadora! No merezco que me mires, pero tú eres el refugio de los pecadores: ampárame y favoréceme por el amor de Jesucristo, tu Santísimo Hijo. Haz que pueda entrar en la iglesia, y cambiaré de vida y me iré a hacer penitencia donde tú me digas. Entonces oyó una voz interior, como de la Virgen, que le decía: —Pues, que acudes a mí con propósito de enmendarte, ya puedes entrar. Entró, adoró la Santa Cruz, con abundancia de lágrimas, volvió a la imagen, y le dijo: —Heme aquí pronta, Señora: ¿a dónde quieres que me retire? —Pasa el Jordán —le respondió la Virgen— y allí encontrarás tu descanso. Se confesó, comulgó y, pasando el río, llegó al desierto, y entendió que allí era donde se debía quedar. Los diecisiete años primeros tuvo que sufrir terribles asaltos de los demonios; pero acudió siempre a la Virgen y la Virgen Santísima le alcanzaba fuerzas para resistir y vencer. Finalmente, habiendo pasado en aquella soledad cincuenta y siete años, siendo ya de edad de ochenta y siete, la encontró por divina providencia san Zósimo, abad, a quien refirió todo el relato de su vida, suplicándole que volviese al año siguiente con la sagrada comunión. Así lo hizo y le pidió lo mismo para otro año al cabo del cual volvió, pero la halló ya muerta, aunque rodeada de un gran resplandor, y con estas palabras escritas de su mano: "Entierra aquí el cadáver de esta pecadora, y pide a Dios por su alma". Vino corriendo un león, hizo un hoyo con las garras, el santo la sepultó, y volvió al monasterio, contando a todos las misericordias que Dios había obrado con aquella feliz penitente.

ORACIÓN.- ¡Oh, Madre de piedad, Virgen sacratísima! Ve a tus pies al pecador ingrato que, menospreciando tantas veces la gracia divina, hizo traición a Dios y a ti; pero mi gran miseria no me quita la confianza, antes bien me la aumenta, porque espero que así también serán mayores las muestras de tu misericordia. Da a conocer a todo el mundo que, del mismo modo que eres para cuantos acuden a ti clemente y generosa, igualmente lo eres para conmigo. Basta, Señora, que me mires y te compadezcas de mí, porque mirándome, no podrás dejar de protegerme. Y si tú me proteges, ¿qué podré temer? Nada: ni a mis pecados, porque tú puedes remediar el daño hecho, ni a los enemigos infernales, porque eres más poderosa que todo el infierno; ni tampoco la ira justa de tu Hijo indignado contra mí, porque una palabra que tú le digas será suficiente para aplacarle. Sólo temo dejar por mi culpa de encomendarme a ti en las tentaciones y así perderme. Pero esto es lo que hoy te prometo, solicitando al mismo tiempo que me ayudes a cumplirlo con fidelidad. Ve qué hermosa ocasión se te presenta de dar contento a tu piadoso corazón, favoreciendo a un miserable. En ti pongo toda mi esperanza; alcánzame la gracia de llorar mis pecados con verdadero arrepentimiento y fortaleza, para no volver a pecar. Enfermo estoy, pero tienes a tu disposición la medicina del cielo. Si mis pecados me han hecho débil, tu protección me puede hacer fuerte y robusto. En fin, todo lo espero de tu mano, porque todo lo puedes para con Dios.

3. María hace dulce la muerte a sus devotos

"El amigo ama en todo tiempo, y en la adversidad se conoce al hermano", dicen los *Proverbios*. Pero los amigos del mundo, como no suelen ser verdaderos, sólo duran mientras hay prosperidad; luego que nos ven en desgracia, y mucho más a la hora de la muerte, nos abandonan. No lo hace así María con los suyos. En todos los trabajos de la vida, y especialmente en las angustias de la muerte, que son las mayores que puede haber en este valle de lágrimas, no se aparta de sus queridos siervos, y si nuestro proceder correspondió a la profesión de cristianos, nos proporciona una muerte dulce y feliz. Porque desde aquel gran día en que con tanta pena asistió en el Calvario a la muerte del Señor y caudillo de todos los predestinados, adquirió el derecho de asistir a la muerte de todos ellos, y por esta causa nos enseña la santa Iglesia a decir frecuentemente en el Avemaría: "Ruega por nosotros, pecadores, ahora y en la hora de nuestra muerte".

Grandes son las angustias de un moribundo, ya por los remordimientos que dejan los pecados de la vida pasada, ya por el temor del juicio cercano, ya por las dudas de la salvación. Todo el infierno se arma y acomete con más violencia que nunca para arrebatar aquella alma en las puertas de la eternidad, viendo que le quedan pocos instantes, y que si la pierde, la pierde para siempre, y el tentador, que en vida nos persiguió tan obstinadamente, no se contenta entonces con venir solo, sino que trae consigo otros muchos compañeros y tentadores.

Diez mil dicen que vinieron a tentar a san Andrés Avelino a la hora de su muerte, habiendo tenido con ellos un combate tan recio y porfiado, que hacía temblar a los buenos religiosos que le asistían, como en su vida se lee, pues vieron hinchársele la cara hasta ponerse negra, estremecerse los miembros, crujir los huesos, caerle un torrente de lágrimas y dar con la cabeza violentas sacudidas, señales todas de la batalla espantosa que estaba sufriendo. Todos lloraban de compasión, redoblaban el fervor de las súplicas, y al mismo tiempo estaban espantados de ver morir a un santo de aquella manera, aunque por otra parte se consolaban advirtiendo que de cuando en cuando levantaba la vista, como pidiendo socorro, a una devota imagen de María Santísima que tenía delante, y acordándose de que había dicho muchas veces que en aquel trance sería esta Señora su amparo y refugio. Plugo, finalmente, a la divina Bondad que acabase la lucha con gloriosa victoria; porque, cesando la conmoción del cuerpo, y deshinchado y vuelto a su primer color el semblante, fijó los ojos amorosamente en aquella imagen; hizo, como en acción de gracias, devota inclinación a María (que se le apareció en el acto, según se cree), y expirando dulcemente en sus brazos maternales, voló para siempre a los gozos del Paraíso. Y al mismo tiempo una religiosa capuchina, que estaba también en agonía, se volvió a las monjas que la asistían, y les dijo: "Recemos un Avemaría, porque ahora acaba de morir un santo".

¡Oh, qué cierto es que en la presencia de María huyen los rebeldes! Si en aquella hora la tenemos de nuestra parte, ¿qué temor nos podrán causar todos los enemigos del infierno? Temeroso David de las angustias de la muerte, se confortaba con la confianza en el Redentor que había de venir y en los méritos de la que había de ser su Madre, y decía: "Cuando camine por la sombra de la muerte, tu vara, Señor, y tu báculo me consolarán". Explica Hugo, Cardenal, por el báculo, el árbol de la Cruz, y por la vara, la intercesión de María, vara florida que anunció el profeta Isaías diciendo: "Saldrá una vara o vástago de la raíz de Jesé (es decir, de la familia de David, hijo de Jesé), y de ella una flor". Es, ciertamente, María, vara de gran poder, vara que vence y quebranta toda la violencia de los enemigos infernales. Y si ella está por nosotros, ¿quién se nos opondrá? Hallándose el P. Manuel Padial, de la Compañía de Jesús, cercano a la muerte, se le apareció, llenándole de gozo y diciéndole: "Ya, finalmente llegó la hora en que te den los ángeles el parabien, cantando así: '¡Oh, trabajos dichosos! ¡Oh, mortificaciones remuneradas!' Y al mismo tiempo salió de allí huyendo un ejército de enemigos, que iban rabiosamente gritando: '¡Hay, que nada podemos! ¡Le defiende la que no tiene mancha!' También fue asaltado en aquel trance el P. Gaspar Hayevod, con una gran tentación contra la fe; pero acudiendo a la Virgen fervorosamente, se le oyó decir en alta voz: 'Gracias te doy, Señora, de que vengas a socorrerme'".

San Buenaventura afirma que la Virgen manda en aquella hora al príncipe san Miguel, con toda su celestial milicia, para que defiendan a sus devotos, reciban sus almas y las suban a los cielos en triunfo. Y aunque, como dice Isaías, todo el infierno se pone también en movimiento y envía a los peores diablos, con orden de tentar al alma primero, y de acusarla después, en el divino tribunal, con todo, si es alma que haya tenido María bajo su protección, no se atreverán a tanto sabiendo que nunca se condenó ni condenará ninguna de las que ella protege, y habiendo tantas veces visto que aun les sale al encuentro, y acompaña delante del Juez, amparándolos bajo su manto, con lo que seguramente logran sentencia de salvación. Así lo hizo con Carlos, hijo de santa Brígida, de cuya muerte estaba la madre temerosa por haber muerto lejos de su presencia y en el estado peligroso de la milicia; pero Nuestra Señora le reveló que se había salvado por el amor que siempre le había tenido, para la cual Ella misma le había asistido al tiempo de morir, sugiriéndole todo lo que entonces debe hacer un cristiano. Vio al mismo tiempo al Juez sentado en su trono, y que el demonio tuvo atrevimiento de presentarle dos quejas contra su Santísima Madre: la primera, que le hubiese estorbado tentar a Carlos cuando estaba para morir; la segunda, que le hubiese llevado ella delante del Juez, alcanzándole de este modo la salvación, sin darle siquiera lugar a que expusiese las razones que le asistían para probar que aquella alma era suya. Pero el Señor le echó de su presencia, y el alma de Carlos entró triunfante en la gloria.

"Sus lazos son ligaduras saludables, y en la última hora encontrarás en ella tu descanso". ¡Dichoso, tú, hermano mío, si aquella hora te encuentra ligado con las dulces cadenas del amor de María! Éstas son cadenas de salvación que te aseguran la eterna felicidad, y te darán a gustar por anticipado aquella paz envidiable, principio de eterno descanso. Refiere el P. Binetti, en su libro "De las perfecciones de Nuestra Señora", que estando él ayudando a bien morir a un hombre muy devoto de María Santísima, le dijo el moribundo poco antes de expirar: "Padre, ¡si usted supiese qué alegría siento en esta hora de haber servido a la Madre de Dios! No hallo palabras con qué explicarlo". Y el P. Suárez, por haberlo sido también (tanto, que aseguraba hubiera cambiado todo su saber por el mérito de un Avemaría), murió con tanto gozo, que expirando como estaba, decía: "Nunca hubiera pensado que el morir fuese cosa tan dulce". Igual contento sentirás tú, sin duda, devoto lector, si amas ahora a esta buena Madre, la cual no podrá entonces dejar de mostrarse correspondida con los hijos amantes que la hubieren fielmente servido, visitándola con frecuencia, rezando su Santo Rosario, ayunando en su honor, y, especialmente, dándole sin cesar gracias y alabanzas por sus continuos favores, y encomendándose de veras a su poderoso patrocinio.

Ni el haber sido pecador algún tiempo te quitará ese consuelo, si desde hoy quieres enmendarte y empezar a servirla con fervor; y en las tentaciones y angustias que fraguará el demonio para desalentarte, ella que es agradecida y benigna, te confortará con su auxilio, y aun vendrá en persona para asistirte en aquella hora. Cuenta san Pedro Damián que temeroso un día un hermano suyo, llamado Martín, de los pecados de la vida pasada, se puso delante de un altar de la Virgen, ofreciéndose como esclavo suyo, y atándose por señal una cinta al cuello le dijo: "Señora y espejo de pureza: yo, pobre pecador, ofendí a Dios y a ti mancillando la castidad. Ya no me queda otro remedio que ofrecerme como tu esclavo. Heme aquí; a ti me dedico para siempre; recibe a este rebelde pecador y no me deseches". Y luego puso en la peana del altar unas monedas, con promesa de traer cada año otras tantas, en señal de tributo. Así llegó, en fin, la hora de la muerte, cuando de pronto empezó a decir: "Levántense todos, y hagan acatamiento de mi Señora"; añadiendo después: "¡Oh, qué favor, Reina del cielo, que te dignaste visitar a este pobre esclavo! Bendíceme, Señora, y no permitas que se pierda mi alma después de haberme favorecido con tu soberana presencia". En esto llegó su hermano, a quien refirió todo lo sucedido, quejándose de que no se hubiesen levantado los circunstantes al entrar la Virgen, y a poco expiró plácidamente en el Señor. Tan dichosa como ésta será tu muerte, piadoso lector, si eres fiel a María; y aunque en el tiempo pasado hayas ofendido a Dios, tendrás, arrepentido ya, una muerte dulce y feliz con su amparo maternal y asistencia amorosa.

Si te desalientan los pecados de la vida pasada, te asistirá como lo hizo con Adolfo, conde de Alsacia, el cual, habiendo dejado el mundo por la religión de san Francisco, fue muy devoto de la Madre de Dios, como se refiere en la crónica de la Orden. Estando ya, pues, en los últimos días de su vida, acordándose entonces de los años mal empleados en el siglo y temeroso del rigor del tribunal divino, comenzó a desconsolarse y dudar de su salvación. Pero he aquí que María, la cual no duerme en las angustias de sus devotos, acompañada de muchos santos, se le aparece, le conforta y le dice estas tiernas palabras: "Amado Adolfo, ¿cómo, siendo mío, temes la muerte?" Al instante se disipó todo temor, y murió con indecible gozo.

Animémonos también nosotros, aunque pecadores, esperando que, si ahora la servimos con fidelidad, se dignará entonces venir y asistirnos y consolarnos con su amable presencia, como lo prometió a santa Matilde.

¡Oh, Dios mío, y qué dulce consuelo tendremos cuando, ya cercanos a las puertas de la eternidad, y en aquel momento en que se ha de sentenciar la causa de nuestra salvación o condenación eterna, veamos a nuestro lado a la Reina del cielo, asistiéndonos, animándonos y prometiéndonos su protección! Hay de esto ejemplos innumerables. Favor tan señalado hizo a santa Clara, san Félix de Cantalicio, santa Clara de Monte Falcó, santa Teresa, san Pedro de Alcántara. Pero contemos otros pocos, para nuestro consuelo. Refiere el P. Grasset, que santa María Oñacense vio una vez que la Virgen Santísima estaba a la cabecera de la cama de una devota viuda de Willebroek, consolándola y mitigándole el ardor de una calentura muy ardiente. San Juan de Dios, estando para morir, esperaba que llegase esta Señora, de quien había sido muy devoto; pero viendo que tardaba empezó a afligirse y a quejarse quizá. Pero cuando fue tiempo se le apareció, y, como reprendiéndole de su poca confianza, le dijo estas dulces palabras: "Juan, no dejo yo a los míos en esta hora": como si le dijese: "¿Pensabas, acaso, que te había yo de abandonar? ¿No sabes que a la hora de la muerte no desamparo a los que me aman? No he venido antes porque no era tiempo; ahora que ya lo es, ve aquí, que vengo a llevarte conmigo al cielo". A poco, expiró el santo, y volvió a la gloria, donde estará dando gracias eternas a su amantísima Madre y Señora.

EJEMPLO.— Demos fin a este discurso con otro ejemplo que descubre igualmente la ternura de tan buena Madre para con sus hijos queridos en aquella hora. Estaba ayudando a bien morir el párroco de cierto lugar a un hombre rico, en una casa muy bien puesta, con asistencia de muchos criados, parientes y amigos; pero veía también a los diablos que, en forma de perros hambrientos, estaban cerca esperando su alma; y así fue que al instante que acabó de expirar se la llevaron, por haber muerto en pecado mortal. En el ínterin fue el cura mandado llamar a casa de una pobre que estaba también para morir y pedía los santos Sacramentos. Mas no pudiendo a un tiempo asistir a los dos, envió a otro sacerdote con el Viático, el cual no halló en la estancia de aquella buena mujer ni criados, ni muebles preciosos, y acaso estaba echada por su pobreza en un poco de paja; pero vio el cuarto lleno de resplandor, y cerca de la moribunda, a la Reina de los ángeles, consolándola y enjugándole con un lienzo el sudor de la muerte. Por respeto a tan gran Señora, no se atrevía a entrar; pero la Virgen le hizo señas que entrase, y le mostró un banquillo para que, sentado en él, oyese la confesión de su sierva, la cual se confesó, recibió con gran devoción el Santísimo Sacramento, y a poco entregó su alma dichosamente en brazos de María.

ORACIÓN.— ¡Oh, dulce Madre! ¿Cuál será la muerte de este miserable pecador? Cuando pienso en el instante último de mi vida y en aquel tribunal y estrecha cuenta que me aguarda; cuando reflexiono que con mis pecados tengo merecida sentencia de condenación, me lleno de espanto. En la sangre de mi Redentor y en tu intercesión poderosa pongo toda mi esperanza. Aunque eres Reina del cielo, Señora del mundo y Madre de Dios, que es de todas la de mayor dignidad, tanta grandeza no te aleja de nosotros, antes bien, te inclina más a tener compasión de nuestra miseria, porque tú no haces como los amigos del mundo, que si los favorece la fortuna se olvidan de lo que fueron y no se dignan mirar siquiera a sus amigos antiguos caídos en desgracia. Tu noble corazón, al contrario, donde ve mayor necesidad, allí acude más pronto. Luego que te invocamos, y aun antes, vienes. Nos consuelas en nuestras aflicciones, disipas las tempestades, vences a nuestros enemigos y, en toda ocasión, procuras nuestro bien. Sea para siempre bendita la mano divina que en ti ha juntado tanta majestad y ternura, tanta grandeza y amor. Doy al Señor gracias porque en tu fidelidad consiste la mía, y de tu suerte depende mi suerte. ¡Oh consoladora de los afligidos! Consuela a uno que viene a buscarte. Los remordimientos me atormentan, así por los muchos pecados que cometí, como por no saber si los he ya llorado debidamente. Veo que todas mis obras han sido malas, que los enemigos infernales esperan mi muerte para acusarme y que la divina Justicia, ofendida, pide satisfacción. ¡Ah, Madre amorosa! ¿Qué ha de ser de mí? Si tú no me amparas, me doy por perdido. ¿Qué dices? ¿Me protegerás? Di que sí, Virgen piadosa, y alcánzame un verdadero dolor de mis pecados, gracias para enmendarme y firmeza en el servicio del Señor los pocos días que me quedan de vida. Y cuando llegue la hora de la muerte, y me veas en aquellas angustias, no me abandones, esperanza mía, sino ayúdame entonces mucho más para que no desespere, acordándome de la multitud y gravedad de mis pecados y viendo a mis enemigos en orden de batalla para acometerme. Mas te quiero pedir, y perdona mi atrevimiento: ven tú en persona a consolarme con tu presencia. Este favor, que a tantos has hecho, yo también lo reclamo. Si es grande mi audacia, mayor es tu bondad. Madre eres, y siempre buscas a los más necesitados para llenarlos de consuelo. En ti confío. Sea tu gloria el haber salvado a un infeliz merecedor del eterno castigo y de haberle abierto las puertas del reino celestial, donde, al verte, correré a tus pies para alabarte, darte gracias, bendecirte y amarte por toda la eternidad. Amén.

CAPÍTULO TERCERO

ESPERANZA NUESTRA, DIOS TE SALVE

1. María es esperanza de todos

Los herejes modernos no pueden sufrir más que invocando a María, la llamemos esperanza nuestra, porque dicen que esto sólo es propio de Dios, el cual maldice a quien pone su confianza en las criaturas, y siéndolo María, ¿cómo en ella se podrá poner? Así hablan los herejes; pero la santa Iglesia (regida por el Espíritu Santo), manda que cada día los eclesiásticos y religiosos, en su nombre y en el de los demás fieles, la saluden, alzando la voz, con el dulce título de esperanza, y esperanza de todos.

En contraposición a la falsa y pestilente doctrina de los herejes, hagamos aquí una reseña de lo que dicen a una voz los santos y Doctores de la Iglesia Católica.

El Doctor Angélico: "De dos maneras podemos esperar en una persona: o como principal o como medio. El que pide al rey una gracia, la espera del rey como del señor, y del ministro como intercesor, y si la consigue, ya sabe que, aunque viene del soberano principalmente, el conducto ha sido el ministro, en el cual, como medianero, puso con razón su esperanza. Dios, que es bondad infinita, desea sumamente enriquecernos con su gracia; pero para ello exige confianza de nuestra parte y para animarnos a tener, nos dio a su misma Madre por Madre y Abogada, depositando en sus manos los tesoros de su poder, a fin de que la salvación y cualquier otro bien, de ella lo esperemos. Los que la ponen en las criaturas sin dependencia de Dios, como hacen los pecadores, que por granjear el favor de un hombre, disgustan al Creador, éstos son a los que les cae propiamente la maldición divina. Mas los que confían en la intercesión de aquella Madre de piedad, criatura tan privilegiada y poderosa para alcanzarnos la gracia y vida eterna, son benditos y agradables a los ojos de Dios, que quiere se le dé honor, porque en la tierra le honró y amó ella más que la multitud de todos los ángeles y santos".

El Cardenal Belarmino: "Confiemos en que por su intercesión hemos de alcanzar lo que por nuestras súplicas no pudiéramos".

San Anselmo: "Nos valemos de su favor para que supla nuestra miseria; y esto no es desconfiar de la divina misericordia, sino conocer y temer nuestra vileza propia". Doctrina conforme a las palabras del *Eclesiástico*, que le aplica la Iglesia: "Madre de santa esperanza. Madre de quien esperamos, no los bienes del mundo, transitorios y viles, sino los celestiales y eternos".

San Efrén: "Dios te salve, esperanza del alma; Dios te salve, auxilio del cristiano, refugio de pecadores, defensa de corazones fieles, salud de todo el mundo". "Recíbenos, Señora, y guárdanos bajo el manto de tu protección, porque después de Dios, tú eres nuestra única esperanza". Así lo dice el santo, con la firme persuasión de que en el orden de la providencia con que Dios nos gobierna, tiene determinado que nadie se haya de salvar sino por medio de María, como probaremos largamente, después, con la doctrina de san Bernardo.

San Basilio y santo Tomás de Villanueva sostienen lo mismo.

San Bernardo, además, da la razón de lo que vamos diciendo, con estas palabras: "Vean aquí los hombres los designios de Dios, que son de piedad: habiendo de redimir al género humano, puso en manos de María todo el premio de la redención para que lo reparta ella como quisiere".

Un piadoso autor moderno, explicando lo que se refiere en el capítulo 25 del Éxodo sobre aquel propiciatorio o trono de gracia que Dios mandó a Moisés fabricar de oro acendrado, para hablarle desde allí, dice que María es este propiciatorio para bien de todas las gentes; que desde él habla Dios lleno de piedad al corazón del hombre, da respuesta de clemencia y perdón, concede toda suerte de dones y nos colma de bienes.

San Ireneo: "Antes de encarnar el Verbo divino en el seno purísimo de María, mandó al Arcángel a pedir su consentimiento, porque a ella quiso debiese el mundo, el alto misterio de la Encarnación".

El sabio Idiota: "Todo bien, todo auxilio, toda gracia que de Dios recibieron y recibirán hasta el fin del mundo los hombres, todo fue y todo será por intercesión de María".

Blosio: "¡Oh, Señora! Siendo tú tan amable y agradecida con todos los que te aman, ¿quién, por su desdicha, será tan necio que deje de amarte? Tú, en las dudas y confusiones, das luz a los que a ti acuden; tú consuelas a los que en ti confían; tú libras de los peligros; tú socorres a los que te llaman: tú, después de tu Hijo, eres la salud de tus fieles siervos. Dios te bendiga, ¡oh, esperanza de los desdichados; oh, refugio de los desamparados! Eres omnipotente, pues que tu Hijo hace sin tardanza cuanto tú quieres".

San Germán: "Oh Señora y consuelo mío, dado por Dios, guía de mi camino, fortaleza de mi debilidad, riqueza de mi gran miseria, medicina de mis llagas, alivio de mis dolores, libertad de mis cadenas, esperanza de mi salvación! Oye mis ruegos, compadécete de mis suspiros, Señora mía, refugio mío, vida mía, auxilio, confianza y fortaleza mía".

San Antonio: "Bien puede el mundo tenerla por fuente y madre de todo bien, y decir: con ella he recibido toda suerte de bienes".

El Abad Celense: "Quien halla a María, halla la gracia y la virtud, porque su poderosa intercesión le alcanza todo cuanto necesita, enriqueciendo su alma con la gracia divina, como lo hace saber ella misma, asegurando que en su mano tiene todas las riquezas del cielo; es decir, todas las misericordias de Dios conforme a lo que se le aplica en el capítulo 8 de los *Proverbios*: "Yo poseo tesoros en abundancia para enriquecer a los que me amen".

San Buenaventura: "Todos debemos tener puestos los ojos en las manos de María, para recibir los bienes que deseamos".

¡Y qué bienes tan preciosos! ¡Cuántos que eran soberbios hallaron la humildad en la devoción a María! ¡Cuántos iracundos, la mansedumbre! ¡Cuántos ciegos, la luz! ¡Cuántos desesperados, la confianza! ¡Cuántos descarriados, la salvación! Así lo prometió por su boca dulce, diciendo a su prima cuando llegó a visitarla: "Desde hoy, todas las generaciones me han de llamar bienaventurada".

San Bernardo: "Sí, todas las generaciones lo dirán, porque a todos diste la vida y la gloria; porque en ti los pecadores encuentran perdón, y los justos gracia perdurable".

El devoto Lanspergio: "Hombres (dice en boca de Dios), honren a mi Madre con singular veneración. Yo se la di para ejemplo de pureza, refugio seguro y asilo en las tribulaciones. Nadie recele acercarse a ella, pues la crié tan benigna y misericordiosa para que a ninguno deseche, a ninguno se niegue, a todos abra el seno de su piedad y a nadie despida desconsolado".

San Buenaventura: "Aunque parezca que me tiene Dios ya reprobado, sé que no se puede negar a Sí mismo. Me abrazaré a Él hasta que me bendiga, y sin mí no se podrá ir. Me esconderé en sus llagas y de este modo, fuera no me encontrará. Me echaré a los pies de su bendita Madre, pidiendo perdón; como es tan buena, no podrá dejar de apiadarse de mí, o al verme tan desdichado, inclinará en mi favor, compadecida, la indulgencia de su Hijo santísimo".

Eutimio, finalmente: "Pon en nosotros, ¡oh, piadosa Madre!, tus ojos de misericordia. Siervos tuyos somos y en ti hemos puesto nuestra esperanza".

EJEMPLO.— Se cuenta en la cuarta parte de "El Tesoro del Rosario", milagro 85, que un caballero, casado y muy devoto de la Madre de Dios, habiendo hecho en su palacio un oratorio, pasaba en él mucho tiempo delante de una imagen de la misma Señora, no sólo de día, sino también de noche, quitándoselo al sueño. Su mujer, que le sentía levantarse a deshora, salir del cuarto y volver tarde, entró en sospechas, y con esta inquietud un día se atrevió a preguntarle resueltamente si, fuera de ella, amaba a alguna otra mujer. Él respondió sonriéndose que amaba a una Señora, la más amable del mundo, a quien había dado todo su corazón, y que primero moriría que dejar de quererla. "Tú, misma, si la conocieses, añadió, me estimularías a tenerle más amor aún", entendiéndolo de la Virgen Santísima, a quien realmente amaba con ternura. Entre tanto su esposa entonces con mayores recelos, para acabar de asegurarse, le volvió a preguntar si cuando salía de la alcoba iba acaso a buscarla. El caballero, que no sabía lo que pasaba por el interior de su mujer, respondió que sí. Con esto, persuadida de lo que no era, una noche luego que se vio sola, tomó un cuchillo, y, desesperada, se degolló. Cuando el caballero volvió, después de sus devociones, notó que la cama estaba muy húmeda. Llama a su mujer y no responde; la mueve, pero permanece insensible. Busca una luz y ve el lecho bañado en sangre y muerta la infeliz, con el cuchillo en la garganta. Entonces conoció que los celos la habían empujado a cometer aquella maldad. Echa la llave, vuelve a la capilla, y postrado delante de la Virgen Santísima, comenzó a llorar amargamente y a decir: "Madre mía, ya ves en qué aflicción tan grande me veo. Si ahora tú no me consuelas, ¿a quién he de acudir? Por mi devoción he tenido este infortunio de ver a mi mujer muerta y condenada. ¡Tú, Señora, puedes remediarlo; hazlo por tu bondad!"

¡Oh, y cuán cierto es que todo el que acude a esta Madre de misericordia halla el consuelo y remedio que desea!

Al acabar la súplica, oye la voz de una criada diciéndole que le estaba llamando la señora. Apenas, de alegría lo podía creer, y le mandó que se enterase bien si era cierto. Ella volvió asegurándolo, y que viniese pronto, pues la señora lo esperaba. Va corriendo, abre la puerta y halla viva y sana a su mujer, la cual, llorando se le echa a los pies pidiéndole mil perdones y dice: "¡Ah, esposo mío! Por tus ruegos me ha librado del infierno la Madre de Dios". Empezó él también a llorar y fueron juntos a la capilla a dar a la Virgen las debidas gracias. Al otro día hubo convite, al que asistieron todos los parientes, en cuya presencia le mandó el marido que contase lo que había pasado. Ella lo hizo, mostrando la cicatriz que había quedado en el cuello, para testimonio de la verdad, y a vista de tan gran prodigio, todos sintieron en sus corazones nuevos deseos y estímulos al amor y devoción para con la sacratísima Virgen.

ORACIÓN.— ¡Oh, Madre del Amor Hermoso! ¡Oh, vida, refugio y esperanza nuestra! Bien sabemos que tu Santísimo Hijo, no contento de ser continuamente nuestro abogado para con el Padre, quiso que tú también lo fueses, para que con tu poderosa intercesión nos alcances las misericordias divinas, el logro de todo justo deseo, y después la salvación eterna. A ti recurre, pues, este pecador miserable; a ti, que eres la esperanza de mi Señor Jesucristo y su poderosa mediación, espero salvarme con tanta confianza, que, si estuviese en mi mano la salvación, la pondría en las tuyas, porque más confío en tu misericordia y protección que en mis propias obras. ¡Oh, Madre y esperanza mía, no me abandones, aunque lo tenga merecido! Mira las miserias que me cercan y muévete a compasión de mi alma, para que no se pierda. Conozco que por mis culpas he cerrado la puerta muchas veces a las luces, auxilios y gracias que tú me procurabas. Pero tu piedad con los infelices y el valimiento que tienes para con Dios es mucho más que el número y malicia de mis pecados. Los cielos y la tierra publican que a quien tú proteges no puede perecer. Olvídese todo el mundo de mí, con tal de tenerte a ti. Di al Señor que soy tuyo, dile que corro de tu cuenta, y me salvaré. En ti, Señora, confío y quiero vivir, y espero morir diciendo que mi única esperanza es Jesús, y tú después de Jesús.

2. María es la esperanza de los pecadores

Dos lumbreras puso Dios en el cielo: el sol, para que iluminase el día, y la luna, la noche. El sol, dice Hugo Cardenal, que fue el símbolo y figura de Jesucristo, cuya luz reciben los justos que viven en gracia; y la luna, figura de María, por quien son iluminados los que viven en la noche de la culpa. Siendo, pues, María luna tan propicia para todos los pecadores ¿qué deben hacer los miserables? Ya que perdieron la luz del sol perdiendo la gracia divina, no les queda más que volverse a mirar a María, que les dará el resplandor y conocimiento para ver su infeliz estado, y también fuerzas para que salgan de él, como que por sus ruegos piadosos se convierten muchos a cada hora.

Uno de los títulos con que la santa Iglesia quiere que la invoquemos, y de los que más nos esfuerzan y alientan, es el de "Refugio de pecadores". Hubo en Judea ciudades de asilo, donde se refugiaban los delincuentes. Ahora, entre nosotros, no hay; pero tenemos a María, que vale por todas ellas, de quien se dice en un salmo: "Cosas de mucha gloria se dicen de ti, ¡oh, ciudad de Dios!" Y con otra ventaja muy principal: que entonces no era el asilo para todos los reos, mientras que bajo el manto de María todo pecador halla abrigo y absolución de cualquier crimen que haya cometido, por ser para todos ciudad de refugio.

Ni es menester que uno hable por sí; ella se encarga de la defensa. Si nos falta el ánimo para pedir perdón al Señor, ella lo hará por nosotros. Adán y Eva y todos los hijos que han provocado la ira de Dios, acudan a María, que es su Madre, ciudad de asilo y única esperanza.

Dios te bendiga, abogada única de los pecadores y amparo seguro de los desvalidos. Decía David: "El Señor me protegió escondiéndome dentro de su tabernáculo". ¿Qué tabernáculo es éste, propio de Dios, tabernáculo en el que sólo entró el Señor para cumplir en él el soberano misterio de redención humana, sino María? Acudamos, pues, a María, como van los enfermos al hospital común, a cuya beneficencia tiene un desdichado tanto más derecho cuanto más pobre se ve.

Cuanta más sea la miseria, menos los méritos y mayores las llamas del alma, que son los pecados, más motivo parece que tiene cualquier pecador para decirle: "Señora, puesto que eres la salud de los enfermos, y yo el más enfermo de todos, tengo más necesidad que nadie de que me admitas y me sanes. Los pecadores no sabemos dónde hallar refugio fuera de ti, tú eres su abogada y única esperanza; en tus manos nos ponemos".

En las revelaciones de santa Brígida, es llamada lucero que sale delante del sol, para que entendamos que cuando en un alma pecadora empieza a nacer su devoción, es señal infalible de que dentro de poco vendrá Dios a iluminarla y santificarla con su gracia; y el glorioso san Buenaventura, después de comparar el estado del pecador con un mar agitado por la borrasca, donde los infelices se ven caídos de la nave, que es la gracia de Dios, combatidos por las olas y remordimientos de la conciencia, temerosos de la ira divina, sin luz, sin piloto, sin esperanza y próximos a perecer, los anima, con todo, a confiar, y señalando a María les dice: "No se desalienten, pecadores; sino alcen los ojos y miren aquella hermosa estrella del mar, que ella los sacará, salvos y sanos, a puerto de salvación".

Ésta era también la exhortación de san Bernardo: "El que no quiera quedar sumergido, mire la estrella, llame a María". Sí, porque es el único amparo que tienen los que han ofendido al Señor, el esfuerzo de todos los tentados y atribulados, y su misericordia y dulzura se extiende, no a los justos sólo, sino a los pecadores, aunque se vean al borde del precipicio, a los cuales acoge benignamente, alcanzándoles el perdón de su divino Hijo al instante que ellos imploren su ayuda y favor; llegando a tanto la bondad de su corazón, que muchas veces aun a los más obstinados y alejados de Dios los previene, despierta, solicita y saca del abismo profundo de los vicios, alcanzándoles la gracia y después la gloria. Dios le dio un natural tan piadoso y blando, para que nadie desconfíe de acudir a valerse de su intercesión. Finalmente, no es posible que ninguno se pierda, que con humildad y esmero aspire a su devoción.

Se lamentaba el profeta Isaías, y hablando con el Señor le decía: "Estás enojado porque nosotros pecamos, y no hay uno que se ponga de por medio y detenga tu brazo". Y era porque entonces aún no había nacido María. Pero si ahora se llega Dios a irritar contra un pecador, y María toma a su cuidado protegerle, aplaca el enojo de su Hijo y salva al pecador. Y ¿quién podrá mejor poner la mano en la espada de la divina justicia e impedir que se descargue el golpe? Si antes se quejaba Dios de que nadie saliese a estorbarle el castigar a los pecadores, nacida que fue su amada, ya tenemos quien amanse su ira. No desconfiemos, pues, sino acudamos a María en todas nuestras necesidades, y siempre la encontraremos dispuesta a socorrernos, porque Dios se complace de que sea ella la que en toda urgencia y necesidad nos ampare a todos, y como tiene entrañas de tanta misericordia y deseo tan grande de la salvación de los pecadores, por perdidos que estén, los anda buscando, y si por su parte la buscan también ellos, entonces pronto halla medio de hacerlos adeptos al Señor.

Deseaba el patriarca Isaac comer carne de caza y prometió a su hijo Esaú, luego que se la trajese, darle su bendición. Rebeca, que oyó la conversación, deseando que más bien la recibiese su otro hijo, Jacob, le dijo que fuese corriendo y le trajese dos cabritos para guisarlos al gusto del viejo. Fue Rebeca figura de María, que dice a los Ángeles: "Vayan y tráiganme pecadores, que yo sé disponerlos (con alcanzarles dolor y propósito) de manera que vengan a ser agradables al gusto del Señor". Porque, en realidad, ninguno hay en la tierra tan enemigo de Dios, que si acude a María, no llegue a recobrar la gracia. Una vez oyó santa Brígida, de la boca de Jesucristo, hablando con su Madre Santísima, que hasta para el enemigo infernal habría remedio si se humillase a pedir perdón por medio de la Virgen. Nunca lo hará él, por su obstinación y soberbia; pero si esto fuere posible, tanto es el poder de María y tanta la fuerza de sus ruegos, que, sin duda, le alcanzaría misericordia y gracia. Mas lo que no sucederá con el demonio se está verificando diariamente con los pecadores que se valen del patrocinio de la soberana Señora.

Figurada estuvo también en el arca de Noé, porque así como en ella se salvaron los animales, así bajo su manto se libran los pecadores, comparados a los brutos, por los vicios de sensualidad; mas con la diferencia que los animales no mudaron de naturaleza con entrar en el arca; pero bajo aquel manto prodigioso el lobo se convierte en cordero, y el tigre en paloma. ¡Oh Señora, no tienes asco de ningún pecador, por inmundo que esté, si a ti recurre; no te desdeñas de extender tu mano piadosa para sacarle del abismo de la desesperación, si él te llama! Sea mil millares de veces bendita y ensalzada la misericordia del Señor, Madre amable, por haberte creado tan benigna y dulce hasta con los pecadores infelices. Desdichado del que no te ame: desdichado del que pudiendo, no acuda a ti, porque para él no habrá remedio, así como de cuantos en ti confíen ninguno se perderá.

Permitió Booz a la joven Rut que recogiese las espigas que caían de manos de los segadores. Así Dios concede a la doncella purísima que halló gracia en sus ojos que vaya recogiendo otras espigas de más valor, que son las almas. Los segadores son los operarios evangélicos, misioneros, predicadores y confesores, los cuales, con sus fatigas, están siempre cultivando la heredad del Señor y ganándole almas. Pero hay algunas como espigas abandonadas, tan duras y rebeldes, que sólo la Virgen piadosa, con su poderosa mano, puede recogerlas y ponerlas a salvo. ¡Ay de aquellas que ni de mano tan santa se dejan tomar! Bien se pueden dar para siempre por abandonadas y perdidas, así como una y mil veces serán felices las que no resistan, porque como tiene en su mano el poder, el saber y el querer, a éstas les alcanza la gracia y amistad de Dios.

Razón sobrada tenían los santos para dirigirte, Señora, la voz y llamarte a boca llena "refugio único de pecadores, esperanza de malhechores, esperanza de desesperados". ¿Quién, oyendo esto, no pondrá en ti toda su confianza? ¿Quién dudará conseguir perdón y cuanto pida, sabiendo que proteges aun a los que se ven caídos en el abismo de la desesperación?

Una vez creyó cierto pecador hallarse ya delante del tribunal divino. El diablo le acusaba y la Virgen le defendía. El enemigo presentó contra el reo todo el proceso de su mala vida, el cual pesaba mucho más que las buenas obras. ¿Qué hizo entonces su abogada? Puso la mano en el platillo de las buenas obras y le inclinó en favor del acusado, dándole a entender que le alcanzaba el perdón con que él cambiara de vida, y así lo hizo desde aquel día con verdadera enmienda.

EJEMPLO.— Cuenta el Beato Juan Erolto, llamado por humildad el Discípulo, que un hombre casado vivía en desgracia de Dios; la mujer era buena, y no pudiendo apartarle del mal camino, le rogó que, a lo menos, siempre que hallase alguna imagen de la Virgen le rezara un Avemaría. Él tomó el consejo y yendo una noche a ofender a Dios, vio una lámpara encendida delante de una de sus imágenes con el Niño en los brazos. Le rezó su Avemaría; pero, al acabarla, notó que el Niño estaba todo llagado, y de sus heridas corría sangre. Admirado y compungido por conocer que sus culpas eran la causa, empezó a llorar; pero viendo que el Señor le volvía las espaldas, lleno de confusión se dirige a la Virgen, diciendo: —Madre de misericordia, tu Hijo me desecha, pero en ti, que eres Madre suya y tan compasiva, tengo abogada. Favoréceme y pídele por mí. La Virgen le respondió desde la imagen: —Madre de misericordia me llaman los pecadores, pero me hacen Madre de miseria y de dolor, renovando la pasión de mi Hijo y mis amargas penas. Con todo, como no acierta a despedir desconsolado a ninguno de los que llegan a sus plantas, se puso a pedir a su santísimo Hijo que se dignase perdonarle. Mostraba el Señor repugnancia, pero la benignísima Señora, dejándole en el nicho, se puso de rodillas, diciendo: —Hijo mío, no me levanto de aquí hasta que perdones a este pecador. Entonces respondió Jesús: —Madre mía, nada puedo negarte; pues quieres que le perdone, le perdono por amor tuyo. Tráele a que bese mis llagas. Con esta licencia se acercó él, y, conforme las iba besando, se iban cerrando y quedando sanas. Al fin de todo le dio el Niño un abrazo, y desde aquella hora cambió el hombre de vida, pasando santamente lo restante de ella y amando con ternura a su protectora, por quien alcanzó gracia tan especial.

ORACIÓN.— Purísima Virgen María, venero tu santísimo corazón, donde tuvo el Rey de los cielos su descanso y delicia. Yo, pecador miserable, vengo a tu presencia con el mío lleno de manchas, y así no alego méritos ni virtudes, antes bien, sé que por mis vicios no merezco más que tormentos eternos. Pero ahora que siento deseos vivos de enmendarme, me sirvo con toda confianza de tu bondad y misericordia. Mira, Señora, lo que tu dulcísimo Hijo padeció por mí, y de esta suerte no puedes desecharme. Te ofrezco todas las penas de su santa vida, el desabrigo del pesebre, los trabajos de la huida a Egipto, la pobreza, agonía, sudor de sangre y muerte afrentosa con que en tu presencia expiró en la cruz. Por todas estas penas y por el tierno amor que le tienes, te pido que me des la mano para conseguir mi salvación. Madre mía, no creo que me abandones ahora que, arrepentido, acudo a ti e imploro tu auxilio. Si otra cosa pensara, haría injuria a tu misericordia, que siempre busca a los más infelices para salvarlos. No, no negarás tu piedad a quien Jesús no negó su preciosa sangre; pero como sus méritos no se aplican si tú no intercedes, así lo espero de tu piedad. No son riquezas, honores ni otros bienes lo que solicito. Pido la gracia de Dios, su amor santísimo, el cumplimiento de su voluntad, y después, la gloria, para amarle eternamente. ¿Será posible que me escuches? Sí, ya me escuchas; ya me recibes bajo tu manto; ya ruegas por mí; ya me alcanzas lo que deseo. Sea así, Madre mía, y no me dejes nunca ni ceses un instante de pedir por mí hasta verme a salvo en el cielo, donde, postrado a tus plantas, no me cansaré de bendecirte y ensalzarte eternamente. Amén.

CAPÍTULO CUARTO

A TI CLAMAMOS LOS DESTERRADOS HIJOS DE EVA

1. *María ayuda con rapidez a todos los que la invocan*

Desterrados y peregrinos vamos caminando por este valle de lágrimas los hijos de Eva, reos de su misma culpa, condenados a la misma pena y siempre lamentando los males que sufrimos de cuerpo y alma. Feliz el que entre tantas miserias vuelva con frecuencia los ojos al consuelo del mundo, al amparo de los afligidos, a la Madre de Dios. Feliz, dice María, quien escucha mis consejos y viene continuamente a las puertas de mi piedad solicitando mi patrocinio. Bien nos enseña la santa Iglesia la solicitud y confianza con que hemos de acudir frecuentemente a nuestra amorosa Protectora, ordenando venerarla con un culto especial, en sus festividades, el sábado de cada semana, tres veces al día, a los eclesiásticos en el oficio divino a cada hora, por sí y en nombre de los demás fieles, sin contar las novenas, oraciones, procesiones y peregrinaciones a sus imágenes y santuarios en tiempo de aflicción o calamidades. Esto es lo que la misma Señora pretende, recibiendo nuestros obsequios, aunque tan mezquinos, con el fin de consolarnos y socorrernos al ver nuestra confianza y devoción.

Dicen los sagrados expositores, que de María Santísima fue en los tiempos antiguos figura muy significativa aquella mujer llamada Rut, nombre que en su lengua significa *la que ve y la que se apresura;* porque luego que ve nuestras miserias, viene con rapidez a remediarlas, siendo tanto el deseo que tiene de hacernos bien, que no lo deja para después y como, por una parte, no es avara de sus beneficios, y por otra es Madre amorosa, corre a dispensarnos los tesoros de su liberalidad.

¡Oh, y cuán veloz corre a favorecer a todos los que la invocan de corazón! Basta decir a veces: Ave María. Y ¿qué correr? Vuela más bien, a semejanza del Señor, que para responder a quien le llama y conceder lo que se le pide, en cumplimiento de su promesa, vuela muy veloz. De este modo se entiende quién es aquella mujer insigne a quien dieron alas de águilas, expresión que algunos explican del amor con que siempre voló hacia Dios; pero otros dicen, más a nuestro propósito, que significa velocidad mayor que vuelo de serafín, con que acude a socorrer a todos sus hijos. Por esto dice san Lucas en su Evangelio, que cuando fue a visitar a su prima y a llenar de bendiciones toda aquella casa, iba con gran prontitud. Por lo mismo se dice también en los cantares que sus manos fueron hechas a torno, porque así como el arte de tornear es más fácil y pronto que los demás, así más pronta es María que ningún santo en favorecer a sus devotos. Según es el deseo que tiene de consolarlos, así es la prontitud con que acude luego que la llama. Salud es de los que la invocan; y, al dicho de los santos, basta llamarla para ser uno amparado, basta invocarla para salvarse; siendo mucho mayor su voluntad de dispensarnos favores que la nuestra de recibirlos.

Ni los pecados pueden hacemos desconfiar cuando nos llegamos a sus pies, porque es Madre de misericordia, y a la misericordia no hay lugar cuando faltan miserables. Al modo que una madre natural no deja de atender a la cura de un hijo enfermo, aunque le cause asco, así María no nos desecha cuando la buscamos, a pesar de la fealdad de nuestros delitos. Esto significó la piadosa Señora, cuando, como vio santa Gertrudis, extendía su piadoso manto para cubrir a los que venían buscando refugio en él, o mandaba a los ángeles que los defendiesen del enemigo.

Y más: es tanta la clemencia con que nos mira y tanto el amor que nos tiene que no espera nuestras súplicas para socorrernos, pues, nos alcanza los favores divinos antes que nosotros los solicitemos. Luna hermosa es llamada, no sólo por la apacibilidad con que sale iluminándonos y alegrándonos, sino porque, llevada de su entrañable amor, se anticipa a nuestras súplicas y deseos. Esta bondad proviene de tener su pecho santísimo tan lleno de piedad, que de suyo difunde misericordia, sin poder oír que un alma se halle en necesidad y no correr al punto a su remedio.

Bien lo dio a conocer en aquella boda del Evangelio, estando todavía en carne mortal. Luego que advirtió el sonrojo de los esposos por habérseles acabado el vino, sin que nadie se lo rogase, y únicamente movida de sus piadosas entrañas se acercó a su Hijo querido y le pidió que hiciese el milagro y consolase a aquella familia; y el Señor, por esto, y mucho más por dar gusto a su Madre, lo hizo benignamente. Pues, si favorece así aun a los que de ella no se valen, ¿cuánto más pronta se mostrará en socorrer a los que la llaman con devoción?

Si alguno lo pone en duda, oiga el testimonio de los santos, que dicen: ¿Quién jamás acudió a María y dejó de encontrar amparo? ¿Quién, oh Virgen santa, recurrió a valerse de tu patrocinio, con el cual puedes aliviar a todo miserable y salvar a todo pecador y le abandonaste? No, nunca sucedió ni sucederá que, habiendo alguno acudido a ti, le hayas faltado. Y si esto se ha visto alguna vez, no se hable más de tu misericordia.

Antes faltarán los cielos y la tierra que María en socorrer a los que la invoquen sinceramente poniendo en ella su confianza; y aun a veces, al decir de san Anselmo, seremos oídos más pronto que si acudiésemos al Señor, no porque la Madre sea más poderosa que su Hijo, como bien sabemos nuestro único Salvador es Jesucristo, sino porque recurriendo al Señor, y considerándole como Juez a quien también corresponde castigar, puede suceder que nos falte la confianza necesaria para ser oídos; pero yendo a María, que otro oficio no tiene más que el de la misericordia para defendernos como abogada, parece nuestra confianza mayor y más segura. Y así vemos que muchas cosas pedimos a Dios y no las alcanzamos. Las pedimos a María y las alcanzamos. ¿Por qué? No porque sea más poderosa, sino por la razón ya dicha, y también porque Dios quiere honrar a su Madre Santísima de esta manera.

Dulce es la promesa que acerca de esto oyó santa Brígida de boca del Señor, cuando, hablando una vez a su querida Madre, le dijo así: "Pídeme cuanto quieras; nada te negaré y todos los que por tu medio busquen misericordia, con propósito de enmendarse, alcanzarán la gracia". Lo mismo oyó santa Gertrudis otra vez en que Jesús dijo a María que Él, por su omnipotencia, le había concedido el que fuese misericordiosa con los pecadores, de cualquier modo que quisiese.

Repitamos todos con gran confianza: Acuérdate, Señora piadosa, que a ninguno jamás has desechado. Y así, perdóname si me atrevo a decir que no quiero ser yo el primer desdichado que deje de hallar clemencia, recurriendo a ti.

EJEMPLO.— Bien experimentó la eficacia de esta oración san Francisco de Sales, como se cuenta en su vida, teniendo el santo diecisiete años, y hallándose en París dado al estudio y juntamente a la devoción y amor de Dios, en cuyo trato gozaba su alma delicias indecibles. Permitió el Señor, para probarle y unirle más consigo, que el demonio le hiciese creer que todo cuanto bien hacía era inútil, porque estaba ya reprobado, y al mismo tiempo le dejó el Señor en gran oscuridad y aridez de espíritu, pues quedó como insensible a toda buena consideración, aunque fuese de la dulzura y bondad divina con lo que la tentación tuvo más fuerza para afligir el ánimo del santo joven, en términos que perdió el apetito, sueño, color y alegría, causando compasión el mirarle. Pero en medio de esta borrasca tan deshecha, todos los pensamientos y palabras del santo eran de confianza y dolor prorrumpiendo en estos y semejantes afectos: "¡Conque he de vivir privado de la gracia de mi Dios, que antes se mostraba conmigo tan suave y amoroso! ¡Oh, amor, oh, belleza infinita, a quien he consagrado toda mi alma! ¿Se acabaron para mí tus consolaciones? ¡Oh, Virgen pura Madre de Dios, la más hermosa de las hijas de Jerusalén!

¿Conque jamás he de ver en el cielo tu hermoso rostro? ¡Ah, Señora! Si ha de ser tan grande mi desgracia, a lo menos no permitas que en el infierno diga blasfemias contra ti". Tales eran los tiernos afectos de aquel corazón afligido, y enamorado de Dios y de su santa Madre. Un mes duró la prueba, al cabo del cual tuvo el Señor por bien librarle por medio del consuelo del mundo, María Santísima, a quien el santo había consagrado su virginidad y en quien decía tener puesta toda su esperanza. Se volvía una tarde a casa y de paso entró en una iglesia donde vio una imagen de la Virgen, y escrita al pie la oración de san Bernardo, que empieza: *Memorare, etc.* "Acuérdate, ¡oh, piadosísima Virgen!, que nunca se oyó haber sido abandonado ninguno de cuantos acudieron a refugiarse en ti". Se postra allí delante, dice esta oración con íntimo afecto, renueva el voto de virginidad, promete además rezar el Santo Rosario todos los días, y añade: "Reina y Señora mía, sé mi abogada con tu santísimo Hijo, a quien no me atrevo yo a recurrir, Madre mía, si es que en el otro mundo he de tener la suma desgracia de no amar a un Señor tan digno de ser amado, alcánzame a lo menos que en éste le ame todo cuanto yo pueda. Ésta es la gracia que te pido y espero de ti". Acabada esta súplica, quedó como quien descansa en los brazos de la divina Providencia, resignado totalmente a la voluntad de Dios. Y en el acto mismo se sintió libre de la tentación por mano de aquella Madre dulce, volvió la serenidad a su alma y juntamente la salud corporal. Siguió siendo devoto de María, cuyas misericordias y excelencias no cesó de publicar en sermones y libros todo el tiempo que le duró la vida.

ORACIÓN.— ¡Oh Madre de Dios, Reina de los ángeles y esperanza de los hombres! Tú que escuchas a todo el que te invoca, quienquiera que sea, mira aquí postrado a tus pies un desventurado que hasta ahora fue cautivo del demonio, pero que ya desea consagrarse del todo por esclavo tuyo, ofreciendo honrarte y servirte en adelante lo que le dure la vida. Bien conozco que, habiendo ofendido a tu Hijo santísimo, poco es el honor que te puede resultar de que te sirva un esclavo tan vil y rebelde como he sido yo; pero tú tienes poder para cambiarme en otro hombre distinto, y si lo haces, el honor será debido a tu sola misericordia. No rehúses esta oferta, Madre mía. Ovejas perdidas vino a buscar el Verbo eterno, y por salvarlas se hizo Hijo tuyo. ¿Cómo has de desechar a esta ovejuela que por tu medio vino buscando el buen Pastor? Ya se dio el rescate por mi remedio; ya mi Redentor derramó aquella sangre preciosa que pudiera redimir infinitos mundos. Sólo falta que a mí también se me aplique, y esto a ti te toca Virgen bendita, pues como san Bernardo nos enseña, tú eres la que dispensas a quien te agrada todo su valor y merecimiento. Tú salvas a todo el que quieres, añade san Buenaventura. Con que, Señora, tú me has de valer, tú me has de salvar. En tus manos pongo mi alma. Tú la salvarás.

2. Poder de María contra las tentaciones

No sólo del Cielo y de los santos es María Santísima Reina poderosa, sino que también tiene dominio sobre el infierno y los enemigos infernales, por haberlos vencido valerosamente con las armas de sus virtudes. Ya Dios, desde el principio del mundo, anunció a la serpiente maligna que una mujer le quebrantaría la cabeza. Y esta mujer única fue María, que, con la fuerza de su humildad y demás virtudes, alcanzó sobre el enemigo completa victoria. Y para que nadie se equivocase, no dijo Dios *pongo*, sino *pondré enemistad entre ti y la mujer* para que no creyese alguno que era Eva la victoriosa. El triunfo se reservaba a una descendiente suya, por cuyo medio habían de alcanzar nuestros primeros padres y todos sus hijos un bien mucho mayor que el que perdieron por el pecado. Dudan algunos si aquellas palabras: *quebrantará tu cabeza*, pertenecen a María o a Jesucristo, porque el texto de los Setenta intérpretes dice: *quebrantará él*; pero en la Vulgata Latina, que es la que en la Iglesia tiene autoridad, como declaró el sagrado Concilio de Trento, la palabra es *ella*, no *él* según lo entendieron san Ambrosio, san Jerónimo, san Agustín, san Juan Crisóstomo y otros muchos. Mas sea como quiera, cierto es que, o el Hijo por medio de la Madre, o la Madre por virtud del Hijo, vencieron al diablo, y que, a despecho suyo, quedó bajo los pies de esta Virgen bendita. Eva fue vencida, y nos acarreó tinieblas y muerte; María venció, y nos trajo la luz y la vida, dejando a su contrario atado tan fuertemente, que ya no puede hacer a sus devotos el más mínimo daño.

Sobre aquellas palabras de los *Proverbios*: "En ella confía el corazón de su Esposo; no le faltarán trofeos", dice bien un autor que este Esposo es Jesucristo, al cual enriquece su Madre con los despojos quitados al diablo. Y otro autor dice que puso Dios en su mano el Corazón de Jesús para que le gane la voluntad de los hombres, y así no le falten trofeos; es decir, almas que le conquiste y con que le enriquezca, arrancadas del poder de los enemigos infernales. Se sabe que la palma es el símbolo de la victoria, y nuestra Reina, como erguida palma, está en medio de los príncipes celestiales en señal de la victoria que ganan cuando se ponen bajo su patrocinio. "Hijos, parece que nos está diciendo, cuando los acose el enemigo, vengan a Mí, mírenme a Mí y cobren ánimo, porque en Mí, que los defiendo, verán al instante segura la palma de la victoria". Verdaderamente el recurso a María es medio segurísimo para salir bien de todos los asaltos del enemigo porque siempre los domina, vence y abate, siendo más terrible el poder del infierno que los reales de un ejército en orden de batalla.

Pone en su boca estas palabras el Espíritu Santo: "Doy, como la vid, fruto de olor suave", porque así como dicen que de la vid, cuando está en flor huyen las serpientes, así huyen los demonios de aquellas almas dichosas en quienes sienten el olor de la devoción a María. Por lo mismo es llamada cedro o árbol, no sólo exento de putrefacción, sino del que, por su buen olor, huyen también las víboras venenosas.

Los judíos antiguamente alcanzaron muchas victorias llevando consigo el Arca de la Alianza. Con ella venció Moisés, con ella fueron vencidos los filisteos, con ella se ganó Jericó. Y es cosa bien sabida que el Arca era figura de la Virgen, y que así como dentro se guardaba el maná, así en el vientre purísimo de esta doncella estuvo encarnado el Salvador del mundo, maná del Cielo. Por medio de esta arca mística se ganan victorias y el día que fue ensalzada y coronada en los cielos, quedó eternamente abatido el poder del infierno.

¡Qué temor tan grande tienen los enemigos a María y a su santo nombre! Se comparan bien a los ladrones que andan robando de noche, pero al despuntar la aurora huyen de la luz como de la muerte. Así viene el enemigo a despojar las almas cuando viven en las tinieblas de la ignorancia; pero luego que las ve iluminadas por la gracia de Dios y la misericordia de María, huye de allí precipitadamente. ¡Dichoso!, pues, el que en medio de la lucha invoca su santísimo nombre.

En confirmación de esta verdad fue revelado a santa Brígida que Dios le ha dado tanto poder sobre aquellos espíritus soberbios, que cuantas veces asaltan a sus devotos y éstos la llaman, a una señal suya huyen despavoridos y con tal espanto, que mejor sufrirían dobladas penas que no el verse vencidos por ella. Particularmente es muy eficaz el auxilio que presta en las tentaciones contra la castidad, y por esta razón la compara el Esposo divino con la azucena entre espinas, a la cual dicen que nunca llega tampoco animal ponzoñoso.

Todos los que tienen la dicha de ser devotos de esta Señora pueden confiadamente decir: "¡Oh, Madre mía!, si en ti espero, no seré vencido; antes bien, con tu defensa perseguiré a mis enemigos, y oponiéndoles como poderoso escudo tu protección y auxilio omnipotente, quedaré victorioso". Y ciertamente que lo quedarán, porque tenerla de su parte es lo mismo que tener un arma irresistible contra el poder de todo el infierno junto.

Cuando Dios sacó a su pueblo de la cautividad de Egipto, le guiaba por el desierto con una nube, que de día era reparo contra los rayos del sol, y de noche, columna de luz; figura de María y de los oficios piadosos que ejercita continuamente. Como nube nos defiende de los rigores de la divina justicia, y como columna luciente, de la malignidad de los demonios, porque no se derrite la cera tan pronto puesta cerca del fuego, como pierden los enemigos infernales toda la fuerza contra las almas que traen presente el santísimo nombre de María y la invocan y procuran imitar.

Tiemblan los malignos sólo de oír su nombre sacrosanto; y como caen los hombres a tierra cuando un rayo da cerca de ellos, así los demonios quedan aterrados al oír el nombre de María. ¡Cuántas victorias han alcanzado sus devotos con la invocación de este santísimo nombre! Así los venció san Antonio de Padua, el B. Enrique Susón y otros muchísimos, entre los cuales hubo un cristiano en Japón, a quien acometiendo ellos un día visiblemente en gran multitud les dijo: "Yo no tengo armas que les puedan infundir temor si Dios les da licencia, hagan de mí lo que más les agrade; pero invoco en mi ayuda los dulces nombres de Jesús y María". Apenas dicho esto, se abre de repente la tierra y caen precipitados por allí los espíritus infernales. Y por experiencia sabemos que todo el que se vale de igual medio sale con victoria de cualquier peligro.

Glorioso y admirable es tu nombre, Señora. Los que a la hora de la muerte se acuerden de invocarle no se espantarán del infierno, porque los diablos huyen cuando le oyen, siéndoles más terrible que un ejército armado. Así es, Señora, tú, con el escudo de tu piadosísimo nombre, libras a tus devotos del poder de los príncipes de las tinieblas. ¡Qué dolor que todos los cristianos, en el acto de la tentación, no te invoquen con gran confianza! Cierto que si lo hiciesen no llegaría ninguno a caer, porque es nombre de tanta eficacia, que al oírle pronunciar tiembla todo el abismo. ¿Qué más diré? Aun del pecador más perdido, apartado de Dios y poseído de los demonios huyen ellos al instante, que con ánimo de enmendarse pronuncia este nombre poderoso; aunque también es cierto que si no sigue la enmienda, como propuso, vuelven a él con más ímpetu que antes.

EJEMPLO.— Vivía en Reisberg un canónigo regular devotísimo de la Virgen María, llamado Arnoldo, el cual, viéndose a las puertas de la muerte y habiendo ya recibido todos los Sacramentos, llamó a sus compañeros y les pidió no le dejasen solo en aquel momento. Dicho esto, empezó a temblar, y con un sudor frío, los ojos encajados y voz espantosa, dijo: "¿No ven que los demonios me quieren llevar?" Después dio un grito, diciendo: "Hermanos, pidan por mí a María Santísima; en ella confío". Se pusieron al instante a rezar la Letanía de Nuestra Señora, y al decir: "Santa María, ruega por él", exclamó el moribundo: "Repitan, repitan muchas veces el nombre de María, que ya me hallo en el tribunal divino". Aquí se detuvo, y a poco dijo, como respondiendo: "Es cierto que lo hice, pero también hice penitencia". Y volviéndose a la Virgen, imploraba su favor diciendo: "Señora, si tú me ayudas saldré bien". Le volvieron los demonios a dar otro asalto, pero él se defendía santiguándose con un santo Cristo, y llamando sin cesar a su dulce abogada. Así pasó la noche. A la mañana se serenó, y levantando la voz dijo con alegría: "Mi Señora y refugio me ha alcanzado misericordia y salvación". En esto vio que le convidaba a que la siguiese, y respondió al instante: "Voy, Señora, voy", y hacía fuerza para levantarse; mas no pudiendo seguirla con el cuerpo, expiró dulcemente, y, como esperamos, voló el alma en su compañía al reino de la eterna felicidad.

ORACIÓN.— Ve aquí a tus pies, ¡oh esperanza mía!, a un pecador miserable que, por culpa suya, fue muchas veces esclavo del demonio. Conozco que el haberme vencido y aprisionado fue por no acudir a valerme de ti, que si lo hubiera hecho, seguro es que no hubiera caído tan profundamente. Espero que por tu favor habré ya salido de sus garras crueles y alcanzado la misericordia divina. Pero, en lo porvenir, temo me vuelva a prender y a atar con sus cadenas, porque no desconfía de vencerme otra vez, y ya se dispone a nuevas tentaciones y asaltos. Ayúdame tú, Reina y Señora mía; tenme bajo tu manto, y no permitas que de nuevo venga a ser esclavo suyo. Bien sé que me darás la victoria si a ti acudo. Pero éste es el temor que ahora me aflige, temor de olvidarme de ti en la ocasión y peligro. Ésta, pues, es la gracia que deseo y pido humildemente, Virgen Santísima: no olvidarme de implorar socorro cuando me llegue a ver en medio de la lucha. Clame yo entonces: Madre mía, ayúdame. Mayormente en el último combate, a la hora de la muerte, asísteme propicia y ven a mi memoria para que te invoque sin cesar con el corazón y la boca, y así, teniendo tu poderoso nombre y el de tu dulce Hijo en el alma y los labios logre la incomparable dicha de ir a verte y bendecirte en la gloria por toda la eternidad. Amén.

CAPÍTULO QUINTO

A TI SUSPIRAMOS GIMIENDO Y LLORANDO EN ESTE VALLE DE LÁGRIMAS

1. Cuán necesaria es para salvarnos la intercesión de nuestra Señora

Es de fe, y como tal definido en varios Concilios, que el hacer oración a los santos, y especialmente a María Santísima, Reina de todos, para que nos alcancen del Señor gracias y favores, es cosa, no solamente lícita, sino útil y santa, y doctrina que condena el error de unos herejes que decían que el acudir a los santos cedería en injuria a Jesucristo, único mediador nuestro. Pues si Jeremías después de su muerte ruega por la ciudad de Jerusalén; si los ancianos del *Apocalipsis* presentan a Dios las oraciones de los santos; si promete san Pedro a sus discípulos acordarse de ellos después de pasar de este mundo; si san Esteban ruega por sus perseguidores; si san Pablo se interpone por sus compañeros; si pueden los santos pedir por nosotros, ¿por qué no hemos de solicitar su intercesión? El mismo san Pablo se encomendó a las oraciones de sus discípulos. Y Santiago nos exhorta a rogar los unos por los otros. Luego bien podemos hacerlo con toda seguridad.

¿Quién niega que Jesucristo sea de justicia nuestro mediador, y que nos haya reconciliado por sus méritos con el Padre? Mas ¿no será también cosa impía el decir que desagrada a Dios dispensar mercedes por intercesión de los santos, y especialmente por medio de su Madre amantísima, a quien desea grandemente ver amada y venerada de todos? ¿Quién no sabe que el honor tributado a la madre redunda en honor de los hijos? ¿Quién ha de creer que se oscurezca la gloria del Hijo alabando a su Madre sino al contrario, que cuantos más elogios se le den a Ella, más se le dan a Él? Bendecir a la Reina Madre es bendecir al Hijo Rey. No hay, pues, que dudar que por los merecimientos de Jesucristo se concedió a María el ser medianera de nuestra salvación, no de justicia, sino de gracia y de intercesión. Y por lo mismo, el acudir a la Virgen no proviene de que desconfiemos de Dios y de su misericordia, sino del temor de nuestra propia indignidad y vileza, conociendo la cual recurrimos a María para que supla nuestra miseria con sus méritos e intercesión. Que esto sea cosa útil y santa, lo dudará solamente quien no tenga fe. Mas digo que su intercesión es necesaria para salvarnos, a lo menos, moralmente, hablando con toda propiedad.

El mismo Dios es el que así lo quiere, habiendo determinado que todas las gracias que a los hombres dispensa hayan de pasar por manos de María, según la opinión de san Bernardo, que ya es común hoy entre los doctores y teólogos, como lo explica bien el autor del libro intitulado *Reino de María*. Ésta es la opinión de Vega, Mendoza, Pacciuchelli, Ségneri, Poiré, Grasset, Contenson y otros innumerables. Hasta Natal Alejandro, autor ordinariamente tan admirado en lo que dice, lo asegura sin titubear.

Sólo un escritor moderno ha mostrado ser de diverso sentir, aunque habla con mucha piedad y doctrina cuando explica la verdadera y falsa devoción. Mas con la Madre de Dios ha sido muy avaro en concederle esta prerrogativa que le atribuyen ampliamente san Germán, san Anselmo, san Juan Damasceno, san Buenaventura, san Antonio, san Bernardino de Sena, el venerable Abad de Celles y tantos otros doctores sagrados, que sin dificultad aseguran que la intercesión de María es no sólo útil, sino también necesaria. Dice dicho autor que el suponer que Dios ninguna gracia concede sino por medio de la Virgen, es una hipérbole o exageración debida al fervor de los santos, la cual entendida como se debe, quiere decir que de María hemos recibido a Jesucristo, por cuyos méritos lo alcanzamos todo; pues, sería error, añade, el creer que Dios no puede concedernos favores sin la intercesión de su Madre, enseñando el Apóstol que los cristianos sólo reconocemos a un Dios y a un mediador entre Dios y los hombres, que es Jesucristo.

Pero, con licencia de este escritor, una es mediación de justicia por vía de merecimientos, otra de gracia por vía de ruegos. Y una cosa es decir que Dios no puede, otra que no quiere dar sino por medio de María. Nadie niega que Dios, como fuente de todo bien, es dueño absoluto de sus beneficios, ni que María, si nos da, es porque lo recibe de Dios por gracia. Mas ¿quién pondrá tampoco en duda que es cosa muy puesta en razón que, habiendo amado y honrado a Dios esta criatura excelente, más que ninguna otra y sido ensalzada a la dignidad incomparable de Madre del mismo Dios, quiera el Señor que todas las gracias que haya de conceder pasen por sus manos virginales? Jesucristo es el único mediador de justicia, y por sus méritos alcanzamos gracia y salvación; pero María es medianera por gracia, y cuantos favores nos impetra son en virtud de los méritos del Redentor y así, al fin, pasan todos por sus benditas manos.

En esto no hay nada que se oponga a los dogmas de nuestra fe; antes bien es muy conforme a lo que tiene y cree la santa Iglesia, enseñándonos en las oraciones públicas que de continuo acudamos a esta dulce Madre: *salus infirmorum, refugium peccatorum, auxilium christianorum, vita spes nostra.* Y en el Oficio divino, que manda rezar a los que tienen esta obligación en las festividades de la Virgen, aplicándole unas palabras de la Sabiduría, nos dice que hemos de poner en ella toda la esperanza de gracia, de vida, de salvación eterna, como medio para preservarnos de pecar, cosas todas que declaran manifiestamente la necesidad que tenemos de su poderosa intercesión.

Y en creer y sentir lo mismo nos confirman innumerables teólogos y santos Padres, de los que no es justo que digamos que por ensalzar a María hablaron con hipérboles y se les cayeron de la boca exageraciones, porque el exagerar y aumentar en exceso es traspasar los límites de la verdad, vicio muy ajeno de los santos, asistidos en lo que escribían del Espíritu de Dios. Y aquí se me permite decir brevemente que cuando una opinión, sin carecer de fundamento, mira a los pocos devotos, no conteniendo nada que sea contrario a la fe, decretos de la Iglesia o la verdad en sí, el no admitirla o impugnarla con pretexto de que la contraria puede también ser verdadera, denota poca devoción a la misma Señora. En la lista de los pocos devotos no quisiera estar yo, ni que se contase ninguno de mis lectores; antes bien, que todos nos hallásemos comprendidos en el número de los que firmemente creen cuanto sin error se puede creer de sus grandezas, pues entre los obsequios que más le agradan, uno es el de creer con firmeza sus excelencias y prerrogativas. Y cuando otra razón no hubiera, bastaría saber lo que enseña el gran padre san Agustín, que todo cuanto se diga en alabanza de María, todo es poco para lo que merece su dignidad de Madre de Dios; y con esto, lo que nos propone la santa Iglesia, que en su Misa nos manda decir estas palabras: "Feliz eres, ¡oh, sagrada Virgen!; feliz y digna de toda bendición y alabanza".

Pero volviendo al punto, veamos lo que dicen los santos: san Bernardo la llama acueducto lleno, de cuya plenitud recibimos todos. Dice también que antes no había en el mundo esta fuente copiosa; pero que, ya nacida, de ella corre la gracia hasta nosotros continuamente. Por lo que, así como para tomar la ciudad de Betulia mandó romper Holofernes las cañerías que iban a la ciudad, así el demonio, para apoderarse de las almas, procura que pierdan la devoción a nuestra Señora, y si lo consigue, tiene hecho lo demás. ¡Oh, alma!, añade el santo, mira con cuánta devoción y afecto desea Dios ver honrada a su Madre, pues, depositó en sus manos todos los tesoros de su bondad para que sepamos que en ellas está la esperanza de gracia y salvación. Y en otra parte, considerando el nombre que la santa Iglesia le da de puerta del cielo, dice que esto es porque de allí no viene gracia ninguna que no pase por sus manos benditas.

San Antonio asegura que todas cuantas misericordias se han dispensado a los hombres todas han sido por medio de María.

San Jerónimo, o quien escribiese un sermón de la Asunción inserto en sus obras, confirma esta verdad diciendo que en Jesucristo está la plenitud de gracia como en cabeza de quien se derivan los espíritus vitales; esto es, los auxilios divinos con que se alcanza la salvación eterna, y que también María tiene la gracia en plenitud, como cuello y conducto por donde todo pasa

San Bernardino de Sena lo trae aún más expresamente, enseñando que por medio de María se transmiten a los fieles, que son el cuerpo místico de Jesucristo, todas las gracias de la vida espiritual que descienden del mismo Señor, añadiendo que en el punto en que fue concebido en su seno virginal el Verbo eterno, adquirió la Madre derecho y jurisdicción completa a todos los dones que proceden del Espíritu Santo, en términos que ya ninguna criatura recibe gracia ni favor que no pase por sus manos virginales, con derecho y autoridad para dispensarlas a quién, cuándo y en el modo que más le agrade.

El P. Grasset, explicando aquellas palabras donde anuncia el profeta Jeremías la encarnación del Verbo divino, diciendo que le encerraría en su seno una mujer, que es María Santísima, compara las gracias que vienen por su mano a las líneas que salen de un círculo; así como Jesucristo Nuestro Señor, que es centro de la gracia, no precede ninguna sin que haya de pasar por medio de María, que en la Encarnación le tuvo en su seno inmaculado.

El V. Abad de Celles nos exhorta a recurrir a la tesorera de todas las gracias, pues únicamente por su medio deben aguardar los hombres todo el bien que puedan esperar. El P. Suárez enseña que es hoy el sentir de la Iglesia universal que la intercesión de la Virgen, no sólo es útil, sino necesaria; vuelvo a decir, no en sentido absoluto, porque precisa y absoluta sólo nos es la de Jesucristo Nuestro Señor, sino en sentido moral, por haber Dios determinado no conceder al hombre cosa alguna que no pase por manos de su Madre, conforme a la doctrina de san Bernardo, enseñada mucho tiempo antes por san Ildefonso que hablando con la misma Señora, dice así: "¡Oh, María! El Señor ha dispuesto que por tus manos pasen todos los bienes que has de repartir a los hombres, y para ello te ha confiado todos los tesoros y riquezas de su gracia".

San Pedro Damián asegura igualmente que sin el consentimiento de esta pura doncella no quiso Dios hacerse hombre por dos motivos: el uno, para que quedásemos sumamente obligados a tan gran bienhechora, y el otro, para que supiéramos que la salvación de todos quedaba pendiente de la voluntad y arbitrio de la misma Señora.

En fin, san Buenaventura, en una parte la compara con la luna, que manda a la tierra la luz que el sol le da, así como María transmite a nosotros las influencias que recibe del Sol divino; en otra, enseña que, habiéndose Dios complacido de habitar en su seno purísimo, le dio jurisdicción sobre todas las gracias, y al nacer al mundo, con Él salieron de aquel vientre sin mancha, como de un celestial océano, todos los raudales de sus bienes divinos; y en otro lugar, considerando aquellas palabras de Isaías en que dice que de la estirpe de Jesé, padre de David, brotaría un retoño, que es María y de éste una flor, que es el Verbo encarnado, dice hermosamente: "Todo el que aspire a conseguir la gracia del Espíritu Santo, busque la flor en su tallo, porque en éste se halla la flor, y en la flor, a Dios; de suerte que no encontrará nadie a Jesús sino por medio de María".

De todo lo dicho se infiere claramente que cuando estos santos doctores enseñan que todas las gracias del cielo vienen por sus manos, no han querido decir solamente que sea porque de ella hemos recibido a Jesucristo, fuente de todo bien, sino porque, además, quiere Dios que cuantos favores y auxilios se han dispensado después a los hombres y se dispensarán hasta el fin del mundo por los méritos de Jesucristo, todos hayan de ser debidos a la intercesión de su Madre Santísima.

EJEMPLO.— Cuenta el Belaucense y Cesáreo, que un joven a quien su padre había dejado en la nobleza muchos bienes de fortuna, por haberse dado a los vicios vino a ser tan pobre, que tuvo que ponerse a pedir limosna, y al cabo se fue de su patria para vivir con menos vergüenza donde nadie lo conociese. Encontró en el camino a un hombre que había sido criado de su casa, el cual viéndole tan derrotado y miserable, le dijo que se alegrara, porque él le presentaría a un señor muy poderoso, de quien seguramente podía esperar cuanto necesitara. Era este hombre, por lo visto, un malvado hechicero, y llevando consigo al mozo por un bosque, cerca de una laguna, empezó a hablar con una persona invisible. El joven, admirado, le preguntó con quién hablaba, y él respondió: —Con el demonio. Y al mismo tiempo le animaba a no temer viéndole tan asustado. Siguió conversando, y dijo: —Señor, este joven se ve reducido a extrema necesidad y quisiera recobrar lo perdido—. Si está dispuesto a obedecerme —contestó el espíritu infernal—, le haré más rico que antes; pero con la condición que reniegue de Dios. Al oír esto el joven se horrorizó; pero instigado por el maldito hechicero al fin lo hizo, y renegó de su Creador. No basta —volvió a decir el diablo—, también has de renegar de la Virgen, porque ésta es la que nos hace mayor daño. ¡Oh, a cuántos nos arrebata de las manos, volviéndolos a Dios y alcanzándoles la salvación! —Eso no —dijo el joven—, yo no reniego de mi Madre, porque ella es toda mi esperanza; más quiero ir toda mi vida por el mundo pidiendo limosna. Dicho esto huyó de allí, y a la vuelta encontró una iglesia de Nuestra Señora, donde, habiendo entrado, se postró ante una imagen suya, y empezó a suplicar con muchas lágrimas que le alcanzara misericordia y perdón. He aquí que María se pone al instante a pedir a su santísimo Hijo por aquel infeliz; pero el Señor respondió: Es un ingrato que ha renegado de Mí. La Virgen, a pesar de esto, no cesaba de rogar por él, hasta que al fin le dijo el Señor: —Madre, nunca te he negado nada; queda perdonado, pues que tú lo quieres. Todo esto lo estuvo escuchando a escondidas un hombre rico que era el mismo que había comprado las haciendas del joven, y viendo el favor que la Virgen le dispensaba, le llevó a su casa y le dio por mujer a una hija suya única, haciéndole heredero de cuanto tenía. Así recobró el joven a un tiempo, por medio de la Virgen, la gracia de Dios y los bienes temporales.

ORACIÓN.— Alma mía, conoce la esperanza grande de salvación eterna, que el Señor te da, por su misericordia, al ponerte bajo el patrocinio de su bendita Madre después de que por tus pecados mereciste mil veces el infierno. Da gracias a Dios, y a su dulce Madre muy afectuosa, por la bondad con que te acoge bajo su manto sagrado, colmándote de favores. Sí, amorosa Madre mía, de lo íntimo del corazón te doy gracias por todo el bien que me has prodigado, siendo yo, como he sido, esclavo del demonio. ¡De cuántos peligros me has librado! ¡Cuánta luz y misericordia me has impetrado del Señor! ¿Y qué has recibido de mi parte para que así me colmes de beneficios? Nada. Tu bondad fue la que te movió. ¡Ah, Señora!, que aunque diese por ti la sangre y la vida, todo sería poco, habiéndome librado tú de la muerte eterna, obtenido, como confío, la divina gracia y siendo el origen de toda mi felicidad. No puedo corresponder con otra cosa que con amor y alabanzas. No deseches los afectos de un miserable pecador que se ha prendado de tu bondad. Si es indigno de amarte por verse tan lleno de pasiones e inclinaciones terrenas, purifica y cambia tú totalmente su corazón. Úneme a Dios con lazo tan estrecho, que no vuelva jamás a separarme de su santo amor. Esto es lo que tú me pides, y esto es lo que yo te pido también a ti. Alcánzame esta gracia, que otra cosa no pido ni deseo.

2. María es la cooperadora de la Redención

Sabemos que un hombre y una mujer causaron nuestra ruina, por lo que fue conveniente que el daño se reparara por otro hombre y otra mujer, que fueron Jesús y María. Era suficiente Jesucristo para redimirnos; pero ambos sexos concurrieron al mal, convino por congruencia que ambos nos trajesen el bien, y así es llamada María cooperadora de nuestra redención. Con una manzana vendieron al mundo Adán y Eva, y con un corazón le rescataron Jesús y su dulce Madre. Creó Dios el mundo de la nada; pero habiéndose perdido por la culpa, no quiso repararle sin la cooperación de María.

De tres maneras cooperó a nuestra salvación, como explicó el P. Suárez: primera, mereciendo con mérito congruente la Encarnación del Verbo eterno; segunda, pidiendo por nosotros insistentemente mientras vivió en la tierra; tercera, ofreciendo con pronta voluntad la vida de su Hijo por nuestro remedio. Habiendo, pues, contribuido así con amor ardiente a la gloria de Dios y a nuestra salvación eterna, tiene decretado el Señor que todos hayamos de conseguirla por su mediación y ruegos.

Se llama cooperadora de la justificación porque Dios ha puesto en sus manos todas las gracias que ha de hacer a los hombres: y todos los hombres pasados, presentes y por venir tienen que mirar a María como el medio de su eterna felicidad. Lo que dijo el Señor: "Ninguno viene a Mí, si mi Padre no le trae", lo puede también decir de su Madre: "Ninguno viene a Mí, si con sus ruegos no lo trae mi Madre". Jesús fue el fruto bendito de aquel vientre inmaculado, como exclamó santa Isabel cuando la vio entrar por sus puertas; y así, quien apetezca el fruto ha de ir al árbol; quien quiera hallar a Jesús, tiene que buscar a María, hallar a uno es hallar a otro. Luego que santa Isabel la vio, no sabiendo cómo agradecerle aquella fineza tan singular, dijo en alta voz: "¿De dónde a mí que venga a visitarme la Madre de mi Dios?" ¿Pero acaso ignoraba que allí venía el Señor también? ¿Cómo no dice o no se tiene más bien por indigna de recibirle a Él? ¡Ah, que la santa entendió muy bien que cuando viene María, trae consigo a Jesús, y por esto le bastó dar gracias a la Mache, sin que fuese menester que nombrase al Hijo!

María es aquella nave feliz que nos trajo al Salvador, pan vivo bajado del cielo para darnos vida de gracia y gloria, como dijo el mismo Señor; y así, puede asegurarse que todos los que en el borrascoso mar de este mundo no se refugien en esta nave de salvación, perecerán. Por esto, siempre que nos veamos en peligro de caer, dirijamos pronto a María nuestros clamores, y digamos: "Sálvanos, Señora, sin tardanza, que perecemos". Nótese aquí que el piadoso autor de quien tomamos estas palabras no tiene reparo en decir *sálvanos,* como lo tuvo el otro que voy rebatiendo, fundado en que la prerrogativa de salvar sólo pertenece a Dios. Mas si un hombre que haya sido sentenciado a muerte puede muy bien suplicar a un favorito que, interponiendo su valimiento con el rey, le salve, obteniéndole la gracia de la vida, ¿por qué no ha de poder un cristiano decir a la Madre de Dios que le salve y alcance de Dios la gracia de la vida eterna? Ninguna dificultad hallaba san Juan Damasceno en decirle: "Reina inmaculada, Reina purísima, sálvame y líbrame de la eterna condenación"; ni san Buenaventura en llamarla salud de todo el que la invoca; ni la santa Iglesia en invocarla como salud de todos los enfermos. ¿Y hemos todavía de tener escrúpulos en suplicarle que nos salve, cuando a nadie se da entrada en el cielo sino por ella? ¿No lo dicen claramente los santos? Sean testigos, entre otros muchos, san Cayetano, san Bernardo, el sabio Idiota, Casiano, san Antonio Ricardo de san Lorenzo, san Bernardino de Sena, san Buenaventura y san Germán. De lo mucho y muy precioso que dejaron escrito copiemos aquí algunas cosas: Bien podemos buscar la gracia, pero jamás la encontraremos sino por medio de María. Pero sin valerse de ella, es como volar sin alas; porque así como cuando las gentes, acosadas del hambre, pedían pan al Faraón, y éste les decía: *Vayan a José,* así dice Dios: *Vayan a María,* pues, ha decretado no conceder a nadie cosa alguna sino por su medio. Nuestra salud está en su mano. La salud de todos consiste en ser por Ella favorecidos y amparados; dispensadora de todas las gracias, y por su conducto ha de venir todo bien. Al modo que una piedra cae si no tiene cosa que la detenga, así un alma sin el sostén de María cae primero en el pecado y después en el infierno. Sin su intercesión no salva Dios a nadie. Un niño sin alimento, muere, y un hombre sin amparo de María, perece.

Procura, pues, que tu alma tenga sed de la devoción de María; aférrate a ella y no la dejes hasta que te bendiga. ¡Oh, Virgen hermosa! ¿Quién hubiera conocido a Dios si no fuera por ti? ¿Quién se libraría de los peligros, quién recibiría gracia alguna si no fuera por ti? ¡Oh, Virgen! ¡Oh, Madre! ¡Oh, llena de gracia! Para llegar al Padre no tenemos acceso sino por Jesucristo, y para ir a Jesucristo, el medio más seguro es María Santísima; por ella nos recibe el que por ella se nos dio. ¿Qué será, pues, de nosotros, Señora, si nos abandonas, tú, que eres la vida de todo cristiano? Todo esto y más dicen los referidos santos.

Replica el referido autor moderno que si ello es así, también habrán de recurrir los santos a la Virgen para alcanzar por su medio los favores que les pedimos; aseveración que, según él dice, nadie cree ni nadie ha soñado.

Respondo que, en creerla, no hay error ni inconveniente alguno. ¿Qué inconveniente puede haber, si decimos que habiéndola Dios constituido Reina de todos los santos y decretado que todo favor pase por sus manos, quiera, para más honrarla, que aun los santos recurran a ella, y por sus medios alcancen a sus devotos cualquier beneficio? Y en cuanto a que nadie lo ha soñado, yo veo que lo afirman terminantemente san Bernardo, san Anselmo, san

Buenaventura, y con ellos el eximio doctor Francisco Suárez, diciendo todos unánimemente que en vano acude uno a los santos, cuando la Virgen no le favorece y ayuda.

Lo mismo enseña un piadoso escritor moderno explicando aquellas palabras del Profeta Rey: "Todos los ricos de aquel pueblo buscarán tu rostro y pedirán". Dice que los ricos de aquel gran pueblo son los santos, los cuales, cuando desean alcanzar a sus devotos alguna merced, se encomiendan a nuestra Señora para que la obtengan; y así, con gran razón les pedimos que sean nuestros intercesores para con la Virgen María, su Reina y Señora. En prueba de esto, prometió una vez el patriarca san Benito, apareciéndosele a santa Francisca Romana, abogar por ella delante de la Santísima Virgen. Sin duda, Virgen soberana, todo lo que los santos pueden alcanzar unidos contigo, lo puedes tú sola conseguir. ¿Y por qué eres tan poderosa? Porque sólo tú eres Madre del Salvador, eres la esposa escogida del mismo Dios, eres Reina universal, del cielo y tierra. Si tú no pides por nosotros, no lo hará ningún santo; mas si ellos ven que tú empiezas la súplica, al instante se pondrán a tu lado, y pedirán y tendrán empeño en favorecernos. No sólo esto, sino que, además, como Reina que es de los ángeles y los santos, les manda juntar sus ruegos con los suyos, cuando quiere interceder por alguno de nosotros.

Así, finalmente, se entiende bien la razón con que la santa Iglesia nos manda invocar y saludar a esta dulce Madre con el título precioso de "esperanza nuestra": *Spes nostra, salve*. El impío Lutero decía que para él era cosa insufrible que la Iglesia romana llamase a María esperanza suya, mal fundado en que sólo Dios y Jesucristo pueden ser esperanza del hombre; tanto, que por Jeremías maldice Dios al que la coloca en alguna criatura. Pero la Iglesia, que no se engaña, nos dice que la invoquemos sin cesar, llamándola en alta voz esperanza nuestra: *Spes nostra, salve*. El que la pone en alguna criatura independientemente de Dios, será maldito, porque Dios es la única fuente y dador de bien, y la criatura sin Dios, como nada tiene nada puede dar. Pero ha dispuesto, como ya hemos probado, que todas las gracias pasen por manos de su Madre, canal de misericordia, y por esto se puede y debe decir que es esperanza nuestra, y que por su mediación, recibimos todos los favores del cielo.

En efecto, Señora, te diré con san Bernardo, con san Juan Damasceno, santo Tomás y san Efrén: "Tú eres toda mi confianza, toda mi esperanza. Te miro atentamente, y sé que de tu mano está pendiente mi dicha. Protégeme bajo las alas de tu piedad. Procuremos venerarla con todos los afectos del corazón, pues que así lo quiere Dios, habiéndola constituido medio y canal para dispensarnos todas sus bondades, y siempre que deseemos alcanzar alguna gracia de la piedad divina, encomendémonos a María y no dudemos de conseguirla, que si lo desmerecemos, bien lo merece la que por nosotros interpone sus ruegos, así como si aspiramos a que acepte Dios lo que de nuestra poquedad le ofrecemos sea María el conducto y el Señor admitirá la ofrenda benignamente".

EJEMPLO.— Famosa es la historia de Teófilo, escrita por Eutiquiano, patriarca de Constantinopla, testigo ocular, y confirmada por los santos Pedro Damián, Bernardo, Buenaventura, Antonio y otros. Era Teófilo arcediano de la Iglesia de Adana, ciudad de Cilicia, y tan estimado generalmente, que el pueblo le pedía por obispo, rehusando él por humildad. Con todo, como por acusación de algunos malévolos fuese depuesto de la prebenda, concibió tan gran sentimiento, que, ciego de pasión, fue a buscar a un mago judío, y éste le proporcionó abocarse con satanás para que le ayudase en aquella desgracia. Respondió el demonio que para merecer su favor, primero había de renegar de Jesús y María, y ponérselo por escrito. Teófilo firmó la escritura execrable; mas el día siguiente, habiendo conocido el obispo la sinrazón, le pidió excusa y le repuso en el ejercicio de la dignidad. Entonces conoció Teófilo lo grave de su crimen, y con gran remordimiento comenzó a llorar amargamente. ¿Qué hace? Se va a una iglesia, se postra delante de una imagen de Nuestra Señora, y con abundancia de lágrimas le dice: —Madre de Dios, no quiero caer en la desesperación teniéndote a ti, que eres tan clemente y me puedes ayudar. Con esta súplica estuvo cuarenta días, siempre llorando a los pies de la Virgen, hasta que una noche se hace la Señora visible, diciéndole: —¿Qué es lo que has hecho, Teófilo? Me has negado a Mí y a mi Hijo. Y, ¿a quién has vendido tu alma? A mi enemigo y tuyo—. Tú, Señora —respondió—, me has de perdonar y obtener perdón de tu santísimo Hijo. Viendo María tanta confianza, le volvió a decir: —Consuélate, que pediré por ti. Animado con esto dio mayor rienda a los sollozos, penitencias y ruegos, sin desviarse de la vista de aquella sagrada imagen, y al cabo de otros nueve días se le volvió a aparecer, diciendo: —Teófilo, alégrate, que he presentado en el acatamiento divino tus plegarias, y han sido bien oídas, y ya Dios te ha perdonado. De hoy en adelante sé fiel y agradecido—. No basta Señora, —replicó Teófilo— tiene todavía el enemigo aquella escritura abominable, y tú puedes hacer que se me devuelva. Tres días más pasaron, y a la tercera noche despertó y se halló con el papel en el pecho. A la mañana siguiente, estando el obispo en el templo, con gran cantidad de gente, fue allá Teófilo, se le echó a los pies, contó cuanto había pasado, y hecho un mar de lágrimas le puso en las manos el papel, que se quemó allí en público, llorando todos de alegría, con bendiciones y alabanzas a Dios y a su Madre, por la misericordia que había tenido con aquel pecador, el cual se volvió desde allí a la iglesia de su abogada, donde tres días después murió, lleno de gratitud y júbilo.

ORACIÓN.— ¡Oh, Reina y Madre de misericordia, que dispensas los favores con liberalidad de reina y amor de madre, hoy acudo a ti, viéndome tan falto de méritos y virtudes, y tan abrumado en deudas con la divina justicia! Tú, Señora, que tienes la llave de todas las misericordias, no te olvides de mi gran miseria, ni me dejes en esta pobreza y desnudez. Siendo con todos generosa, que das siempre mucho de lo que te piden, hazlo también conmigo, protegiéndome y amparándome, que es todo lo que pretendo y pido. Si tú me proteges, nada temo. No temo al demonio, porque eres mucho más poderosa que todo el infierno; no a mis pecados, porque me puedes alcanzar el perdón con sólo una palabra que digas, ni aun temo la cólera del Juez airado, porque una súplica tuya basta para aplacarla. En suma, valiéndome de ti, todo lo espero, porque todo lo puedes. Madre de misericordia, sé que tu gusto es favorecer a los desdichados, sé que los proteges, si por su parte no hay obstinación. Pues yo, aunque pecador, no me obstino, sino que propongo de veras enmendarme. Tú me puedes ayudar. Ayúdame, pues, a recobrar la gracia y salvar mi alma. Hoy me pongo totalmente en tus manos clementes. Inspírame lo que tengo que hacer para agradar a Dios, que estoy resuelto a ponerlo en práctica, y con tu favor espero que lo haré. ¡Oh, María; oh, Madre, luz, consuelo, refugio y esperanza mía! Amén.

CAPÍTULO SEXTO

EA, PUES SEÑORA, ABOGADA NUESTRA

1. María es nuestra abogada
y tiene poder para salvarnos a todos

Es tan grande la autoridad que tiene una madre sobre sus hijos, que aunque alguno llegue a ser gran monarca, con absoluto dominio en todas las personas de su reino, nunca la madre viene a estarle sujeta. Verdad es que, sentado a la diestra del Padre, Jesucristo nuestro Señor adquirió, en cuanto hombre, por razón de la unión hipostática con la persona del Verbo, dominio general sobre todas las criaturas, incluso María; pero también es positivo que mientras vivió en carne mortal, quiso humillarse y serle súbdito, como atestigua el evangelista san Lucas. Y aun llegó a decir san Ambrosio, que el obedecerla como Hijo fue obligación. Lo más que se dice de los santos, es que están con Dios, pero de la Reina de los santos se afirma que tuvo la suerte, no sólo de haber estado sumisa a la divina voluntad, sino de haber tenido a la suya sujeto, y obediente al mismo Dios. Las demás vírgenes siguen al Cordero dondequiera que va; pero la Virgen de vírgenes fue en este mundo seguida del Cordero súbdito suyo.

Ahora, en el cielo, si ya no manda en su divino Hijo, es indudable que sus ruegos son eficaces para conseguir cuanto pide. Lo que pide y desea lo puede en tierra y cielo, y hasta volver la esperanza a los que ya estaban desesperados. Cada vez que se presenta a Jesucristo cualquier petición en beneficio nuestro, es tanto lo que el Señor se agrada y accede tan pronto, que más parece precepto que súplica, más de Señora que de esclava. De esta manera honra Jesús a su querida Madre, de quien fue honrado mientras vivió entre nosotros. Eres omnipotente, Señora, en salvar a los pecadores, sin tener necesidad de otra recomendación que el ser Madre de la verdadera Vida.

Hasta Dios obedece el mandato de María, dice francamente san Bernardino de Sena; esto es, oye sus ruegos como si fueran preceptos. Sí, Virgen pura; a tanto te ha Dios ensalzado, que por gracia, no hay para ti cosa imposible, tu auxilio es omnipotente, pues, conforme a buena ley gozas todas las prerrogativas de que el Rey goza, como que eres la Reina. Poderoso es el Hijo, poderosa la Madre; omnipotente el Hijo, omnipotente la Madre y tanto, que tiene puesta Dios a toda la Iglesia, no bajo tu amparo solamente sino también bajo tu jurisdicción y dominio.

Una es la diferencia: que el ser omnipotente, el Hijo, es por naturaleza, y la Madre, por gracia, como fue revelado a santa Brígida, que un día oyó que el Señor dijo a su dulce Madre: "Madre mía, pide cuanto quieras, porque no pueden dejar tus ruegos de ser oídos. Tú, en la tierra, nada me negaste y yo, en el cielo, nada te negaré". Con esto, bien entendemos lo que quiere decir que María es omnipotente, no que lo sea en todo rigor, cosa de que una criatura no es capaz, por perfecta que sea, sino pidiendo y alcanzando cuanto quiere.

Basta que sea empeño tuyo, y todo se hará; basta que quieras levantar al mayor pecador del mundo, y será santo. Y así, dices: lo que los hombres me deben suplicar, es que yo quiera, porque todo aquello que me agrada, necesariamente se hace. Que te mueva, Señora, tu benignidad y poder, porque cuanto eres más poderosa, debes ser más misericordiosa. ¡Oh, dulce abogada nuestra!, pues, que tienes corazón tan piadoso que no puedes ver nuestras miserias sin compasión y juntamente con Dios, poder tan grande para salvarnos, no desdeñes mirar por nosotros, miserables pecadores, los que en ti hemos puesto toda la esperanza. Y si nuestras oraciones son ineficaces, confiemos en ti, sabiendo que Dios te ha ensalzado tanto, para que tan rica como eres en poder, tan misericordiosa seas en querer favorecernos. Pero de tu misericordia, ¿quién ha de dudar? Si es inmenso el poder, inmensa es la bondad, e inmensa la caridad, como por los efectos vemos cada día.

Desde que vivió aquí en la tierra, sus pensamientos fueron, después de la gloria de Dios, el bien de los hombres, con el privilegio de conseguir cuanto pidiese, ilimitadamente. Lo comprueba el suceso de las bodas de Caná, cuando habiendo faltado vino, compadecida del rubor de aquella buena gente, se acercó a pedir a su Hijo que los consolase con obrar un milagro. Al principio parecía que el Señor se negaba, y así dijo: "Mujer, ¿a nosotros qué nos importa? El tiempo de hacer milagros no ha llegado aún: los haré cuando empiece a predicar, en confirmación de mi doctrina". Con todo, María, como si ya estuviese acordada la gracia, les dice que vayan y llenen las vasijas de agua. Pero, ¿cómo es esto? Si el tiempo determinado de obrar milagros había de ser el de la predicación, ¿cómo se anticipa contra el decreto divino?

No, no hay aquí nada opuesto a lo que Dios tenía decretado, porque, aunque generalmente hablando, todavía estaba por venir el tiempo de las señales y prodigios de nuestro divino Salvador, tenía Dios también determinado desde toda la eternidad, con otro decreto general y absoluto que a su Madre todo se lo había de conceder luego que se lo pidiese. Y por esto, sabedora ella de este privilegio, aunque al parecer de otro se le negaba aquella petición, manda, como cosa ya hecha, que venga el agua. Quiere decir, que, a pesar de la aparente repulsa, el Señor, para honrarla, accede prontamente a sus ruegos, o que con aquellas palabras quiso dar a entender que, por entonces, a los de ningún otro hubiera accedido, pero hablando su Madre, no dilata un instante.

Ciertamente, no hay criatura alguna que pueda obtener tantas misericordias a los miserables desterrados en este valle de lágrimas como esta Medianera santa honrada por Dios, como querida Madre. Basta que abra los labios. Hablando el Esposo con la Esposa de los Cantares, en quien está figurada María, le dice de este modo: "Tú, que habitas en los jardines, los amigos te escuchan; oiga yo tu voz". Los amigos son los santos, los cuales, siempre que piden algo en beneficio de sus devotos, esperan que su Reina presente la súplica y alcance la gracia, pues, que ninguna se concede sino por su mediación. ¿Y cómo las impetra? Basta que se oiga su voz. Consigue las gracias rogando, sí, pero al mismo tiempo interpone la autoridad materna, con la que obtiene cuanto pide y desea. No hay en esto duda.

Cuenta Valerio Máximo, que teniendo Coriolano sitiada la ciudad de Roma, su patria, y no bastando súplicas de ciudadanos y amigos a persuadirle a alzar el cerco, saliendo, al fin su madre, Veturia, no pudo el hijo resistir a sus ruegos y lágrimas, y al instante se retiró. ¡Cuánto más aceptables serán los ruegos de tan buena Madre a un Hijo tan amante! Un solo suspiro suyo vale más que las oraciones de todos los santos. Suspiros que son de Madre, a cuyo poder y eficacia no hay resistencia. Acudamos, pues, a esta poderosa abogada, diciendo: "Señora, pues, que tienes autoridad de Madre, fácil te es obtenernos perdón de nuestros pecados, por graves que sean, no pudiendo menos de acceder a cuanto le pides a aquel Señor de infinita piedad que te escogió por Madre. Todo el cielo a una voz te llama bendita, diciendo que lo que tú quieres es lo que se hace, y nada más".

Pues, ¿qué no ha de ser cosa propia de la benignidad del Señor, dar gusto a su dulcísima Madre, puesto que vino al mundo, no a quebrantar, sino a cumplir la ley, entre cuyos mandamientos, uno muy principal es honrar padre y madre? Y aun en cierto modo está obligado a ello, por ser deudor a la suya del ser humano que en su seno purísimo recibió, con el consentimiento de la misma Señora. Bien le podemos decir: Alégrate, Virgen santa, de tener por deudor a un Hijo que a todos da y de ninguno recibe. Nosotros debemos todo a Dios cuanto tenemos, porque todo es don suyo. A ti únicamente ha querido ser deudor, tomando carne y sangre en tus purísimas entrañas. Contribuiste a dar el precio de la redención para librar al hombre de la muerte eterna, y por eso eres más poderosa que ningún santo en ayudarnos a conseguir la vida eterna. Tu Hijo gusta que le pidas, porque desea darlo todo por tu respeto para pagarte así la preciosa dádiva que le hiciste dándole forma humana. Sí, Virgen sin mancha, a todos nos puedes salvar con tus ruegos, dignificados con la autoridad que te da el título y ser de Madre.

Inmensa y admirable fue por cierto, la bondad de Dios, que siendo nosotros pecadores viles, darnos le plugo en ti una abogada, de quien podemos esperar toda suerte de bien; abogada en cuyas manos benefactoras están los tesoros inagotables de la divina gracia; abogada piadosa, por quien alcanzaremos redención de culpas, galardón de gloria.

EJEMPLO.— Cuenta el P. Razzi, camandulense, que cierto joven, hijo de una viuda, fue enviado por su madre, muy devota de nuestra Señora, a la corte de un príncipe, haciendo que al despedirse le prometiese rezarle diariamente un Avemaría, y al fin, esta corta oración: "Virgen bendita, ayúdame en la hora de mi muerte". Llegó a la corte el joven y a poco se envició con tal desenfreno, que su amo se vio precisado a despedirle. Él, entonces, no hallando cómo sustentar la vida, desesperado, se hizo bandolero, siguiendo, con todo, practicando todos los días la devoción aconsejada por su madre. Finalmente, cayó en poder de la justicia, y fue sentenciado a pena capital. Estando para ser llevado al patíbulo, considerando entonces al vivo su deshonra, la aflicción de su madre, y tan cerca la muerte, lloraba sin consuelo. El demonio, viendo esto, acudió disfrazado en forma de un gallardo joven, prometiendo librarle de la muerte y prisión si consentía en hacer lo que le propusiese. Convino en todo el reo, y sin más preámbulos se le declaró el demonio, y primero exigió que renegase de Jesucristo y los Sacramentos. Lo

113

hizo. Después quería que renunciase también de María Santísima y su patrocinio. Eso nunca lo haré —contestó—, y volviéndose a la Señora le rezó la oración de su madre: "Virgen bendita, ayúdame en la hora de mi muerte". A estas palabras desapareció el enemigo; pero el joven quedó muy angustiado por la maldad cometida de haber negado al Señor. Acudió a la Virgen, de quien alcanzó un dolor grande de todos los pecados y la gracia de confesarlos con gran pesar y llanto. Ya le llevaban a ajusticiar, por una calle donde había una imagen suya, a quien invocó, al pasar, con su oración acostumbrada: "Virgen bendita, ayúdame en la hora de mi muerte", y la Virgen le inclinó la cabeza a vista de todos, con cuyo favor, enternecido él, suplicó le permitiesen acercarse a besarle los pies. Rehusaban los ministros de justicia; mas dando un grito la gente, se lo permitieron. Se inclina, pues, para satisfacer su devoción, y María desde la imagen alarga el brazo y le toma por la mano, con tanta fuerza, que no fue posible arrancarlo de allí. Al ver un prodigio tan manifiesto, empezaron todos a clamar: "¡Perdón, perdón!"; y hubo perdón. Volvió a su tierra, y de allí en adelante emprendió una vida muy ejemplar, agradecido y aficionado grandemente a la clemente bienhechora que le había librado de la muerte temporal y eterna.

ORACIÓN.— ¡Oh, Madre de mi Dios!, di hoy una palabra en favor mío, que soy tan miserable. Tu Hijo santísimo no espera más sino que hables para contentarte. No olvides que también a beneficio nuestro recibiste tanto poder y dignidad. El mismo Dios quiso constituirse deudor tuyo, tomando carne en tu seno purísimo con el fin de que a tu voluntad dispensases a los infelices los tesoros de su misericordia. Siervos tuyos somos, dedicados estamos a tu servicio y tenemos la gloria de vivir bajo tu amparo. Si aun los que ni te veneran ni te conocen, ni hasta quien te desprecia y blasfema experimenta tu piedad, ¿no hemos de esperar nosotros, que te veneramos, amamos y confiamos en ti? Es cierto que somos pecadores, pero Dios te ha dotado de un poder y clemencia mayor que todos nuestros deméritos. Puedes y quieres salvarnos, nosotros lo esperamos con tanta mayor seguridad cuanto menos la merecemos, porque así tendremos mayor motivo para bendecirte en la gloria, salvos por tu intercesión. Madre de misericordia ve nuestras almas, antes tan hermosas, como que fueron lavadas con la preciosa Sangre de nuestro divino Redentor, y después feas y abominables por el pecado. A ti las presentamos, para que las purifiques de toda mancha. Alcánzanos una verdadera enmienda, el amor de Dios y la posesión de la eterna bienaventuranza. Cosas grandes te pedimos; pero tú, ¿no lo puedes todo? ¿No es todo muy poco comparado con el amor que Dios te tiene? Basta, Señora, ruega por nosotros, y serás escuchada, y nosotros salvos.

2. María es abogada piadosa, y no rehúsa defender la causa de ningún desvalido

Son tantos los motivos que hay de nuestra parte para amar a esta amable Señora, que si en toda la tierra resonasen continuamente sus alabanzas y todos los hombres diesen en su obsequio la vida, sería poca gratitud al entrañable amor que profesa aun a los más pecadores en quienes ve, a lo menos, algún vestigio de devoción para con ella. Con amor paga el amor, y hasta de servir a quien le sirve no se desdeña, empleando (si éste se halla en pecado) toda su intercesión hasta alcanzarle misericordia y perdón. Tanta es su benignidad, que nadie debe recelar, aunque ya se dé por perdido, de ir a sus pies buscando el remedio, pues, a ninguno despide. Como abogada amantísima, cuida de presentar a Dios nuestras oraciones mayormente las que van por su medio, pues, así como con el Padre intercede su Hijo, así con el Hijo intercede la Madre, no dejando nunca de agenciar el negocio de nuestra salvación y de solicitar las gracias que le pedimos. Es refugio singular de perdidos, esperanza de miserables, abogada de todos los pecadores que se valen de su protección.

Podrá ser que algún pecador, sin dudar del poder de María, desconfíe con todo eso, temiendo, acaso, que no quiera favorecerle, enojada y retraída por la gravedad de las culpas. Mas aliéntese considerando que aquel señalado privilegio de ser para con su poderoso Hijo, de algo ciertamente nos ha de servir, y de nada nos servirá si de nosotros no cuidase. Estemos seguros de que así como tiene más poder que ningún otro santo, así no hay quien abogue con más amor y solicitud. ¿Quién, después de tu santísimo Hijo, mira por nuestro bien, Madre de misericordia, tanto como tú? ¿Quién nos libra más pronto de todos los males? ¿Quién más empeño toma en proteger y defender, casi luchando, a los infelices pecadores? Tu patrocinio es más útil de lo que nadie puede imaginar, y si alcanzan los santos a favorecer a los hombres, y especialmente a sus devotos, tú, mucho más que eres Reina de todos los santos, abogada de todos los hombres, refugio de todos los pecadores.

Sí, por cierto, aun de los pecadores tiene cuidado, y de los que más se gloría después del título de Madre de Dios, es de que la llamen su abogada, intercediendo sin cesar por ellos en la presencia de la Majestad divina y socorriendo todo género de necesidades con afecto de Madre. Acudamos a ella implorando su intercesión con gran confianza, porque a todas horas la encontramos pronta y deseosa de favorecernos. ¡Con cuánta solicitud y amor promueve y solicita el negocio de nuestra salvación!

Cierto es que todos los bienaventurados la desean y la piden; mas la caridad y ternura que tú, Señora, muestras en el cielo, alcanzándonos del Todopoderoso misericordias y gracias sin número, nos obliga a confesar que no tenemos propiamente más abogada que a ti, y que tú eres la que verdaderamente está al pendiente de nuestro bien. ¿Qué entendimiento podrá comprender a dónde llega tan continuo y amoroso empeño? Es tanta la compasión que tienes de nuestras miserias; es tan ardiente el amor con que nos miras que pides y vuelves a pedir y jamás te cansas de rogar por nosotros, defendiéndonos de todo mal y alcanzándonos toda suerte de bien.

¡Infelices de nosotros si no nos amparase esta abogada tan poderosa, tan benigna, tan prudente y sabia, que el Juez no puede condenar a reo ninguno que ella defienda! Es más prudente que Abigaíl. Ésta fue una mujer muy discreta, que con la blandura de sus ruegos aplacó el ánimo de David a tiempo que iba irritado, contra Nabal, su marido; y lo fue tanto, que el mismo David, al fin la bendijo y dio gracias de que con sus dulces palabras le hubiese impedido correr a la venganza. Otro tanto hace María en el cielo a beneficio de innumerables pecadores. Con sus dulces y discretas razones sabe aplacar tan bien la ira divina, que el mismo Dios la bendice y como que le da gracias de que le desarme el brazo para que no los castigue según merecen. A este fin, queriendo el Padre Eterno usar de misericordia con nosotros, nos dio a Jesucristo como abogado principal para con Él, y a María como abogada para con Jesucristo.

Jesucristo es indudablemente mediador de justicia entre Dios y los hombres, y en virtud de sus propios merecimientos puede y quiere alcanzarnos perdón y gracia, como lo tiene prometido. Pero como los hombres reverencian o temen tanto la majestad divina que en Él resplandece, fue necesario que se les diese otra abogada, a quien puedan acudir con menos recelo, y de tanta bondad y merecimiento, que nadie le llegue en poder para con Dios ni en indulgencias para con nosotros. Haría, pues, grave injuria a tan grande bondad quien aun temiese acercarse a esta Señora, de quien está lejos la severidad y el terror, pues, todo es benignidad, clemencia y dulzura. Lee y vuelve a leer con atención el sagrado Evangelio, y si hallas que María se muestra alguna vez severa con alguno, entonces podrías temer. Pero seguramente nada de esto hallarás, y así, bien puedes buscarla con alegría para que te ampare y favorezca.

Digámosle con los afectos de un alma santa: ¡Oh, Madre de mi Dios!, a ti acudiré, y aun me atreveré a reconvenirte con humildad y filial confianza porque toda la Iglesia da gritos llamándote Madre de Misericordia. Tú eres aquella criatura del Señor, siempre eres escuchada; tu piedad a nadie ha faltado nunca y tu suave afabilidad jamás ha desechado a ningún pecador, por miserable que sea. Pues que, ¿la Iglesia te dice acaso vanamente su abogada y refugio de pecadores? No sean jamás mis culpas causa para retraerte de tan piadoso oficio. Eres, después del Salvador, nuestro refugio y mayor esperanza; mas toda la alteza de la gracia, gloria y dignidad de Madre de Dios la debes a los pecadores (sea lícito decirlo así), porque por causa suya se hizo Hijo tuyo el Hijo de Dios. Lejos, pues, de ti, que diste al mundo la fuente de misericordia, pensar que niegues a ningún infeliz de cuantos se valen de tu patrocinio. Y pues, que tu patrocinio es hacer las paces entre la criatura y su Creador, que te mueva a mirarnos con ojos de clemencia tu misma bondad, mayor incomparablemente que todo el cúmulo de nuestros pecados.

Consuélense ya, pusilánimes; respiren y anímense, desdichados pecadores, porque esta Virgen pura es Madre del Juez, abogada del género humano; idónea y pronta, más que otra ninguna, para defendernos en el acatamiento del Señor: sapientísima en encontrar los modos de amansar su cólera en el amor materno, pues, que a ningún infeliz, rehúsa nunca proteger.

EJEMPLO.— Bien acredita cuán amorosa es con los miserables pecadores lo que hizo con una monja, portera del monasterio de Fuente Eraldo, llamada Beatriz, como refiere Cesáreo y el P. Rho. Vencida y apasionada de un joven que la sedujo, concertó fugarse con él para cierto día que determinaron. Llegado éste, se fue la infeliz delante de una imagen de la Virgen de Nuestra Señora, le dejó las llaves y se escapó. Lejos de allí tomó después de poco tiempo la infame ocupación de ramera, y en tan miserable estado vivió por el transcurso de quince años, al cabo de los cuales sucedió que, encontrándose una vez con el administrador del convento, le preguntó si conocía a una monja por nombre Beatriz. —La conozco bien —respondió el hombre—, es una santa, y ahora la han hecho maestra de novicias. Ella quedó pasmada, no entendiendo cómo fuese aquello posible, y para salir de la duda se disfrazó y volvió al monasterio. Pide que salga Sor Beatriz y se le presenta la Reina del cielo en la forma de aquella imagen a cuyos pies había dejado el hábito y las llaves. Le habló la Señora, y le dijo: —Beatriz, mirando por tu reputación tomé tu mismo semblante, y he desempeñado tu oficio todo el tiempo que has vivido fugitiva del monasterio y de Dios. Hija, vuelve a entrar y haz penitencia de tus desórdenes, que aún te espera mi amado Hijo, procurando, con una conducta ejemplar, mantener el buen nombre que yo te he granjeado. Dicho esto, desapareció. Entonces Beatriz se metió dentro, tomó el hábito, y agradecida grandemente a la Reina de los ángeles por tan especial beneficio, vivió en adelante como verdadera santa, y a la hora de la muerte manifestó lo sucedido, a gloria de María Santísima.

ORACIÓN.— ¡Oh, Madre Santísima!, bien conozco que, habiendo sido por tantos años ingrato a Dios y a ti, merezco justamente que me abandones, porque el ingrato no es acreedor a ningún beneficio. Pero yo, Señora, tengo formada muy alta idea de tu bondad. Prosigue, ¡oh refugio segurísimo de pecadores!, prosigue a favorecer a un desdichado que en ti confía. Extiende la mano y levanta a un hombre caído que pide favor. Defiéndeme, y si no, dime a quién he de ir que pueda velar por mí mejor que tú. Pero ¿dónde encontraré para con el Altísimo abogada de más poder y bondad que su misma Madre? Madre eres del Salvador del mundo, y naciste para salvar a los pecadores. ¡Oh, María, salva a un infeliz que humilde a ti recurre! No merezco tu amor, pero el deseo que arde en tu pecho dulcísimo de salvarnos a todos me dice que me amas, y si tú me amas no me perderé. ¡Oh, amada, Madre mía!, si por ti me salvo, como lo espero, y no seré desagradecido, sino feliz y con alabanzas perpetuas desquitaré mis ingratitudes pasadas, bendeciré tu amor y besaré tus manos sacrosantas, para mí tan benéficas en aquella patria celestial donde reinas y reinarás eternamente. ¡Oh, libertadora, oh, esperanza, oh, Reina, oh, abogada, oh, Madre mía, te amo y siempre te amaré!

3. María hace las paces entre Dios y los pecadores

Es la gracia de Dios un tesoro de valor infinito, como dice el Espíritu Santo, porque nos eleva a la dignidad de hijos del Excelso, a quienes nuestro divino Salvador llamó amigos suyos; así como el pecado es una mancha tan execrable y fea, que priva al alma de aquella dichosa amistad y hermosura, haciéndola abominable a los ojos de Dios y su enemiga; ¿qué debe hacer el pecador que se ve caído en semejante abismo? Necesita un mediador que interceda por él y le ayude a recuperar el bien perdido. Tú, que has perdido a Dios, quien quiera que seas, consuélate con saber que el Señor te ha dado con su divino Hijo tan poderoso mediador.

Pero, ¡ay dolor! ¿Por qué los hombres han de tener por severo al Mediador clemente que dio la vida por salvarnos? ¿Por qué han de temer que sea terrible la misma dulzura y amabilidad? Anímate, pecador, y no temas, y si es que los pecados te hacen temblar, acuérdate que Jesús los clavó consigo en el madero de la Cruz, y satisfaciendo por ellos a la divina justicia, los borró de tu alma. Mas si lo que te atemoriza es su majestad y grandeza, pues que no dejó de ser Dios, aunque hecho hombre, tienes quien abogue con Él. Acude a María, que ella pedirá por ti y será escuchada, intercediendo el Hijo por ti, y delante de su eterno Padre, que nada te puede negar. Hermanos míos, María es la escala por donde recobran de nuevo los pecadores la hermosura de la divina gracia. Éste es el motivo más poderoso de nuestra esperanza.

Oigamos en el libro de los Cantares las palabras que pone en su boca dulce el Espíritu Santo: "Yo soy defensa de los que me invocan, y la misericordia de mi pecho es para ellos como una torre de asilo". A este fin la constituyó el Señor Medianera y conciliadora de paces entre Él y los pecadores. No hay duda: María es la pacificadora, la que sabe alcanzar de Dios paz a los enemigos, salud a los desahuciados, perdón a los delincuentes y misericordia a los desesperados. Por eso la llamó su divino Esposo hermosa como los pabellones de Salomón. En las tiendas de David no se trataba más que de guerra, pero en las de Salomón sólo se hablaba de paz; dándonos a entender así el Espíritu Santo que esta Madre misericordiosa no habla de guerra ni venganza contra los pecadores, sino de paz y clemencia.

Figurada estuvo en la paloma de Noé, que saliendo del arca volvió con el ramo de olivo, en señal de la paz que ofrecía Dios a los mortales. María fue la paloma cándida y hermosa enviada del cielo, con ramo de olivo, símbolo de misericordia, porque nos dio a Jesús, fuente de toda misericordia y en virtud de sus méritos infinitos nos alcanzó todas las gracias y favores que Dios dispensa. Por ella se dio la paz al mundo y por ella siguen a cada hora reconciliándose con Dios los pecadores.

Figura suya fue también el arco iris que rodea el trono de Dios, visto por san Juan, porque siempre asiste al tribunal divino para suavizar las sentencias y castigos que merecen nuestros pecados. Ella es aquel arco de hermosos colores que quiso significar el Señor cuando dijo a Noé que pondría en las nubes su arco de paz, para que, viéndole, se acordasen los hombres de la perpetua paz que con ellos quedaba hecha. Aquél recordaba la promesa que Dios se dignaba hacer, y éste nos alcanza remisión de las ofensas y seguridad de perpetuas paces. Por igual razón es comparada con la luna, pues así como la luna está entre el cielo y la tierra, así María se interpone continuamente entre Dios y los pecadores para aplacar la divina justicia, iluminar los entendimientos y volver a nuestro Creador.

Vean aquí su principal oficio: levantar las almas a la gracia divina, reconciliándolas con Dios. *Apacienta los cabritos*, se le dice en los Cantares. Sabemos que los cabritos son figura de los pecadores, así como los corderos o mansas ovejas significan los escogidos, que se colocarán en el último día a la diestra del supremo Juez, mientras que los otros desventurados estarán a la izquierda. Pues, ¡oh, Pastora divina!, a tu cargo quedan los cabritos, para que tú los conviertas en corderos y hagas que también vayan a ponerse aquel día al lado de la felicidad. Se reveló a santa Catalina de Siena que la Virgen fue creada para ser cebo suave que prendiese a los hombres y los restituyese a Dios. Sólo hay que advertir que no a todos los cabritos o pecadores los salvará, sino a los que la sirvan y veneren, porque los que viviendo en los vicios no procuran merecer su favor con algún obsequio particular, ni se le encomiendan con deseo de salir de su mal estado, no pertenecen a su grey y, por tanto, la izquierda será en el juicio el lugar que les corresponda.

Hubo un hombre noble, que por la multitud de los delitos que había cometido desconfiaba ya de conseguir su salvación; pero sabiéndolo un religioso, le exhortó a valerse del amparo de María Santísima bajo la advocación de una imagen que se veneraba en cierta iglesia. El caballero fue, y al instante que vio la imagen sintió como que le animaban a echarse a sus pies con toda confianza. Corre, se postra, y al ir a besárselos, la imagen, que era de talla, le dio a besar la mano, en la cual estaban escritas estas palabras: *Yo te libraré*; con lo cual el hombre concibió de repente tan gran dolor de sus pecados y tan inmenso amor a Dios y a aquella Madre dulce, que allí cayó muerto a sus sagrados pies. ¡Oh, a cuántos pecadores obstinados trae a Dios cada día este imán de nuestros corazones!

Pudiera referir muchos casos sucedidos en nuestras misiones y las ajenas, de algunos que a los demás sermones se mantuvieron duros y empedernidos;

pero oyendo, al fin, predicar de las misericordias de María, se compungieron y se convirtieron. Dicen que el unicornio es un animal tan ligero y feroz, que no hay quien pueda darle caza, y que solamente a la voz de una doncella se rinde, se acerca y deja que le ate. ¡Cuántos pecadores que huían de Dios, más bravos que las fieras, vuelven a las voces de esta Virgen amorosa y de su mano se dejan mansamente ligar y conducir!

A este fin fue ensalzada a la dignidad de Madre de Dios, para que medie y alcance la salvación a muchos que, atentos a sus obras y al rigor de la divina justicia, no se salvarían. Más por el bien de los pecadores que por el de los justos, se ve tan entronizada; semejante a lo que afirmó de sí Cristo nuestro Redentor, hablando de los motivos de su venida al Mundo. ¡Oh, Señora!, obligada estás a favorecer a los pecadores, porque todas las prerrogativas y grandezas que has recibido (comprendidas en el título de Madre de Dios) a ellos las debes, pues por su causa tienes a Dios por Hijo. ¿Cómo con esto podrá alguno desconfiar?

En la oración de la Misa de la vigilia de la Asunción nos dice la santa Iglesia que fue llevada a los cielos para que allí, continuamente, se interponga por nosotros con la certeza de ser escuchada, como medianera que dispone de todo a su voluntad, y con cuya sentencia y decisión siempre se conforma el supremo Juez. ¿Qué mayor seguridad podemos desear? ¿Qué fiadora más acepta a los deseos de Dios ni que mejor pueda reconciliarnos con Él? Como el Señor solicita por todos los medios la reconciliación de los pecadores, para que no dudásemos de alcanzar el perdón, nos la dio por prenda segura. ¡Oh, pecador!, anímate oyendo esto, y si por la muchedumbre y gravedad de tus pecados temes que Dios, indignado, tome venganza de ti, ve a buscar a María, esperanza de pecadores, sabiendo que el mismo Señor le confió el oficio y encargo de socorrernos y ayudarnos a todos.

¿Qué temor ha de tener de salir mal el reo a quien la madre del Juez se ofrece por abogada y madre? Y tú, Señora, que lo eres, ¿te desdeñarás de interceder con tu Hijo, que es el Juez, por otro hijo, que es el pecador? ¿No pedirás al Redentor por un alma redimida con su propia sangre? Con toda eficacia rogarás por los que recurren a ti, como mediadora que eres entre el Juez y el delincuente. Tú, pecador, cualquiera que seas, por más apurado que estés, por más antiguas y encanceradas que sean tus llagas, no desconfíes, antes bien, da gracias a Dios de que, para usar contigo de misericordia, no sólo te haya dado a su unigénito Hijo por abogado, mas para que mayormente confíes, te ha provisto también de una medianera que todo lo alcanza. Implora su favor, y te salvarás.

EJEMPLO.— Cuenta Rupense y Bonifacio, que hubo en Florencia una muchacha llamada Benita, pero no bendita, sino muy perversa, deshonesta y escandalosa. Por dicha suya, llegó a la ciudad el glorioso patriarca santo Domingo, y ella, por mera curiosidad, quiso ir un día a escuchar un sermón que predicaba, en el cual, finalmente, la palabra divina la compungió tanto, que anegada en lágrimas, se confesó con el santo, quien no le impuso más penitencia que rezar el Rosario. Pero la infeliz, vencida del mal hábito contraído, volvió a caer. Lo supo el santo, fue a buscarla, y logró que se confesase otra vez, ayudando el Señor por su parte a la firmeza del propósito con una visión en que le descubrió las penas del infierno y ardiendo en él algunos hombres condenados por culpa suya, al mismo tiempo que le puso delante un libro en donde estaban escritos todos los pecados, cosa que la llenó de espanto; pero valiéndose fervorosamente de la protección de la Virgen, vio también que esta Señora le alcanzaba de Dios tiempo para llorar sus liviandades. Emprendió desde luego una vida muy ajustada; mas como nunca se le apartase de los ojos aquel proceso tan temeroso, empezó un día a decir a la Reina de los ángeles estas palabras: "Madre amantísima, bien sé que he merecido mil veces el infierno, pero ya que misericordiosamente me has concedido espacio de penitencia, voy a pedirte otra gracia, aunque no quiero dejar de llorar mis pecados hasta la muerte y es que dispongas se borren todos de aquel libro que he visto". La Virgen Santísima se le apareció diciéndole que para obtener lo que solicitaba había de tener de allí en adelante memoria continua de sus pecados y de la misericordia que Dios había tenido con ella; que se había de acordar frecuentemente de lo mucho que el Señor había padecido por salvarla, y que, en fin, había de pensar cuántos se habían condenado con menos motivo, revelándole la condenación aquel mismo día, de un niño de ocho años, por un solo pecado grave. Obedeció Benita puntualmente, y mereció que al cabo se le apareciese también Jesucristo, nuestro Redentor, y que mostrándole aquel libro, le dijese: "Ya tus delitos quedan borrados y el libro está en blanco. Escribe ahora muchos actos de caridad y demás virtudes". Así lo hizo Benita lo que le restaba de vida, vivió hasta el fin como santa y murió felizmente.

ORACIÓN.— ¡Oh, dulce Virgen! Pues que tu ejemplo es el de interponerte como defensora entre Dios y los pecadores, haz por mí siempre oficio tan amoroso, y no digas que es difícil mi causa y no me puedes defender, porque ninguno fracasó, por desesperada que fuese su causa, patrocinada por ti. ¿Y se ha de perder la mía? No, no se perderá. Es cierto que si sólo mirase a lo que merecen mis pecados, temería con gran razón que te negases a encargarte de ella; pero como conozco tu piedad y el deseo que arde en tu benigno corazón de ayudar a los desgraciados, nada temo. ¿Quién se perdió que a ti acudiese? Tú me amparas, abogada mía, refugio mío, esperanza mía, amada Madre mía. En tus manos encomiendo mi alma; tú la has de salvar. No cesaré de bendecir al Señor porque me da en ti esta confianza, la cual es tan grande, que, sobrepujando a todos mis méritos, me alienta y asegura de mi salvación. Un solo recelo me queda, y es si llegaré a faltar por mi negligencia en esta confianza de hijo que siento por ti ahora. Para que así no suceda, te pido por el amor que tienes a nuestro divino Salvador, que conserves y aumentes cada día más y más en mi ánimo esta segura confianza en tu intercesión, por la cual espero recuperar la gracia que perdí pecando locamente, conservarla con tu auxilio poderoso y poder después cantar en el cielo tantas misericordias, viendo y gozando a Dios en tu compañía por todos los siglos de los siglos. Amén.

CAPÍTULO SÉPTIMO

VUELVE A NOSOTROS ESOS TUS OJOS MISERICORDIOSOS

1. María Santísima mira con gran compasión nuestras miserias, para remediarlas

Llamó san Epifanio a la Virgen Santísima *la de los muchos ojos*, porque continuamente mira y atiende al remedio de todos los desdichados que vivimos en este valle de lágrimas. Estaban conjurando una vez a un endemoniado, y el exorcista preguntó al enemigo: *Dime, ¿qué hace María?* A lo cual respondió: *Baja y sube*, queriendo decir que no hace otra cosa que bajar a traer a la tierra beneficios y hacer bien a los hombres y subir al cielo a presentar nuestras súplicas ante el divino acatamiento. Un santo la llamó Procuradora del Paraíso, porque allí se ocupa sin interrupción en solicitar las misericordias del Señor y conseguir mercedes para justos y pecadores. En los justos tiene Dios puestos los ojos, dice David; pero la Virgen, en los justos y pecadores, porque los suyos son ojos de Madre, y la madre no sólo mira que el hijo no caiga, mas cuando cae corre a levantarle.

"Pídeme cuanto quieras", dice a su Madre el Señor, complaciéndose en concederle todo lo que desea por el grande amor que le tiene: "Me has destinado para Madre de misericordia, refugio de pecadores y abogada de miserables, y me dices que pida cuanto quiera; pido que tengas misericordia de ellos". Tanta es la tuya, Señora, y tanto el cuidado con que atiendes al alivio y remedio de nuestros males, que no parece tienes en el cielo otro empleo ni otra solicitud más que ésta. Y como la mayor miseria es la de los pecadores, sin descanso ruegas por ellos. Aun en esta vida tuvo siempre para con los hombres un corazón tan amoroso y tierno, que jamás hubo persona tan afligida de sus penas propias como la Virgen de las ajenas. Bien lo mostró en aquellas bodas a donde fue convidada, como dijimos en el capítulo anterior. ¿Y sería motivo para olvidarse de nosotros al verse ahora en el cielo ensalzada? No hay que pensarlo; ni corazón tan piadoso puede nunca olvidarse de miseria tan grande como la nuestra ni a ella le alcanza de ninguna manera el proverbio de que *honores mutant mores*, o de que con las glorias se olvidan las memorias: ingratitud y proceder común entre los mundanos, los cuales, si por acaso llegan a subir a puestos altos, se olvidan fácilmente de los amigos que dejan en la pobreza. María, no; antes bien, se goza de su gran poder, porque así tiene más proporción de hacer beneficios y socorrer necesidades. Bendita seas, se le debe decir con más razón que a Rut, porque si fue grande tu primera misericordia, mayor es la de ahora; si viviendo en carne mortal eres tan clemente, más lo eres ahora que reinas en el cielo. Verdaderamente es ahora mayor su misericordia maternal, comparada con la grandeza y continuación de los favores que nos consigue, porque desde el cielo conoce mejor nuestras faltas y necesidades, y así como la luz del sol es mucho más resplandeciente que la de la luna, así la piedad de María, ahora que reina en la gloria, excede en mucho a la que tuvo antes. ¿Quién vive en el mundo privado de la luz del sol? ¿Y a quién no alumbra y vivifica la misericordia de María?

Se apareció un día santa Inés a santa Brígida, y le dijo: "Ahora que nuestra Reina está en el cielo unida con su Hijo, no se olvida de su innata piedad, sino que a todos, sin excluir a ningún pecador, tiende el manto de su misericordia, y a la manera que los rayos del sol iluminan todos los cuerpos terrestres y celestes, así no hay persona en el mundo que no participe de su misericordia, si la pide". Estaba determinado un gran pecador en el reino de Valencia, a hacerse turco, por huir de las manos de la Justicia, que le buscaba, y ya iba al embarcadero, cuando, al pasar por una iglesia donde predicaba el P. Jerónimo, de la Compañía de Jesús, famoso misionero, entró y oyéndole, quedó convertido, confesándose con él. Acabada la confesión, le preguntó el misionero si había practicado alguna devoción por la cual Dios hubiese manifestado con él tan especial misericordia, y supo que solamente había tenido la costumbre de pedir todos los días a la Virgen que no le abandonase.

En otra ocasión, dio en un hospital el mismo Padre con otro pecador que había vivido cincuenta y cinco años sin confesarse y sin otra devoción que hacer reverencia a las imágenes de María Santísima y suplicarle que no le dejase morir en pecado mortal. Había tenido una riña con un enemigo suyo, en la cual se le rompió la espalda, y creyéndose ya muerto y condenado, se volvió a la Virgen y le dijo: "Madre de pecadores, ayúdame"; y apenas acabó de decir estas palabras, sin saber cómo, se halló lejos de allí en lugar seguro. Hizo también confesión general, y murió con gran confianza de su salvación.

¡Cuán cierto es que Toda se presta a todos! A todos abre el seno de su misericordia, a fin de que todos reciban: el esclavo, rescate; el enfermo, salud; el triste, consuelo; el pecador, perdón y gracia de Dios, y así no hay quien carezca de su luz y calor. ¿Quién no la amará? Más hermosa es que el sol, más dulce que la miel; es un tesoro inagotable de beneficencia, con todos benigna, con todos cariñosa. Te saludo con todo mi corazón, Señora y Madre mía, luz de mis ojos y vida de mi alma. Perdóname si digo que te amo, y si no soy digno de amarte. Tú eres digna de todo amor.

Santa Gertrudis supo por revelación que siempre que se le dicen devotamente estas palabras de la Salve: *Ea, pues, Señora, abogada nuestra, vuelve a nosotros esos tus ojos misericordiosos,* no puede menos que inclinarse propicia y acceder a lo que se le pide. ¡Oh Señora! Tu misericordia llena toda la tierra, y el deseo que tienes de favorecernos es tan grande que te das por ofendida no sólo de los que te injurian abiertamente (como los perversos que en el juego blasfeman tu nombre), sino de todos aquellos que no se acuerdan de ti para pedirte algunas gracias, enseñándonos así a esperarlas mayores que nuestros méritos, pues mayores, sin comparación, las dispensas continuamente.

Predijo el profeta Isaías que cuando llegase el tiempo de la redención se alzaría un trono de misericordia. ¿Y cuál es este trono? Pregunta san Buenaventura. Es María, en quien todos hallan, justos y pecadores, consuelo y amparo. Un Señor tenemos lleno de misericordia y una Señora misericordiosa. El Señor es todo clemencia con los que le invocan, y la Señora lo mismo. Sentada está en el solio del reino de Dios, donde el Altísimo la revistió de su autoridad y omnipotencia para que nos dispense todo género de beneficios y nos ayude a conseguir, por último, la eterna salvación.

Le decía una vez santa Gertrudis con tierno afecto: "Vuelve a nosotros esos tus ojos misericordiosos", y la Virgen le señaló los ojos del Niño que tenía en los brazos, respondiendo así: "Estos son los ojos misericordiosos que yo puedo inclinar hacia todos los que me invocan". Y otra vez, llorando a sus pies un pecador y pidiendo que le alcanzase misericordia, vuelta al Hijo, que tenía también en los brazos, le dijo: "Y estas lágrimas, ¿han de correr en vano?" No fue así, porque el Señor le perdonó.

Y ¿cómo ha de perecer ninguno de cuantos se valgan del amparo de tan buena Madre, estando empeñada en su favor la palabra del Hijo, con promesa de usar con ellos de misericordia? Igual eres en poder y bondad, Madre piadosísima: en poder, para alcanzar beneficios, y en bondad, para perdonarnos. ¿Cuándo se dio caso en que no te compadecieses de algún miserable, siendo como eres Madre de misericordia? O ¿Cuándo te faltó poder para socorrerlos, Madre del Omnipotente? ¡Ah, Señora! Con la misma facilidad escuchas ruegos, alcanzas favores y socorres miserias. Llénate, ¡oh Reina felicísima!, de la gloria de tu Hijo, llénate, rebosa y, no por nuestros méritos sino de pura compasión, deja que llegue algo a estos pobres pequeñuelos hijos y esclavos tuyos. Y para que mis pecados no me desalienten, no me los opongas, porque contra ellos presentaré yo tu piedad. No se diga nunca que hayan mis culpas altercado en juicio con tu misericordia, la cual es mucho más poderosa para absolverme que mis pecados para condenarme.

EJEMPLO.— En las Crónicas de los Padres Capuchinos se escribe que hubo en Venecia un abogado de fama que había llegado con enredos y engaños a ser hombre rico, sin verse de bueno en él otra cosa que la costumbre de rezar todos los días una oración a Nuestra Señora, la cual bastó, no obstante, para librarle de las penas eternas. El modo fue así: que habiendo, por fortuna, contraído amistad con un religioso ejemplar llamado fray Mateo de Basso, logró que un día condescendiese a comer con él. Llegados a casa, le dijo el abogado: —Padre, va usted a ver una cosa que no habrá visto nunca: tengo una mona tan hábil, que es una admiración, porque me sirve de criado, abriendo la puerta, fregando en la cocina, poniendo la mesa y haciendo todos los otros menesteres de la casa. El capuchino contestó: —Cuidado, no sea ese animal algo más que mona, hágala usted venir. La llaman, la vuelven a llamar, la buscan por todos los rincones, y la mona no aparece. Finalmente, la encuentran en un cuarto bajo, escondida debajo de la cama, de donde no quería salir. —Vamos allá nosotros —dijo el Padre. Fueron, y dijo el religioso: —Sal de aquí bestia infernal, y yo te mando, en nombre de Dios, digas quién eres. A esas palabras habló la mona confesando que era el demonio, que esperaba que aquel hombre desalmado omitiese un día el decir su oración a la Virgen para ahogarlo y arrebatar su alma a los infiernos, con licencia que para ello tenía de Dios. Al oír esto el abogado, sobrecogido y temblando, se echó a los pies del siervo de Dios, pidiéndole favor y consejo. El Padre le animó y mandó al diablo irse al instante de aquella casa sin causar daño, y que sólo para señal dejase abierta la pared. Apenas dicho esto se oyó un estallido y apareció la abertura que en mucho tiempo no se pudo tapar por más que se hizo, hasta que, por consejo del mismo Padre, se puso allí una imagen de bulto representando un ángel. El abogado se convirtió, y hasta la muerte se cree que perseveró en el cambio de la vida.

ORACIÓN.— ¡Oh, Virgen purísima, la más excelente y ensalzada de todas las criaturas! Desde este valle oscuro y hondo te saluda humildemente un pecador que, por haber sido infiel a Dios, conoce no merecer misericordia y gracia, sino justicia y pena; aunque, por otra parte, no desconfía de tu piedad porque sabe que te precias de ser tanto más benigna cuanto más poderosa; que te alegras de ser rica para enriquecer nuestra pobreza, y que a proporción que son más desvalidos los que vienen a pedir a tus puertas, más pronto los amparas y socorres. Madre mía, tú lloraste amargamente viendo a tu Hijo muerto por mí. Te pido que le presentes aquellas lágrimas, para que por ellas me conceda un verdadero dolor de mis pecados. Si tanto fue lo que te afligieron los pecados de los hombres, y especialmente los míos, haz que cesen ya los disgustos dados al Señor y a ti. ¿De qué me servirían lágrimas tan preciosas, si continuase siendo tan ingrato y perverso? ¿De qué me aprovecharía tu misericordia, si de nuevo hubiese de ser infiel y condenarme? No lo permitas. Madre mía, tú has respondido por mí; tú alcanzas de Dios cuanto pides; tú escuchas los ruegos de todos. Con esta confianza, dos favores te pido en este día, y los dos los espero de tu bondad: el uno, ser en adelante fiel al Señor, sin más ofenderle; y el otro, amarle ardientemente tanto como le ofendí, sin dejarle de amar mientras me dure la vida, para amarle después por todos los siglos.

CAPÍTULO OCTAVO

Y DESPUÉS DE ESTE DESTIERRO MUÉSTRANOS A JESÚS, FRUTO BENDITO DE TU VIENTRE

1. María libra del infierno a sus devotos

Es imposible que algún devoto de María Santísima se condene, si él procura obsequiarla y encomendarse a su patrocinio. Parecerá tal vez, a primera vista, mucho decir; pero suplico no deseche nadie mi aserción antes de hacerse cargo de las razones. El afirmar que un devoto de Nuestra Señora no es posible que se condene, no se ha de entender de aquellos que abusan de esta devoción para pecar más libremente; por lo que no hacen bien algunos en desaprobar con celo falso lo mucho que ensalzamos la piedad de María para con los pecadores pareciéndoles que así los malos toman alas para más pecar, cuando lo primero que decimos es que éstos no tienen que lisonjearse; antes bien, por su temeridad y loca presunción, merecen castigo, no misericordia. Se entiende, pues, de aquellos devotos que, con el deseo de la enmienda, juntan la fidelidad en obsequiar y encomendarse a la Madre de Dios. De éstos afirmo que, moralmente hablando, no es posible que se condenen; proposición enseñada por muchos y grandes teólogos. Y para ver el fundamento sólido en que se apoyaron, examinemos lo que en la materia habían enseñado antes los santos y Doctores sagrados. Lo dice san Anselmo terminantemente, y éstas son sus palabras: "¡Oh, Virgen bendita! Tan imposible es que se salve el que de ti se aparta, como que perezca el que se acoge a ti".

Casi con las mismas expresiones lo confirma san Antonio, diciendo: "Así como es imposible que se salve ninguno de cuantos la Virgen desvíe sus ojos de misericordia, así necesariamente se salvan todos aquellos en quienes los ponga abogando por ellos". Nótese de paso la primera parte de la proposición sentada por estos santos, y tiemblen los que no hacen caso o dejan por descuido la devoción a María, pues vemos que asegura resueltamente no haberse de salvar ninguno a quien esta Señora no proteja; sentencia que además sostienen otros muchos Doctores, como Alberto Magno, que dice: "Señora, el que no te sirva perecerá". San Buenaventura añade que "los que no le son devotos morirán en pecado", y en otra parte, que "quien no la invoque en esta vida no entrará en el reino de los cielos"; y exponiendo el Salmo 99, llega a decir que "ni esperanza tendrán de salvación aquellos a quienes María vuelve las espaldas"; doctrina que mucho antes había enseñado san Ignacio, mártir, diciendo claramente que "ningún pecador se puede salvar sino por medio de la Virgen, la cual, con su intercesión poderosa, salva a muchísimos que de rigor de justicia se hubieran condenado". Algunos dudan que estas palabras sean de san Ignacio; pero, a lo menos, las hicieron suyas san Juan Crisóstomo, y el abad Cellense, en cuyo sentido le aplica la Iglesia lo que se dice en los *Proverbios: El que me halle, hallará la vida*; porque como añade Ricardo de San Lorenzo, dando la explicación de otras expresiones del mismo libro divino, en que se le compara a una nave: "todos los que naveguen fuera de esta nave segura perecerán en el mar del mundo". "Al contrario, dice María, el que me oye no será confundido"; respondiendo a lo cual le dice san Buenaventura: "Sí, Señora; quien procure obsequiarte estará muy lejos de la perdición", y san Hilario añade que "ningún devoto suyo acabará mal, por más que en lo pasado haya ofendido a Dios".

Ahora conoceremos el motivo que el demonio tiene para afanarse tanto con los pecadores a que, perdida la divina gracia, pierdan también la devoción de María Santísima. Viendo Sara que su hijo Isaac, jugando con Ismael, hijo de la esclava, aprendía malas costumbres, dijo a su marido Abraham que lo echase de casa juntamente con Agar, su madre. No se contentó con que Ismael saliese, si no salía también la madre temiendo que el mozo viniese a verla y con aquella querencia no se apartase nunca de la casa. De esta suerte, el demonio no se contenta con que el alma eche de sí a Jesucristo si no despacha también a la Madre, porque teme que la Madre, con la eficacia de su intercesión le vuelva a traer; temor bien fundado, porque todo el que sea constante en obsequiarla, pronto recobrará la gracia de Dios. Por esto llamaba san Efrén a la devoción a María carta de libertad o salvaguardia para librarse del infierno. Y realmente, teniendo para salvarnos tanto poder y voluntad, según la doctrina de san Bernardo: poder, porque es imposible que sus ruegos dejen de ser oídos; voluntad, porque es nuestra Madre y desea que logremos la salvación mucho más que nosotros mismos; ¿cómo se ha de perder ninguno que fielmente le sea devoto? Podrá estar en pecado; pero si, con deseo de la enmienda, sigue encomendándose a ella, queda a su cuidado, el alcanzarle luz, arrepentimiento verdadero y dolor, perseverancia en la virtud y al fin morir en gracia. ¿Qué madre, pudiendo fácilmente librar a su hijo del cadalso sólo con hablar al juez, no lo haría? ¿Y hemos de imaginar que la Madre más amorosa y tierna que jamás vio el mundo no librará de la muerte eterna a un hijo suyo pudiéndolo hacer tan fácilmente?

Demos al Señor gracias incesantes si sentimos en nosotros este afecto y confianza filial para con la Reina de los ángeles, pues que según afirma san Juan Damasceno, es gracia que Dios concede solamente a los que quiere salvar; y oigamos las palabras del santo, que alientan sobremanera los corazones: "¡Oh, Madre de Dios! Si consigo verme bajo tu protección y amparo, no tengo que temer, porque el ser devoto tuyo es señal segura de salvación, y Dios no la concede sino a los que determina salvar". No es extraño, pues, que esta dichosa devoción desagrade tanto al enemigo de nuestras almas. Se lee en la vida del P. Alfonso Álvarez, de la Compañía, muy devoto de la Virgen, que estando en oración, y sintiéndose acosado de tentaciones impuras, oyó cerca al enemigo, que le afligía diciéndole: "Deja tú la devoción de María, y dejaré yo de tentarte".

Y a santa Catalina de Siena fue revelada la verdad que vamos aquí probando. Le dijo el Señor. "Por mi bondad y reverencia al misterio de la Encarnación, he concedido a María, Madre de mi unigénito Hijo, la prerrogativa de que ningún pecador por grande que sea, que se le encomiende devotamente, llegue a ser presa del fuego del infierno".

Aun el profeta David, dicen los intérpretes, pedía que Dios le librase de las penas eternas por el honor y gloria de María, clamando así: "Señor, bien sabes que amé la hermosura de *tu* casa: no se pierda mi alma con la de los impíos". Dice tu casa significando a María, que es aquella casa hermosísima que en la tierra fabricó Dios por su mano para habitar y recrearse en ella hecho hombre, como está registrado proféticamente en los *Proverbios* por estas palabras: "La Sabiduría edificó una casa para sí". No se perderá, nos asegura el glorioso san Ignacio, mártir, quien procure ser devoto de esta Madre Santísima; apoyándolo san Buenaventura cuando le dice: "Señora, tus amantes en esta vida gozan de paz envidiable, y en la otra no verán la muerte eterna". No; jamás se ha visto ni se verá que un siervo humilde y amante de María se pierda para siempre.

¡Cuántos se hubieran perdido por toda la eternidad si esta Señora no hubiese mediado con su Hijo santísimo, alcanzándoles misericordia! Más llegan a decir no pocos teólogos, y especialmente santo Tomás. Dicen que ha habido muchos casos de personas muertas en pecado mortal, y que, no obstante, por ruegos de María, Dios suspendió la sentencia y les permitió volver a la vida para que hiciesen penitencia de sus pecados. Entre otros grandes autores, Flodoardo, que vivió en el siglo IX, cuenta en su Crónica que un diácono, por nombre Adelmaro, estaba ya para ser puesto en la sepultura, resucitó y declaró haber visto el lugar que le esperaba en el infierno, pero que, interponiéndose la Virgen Santísima, le había conseguido la gracia de volver al mundo para hacer penitencia. Surio refiere que la misma Señora alcanzó gracia igual a un vecino de Roma llamado Andrés, muerto impenitente. Perbarto escribe también que, pasando una vez por los Alpes con su ejército el emperador Segismundo, oyeron que de un esqueleto salía un grito pidiendo confesión, y añadiendo que la Virgen María, con quien en vida tuvo devoción siendo soldado, le había conseguido vivir en aquellos huesos mientras durase la confesión. Se confesó y volvió a morir.

Estos y otros ejemplos no deben servir a ningún temerario de motivo para seguir pecando, con la esperanza de que la Virgen le librará también del infierno; porque así como sería gran locura echarse de cabeza en un pozo esperando que la Virgen habría de impedir la muerte por haberlo hecho alguna vez, mucho más lo sería aventurar la salvación eterna con la vana presunción de que le librará del infierno. Para lo que sirven los ejemplos referidos es para avivar la confianza, considerando que, si fue su intercesión tan poderosa que llegase a librar de las penas eternas alguno que otro muerto en pecado, incomparablemente más eficaz será en favor de aquellos que en vida recurren a ella y la sirven fielmente, con deseo de enmendarse y cambiar de vida.

Animados con esto, acojámonos bajo las alas de su misericordia, diciéndole con san Germán: "¡Oh, Madre; oh, esperanza; oh, vida de los cristianos! Sin ti, ¿qué sería de nosotros?"

Repitamos con san Anselmo: "Señora, aquel por quien pidas una vez, no verá los suplicios eternos. Si cuando sea llamado a juicio abogas por mí como Madre de misericordia, saldré absuelto". Añadamos con el beato Susón: "Si el Juez quiere condenarme, pase la sentencia por tus manos", porque en manos tan piadosas se impedirá la ejecución. Concluyamos con san Buenaventura: "En ti espero, Señora, no seré confundido, sino salvo en el cielo, donde te veré, alabaré y amaré para siempre".

EJEMPLO.— En una ciudad de Flandes, el año 1604, había dos estudiantes que en lugar de estudios y libros, pasaban el tiempo en liviandades y deshonestidades. Habían ido una noche, después de otras muchas, a casa de una mala mujer, de donde sólo regresó uno de ellos, que se llamaba Ricardo, y se quedó el otro. Ricardo, al desnudarse para dormir, se acordó que aún no había rezado un Avemaría que todos los días tenía costumbre, y haciéndose violencia, al fin rezó, aunque de mala gana, sin atención y medio dormido. Al primer sueño, escucha de pronto un golpe muy fuerte en la puerta, y, sin abrirse ve entrar a su compañero en figura espantosa. —¿Quién eres? —Le preguntó— ¿Pues, no me conoces? —dijo el otro— Tan cambiado y deforme te veo, que pareces un diablo—. ¡Infeliz de mí! Estoy condenado. —¿Cómo?— Has de saber que al salir de aquella casa infame vino el demonio y me ahogó, quedando mi cuerpo tendido en la calle y bajando a los infiernos mi alma. Has de saber también que a ti te aguardaba la misma suerte; pero por el Avemaría que rezaste te ha librado la Virgen. ¡Afortunado de ti si te sabes aprovechar de este aviso que te da por mi medio! Dicho esto, se destapó, mostrando las llamas y serpientes enroscadas que le atormentaban, y desapareció. Entonces Ricardo se tiró al suelo, y con llantos y gritos daba gracias

141

a Nuestra Señora de tan grande misericordia, prometiendo de veras cambiar de vida, cuando oyendo tocar a Maitines en el convento de san Francisco, exclamó: "Ésta es la voz de Dios que me llama a hacer penitencia", y sin más dilación, se fue desde allí a pedir con insistencia el santo hábito. Los religiosos se lo negaron, sabedores de su mala conducta. Entonces les contó el caso, y para cerciorarse de la verdad, fueron dos a la calle que decía, donde en efecto, encontraron el cadáver de su amigo, ahogado y más negro que un carbón. Con esto lo admitieron, y vivió en la religión haciendo siempre vida muy ejemplar. Fue a las Indias a predicar la fe, y de allí a Japón, en el cual tuvo la dicha de ser quemado y morir mártir de Jesucristo.

ORACIÓN.— ¡Oh, dulce Madre mía, en qué abismo de males tan profundo hubiera yo caído, si tú, teniéndome con tu mano piadosa, no lo hubieses estorbado! ¡Cuántos años ha que ardería en las penas eternas si no lo hubieses impedido con tus ruegos poderosos! Mis pecados lo merecían, y la justicia de Dios estaba ya para descargar el golpe; los enemigos y verdugos esperaban la sentencia y tú acudiste a defenderme, sin ser de mí llamada. ¡Oh, libertadora de mi alma! ¿Con qué te podré pagar beneficio tan grande, amor tan generoso? Más hiciste, que fue vencer la dureza de mi corazón llamándome a ti y animándome a confiar en tu clemencia. Después, ¡cuántas veces hubiera de nuevo caído en mil precipicios sin el sostén de tu mano clemente! Seguir así, esperanza mía, consuelo mío, Madre mía, a quien amo más que a mi corazón; sigue preservándome de aquellas llamas eternas, y primero del pecado mortal, en que puedo volver a caer. No permitas que haya de blasfemar de ti en el infierno. Y, pues, que te amo, ¿cómo podrá sufrir tu bondad verme condenado? Alcánzame la gracia de no ser por más tiempo desagradecido a ti y a Dios, que por amor a ti me ha dispensado tantas mercedes. ¿Qué me dices, Señora? ¿Me salvaré? Si nunca te dejo, sí, pero ¿cómo tendré valor para dejarte? ¿Cómo podré olvidarme del amor que me has demostrado? Después de Dios, eres todo el amor de mi alma. Te amo ahora, y espero amarte en el tiempo y eternidad y amarte será toda mi dicha, porque eres la criatura hermosa, más dulce y más amable de cuantas hubo ni habrá jamás.

2. María alivia a los suyos las penas del purgatorio, y les saca de ellas

Muy felices son los devotos de esta Madre clemente, porque, además de socorrerlos en esta vida, los asiste y consuela en el purgatorio y aun allí con más amor y misericordia, por la mayor necesidad en que ve aquellas almas sin poderse aliviar a sí mismas ninguna parte del rigor de sus penas. Es cárcel aquel lugar de almas, esposas de Jesucristo, y así tiene María dominio y jurisdicción especial para darles alivio y sacarles también.

Olas se llaman las penas del purgatorio porque pasan, a diferencia de las del infierno que nunca pasarán; y se llaman olas del mar o de amargura, porque realmente son muy amargas. Pero en medio de ellas son muchas veces confortados y recreados por la Virgen Santísima sus devotos afligidos; por donde se podrá conocer cuánto nos importa tenerle devoción durante la vida, pues aunque socorre a todos los que allí sufren, siempre los más allegados participan más del sufragio y alivio.

Dijo una vez a santa Brígida la misma Señora: "Yo, como Madre, tengo cuidado de los que padecen en el purgatorio aliviándolos de hora en hora de sus penas". Ni aun tiene a menos visitar algunas veces, personalmente, aquella prisión de justos, llevándoles siempre algún alivio y consuelo.

¿Qué otro mejor podrán allí tener, sino esta Madre de misericordia? Al modo que un enfermo postrado en la cama y abandonado de todo el mundo, si oye una palabra de esperanza y mejora se alienta y

143

recrea, así sólo con oír ellas tu dulcísimo nombre se confortan y regocijan, y por eso no cesan de llamarte, y tú, como Madre amorosa, cada vez que las escuchas unes a sus clamores tus ruegos eficaces, los cuales les sirven como de rocío refrigerante con que se mitigan sus vivísimos ardores. Pero además de aliviarlas y consolarlas, ella por su mano les suelta las prisiones y las saca libres de aquel lugar de tormentos. Desde el día de su triunfante Asunción a los cielos, en que dejó aquella cárcel vacía, como escriben respetables autores, quedó en posesión de libertar a todos sus siervos, rogando por todos y aplicándoles sus altos merecimientos, con que se les aligera la pena y se les abrevia el tiempo de padecer.

Refiere san Pedro Damián que una mujer difunta, llamada Marozia, se apareció a una amiga suya, y le dijo que el día de la Asunción de la Virgen la sacó esta Señora del purgatorio con las demás almas detenidas en él, cuyo número sobrepasaba al de todos los habitantes del pueblo romano; y san Dionisio Cartusiano dice que en las fiestas de su Natividad y de la Resurrección, baja la divina Señora, acompañada de la celestial milicia, y saca muchas de aquellas almas; añadiendo Navarino que ésta es gracia que siempre hace en todas sus festividades.

Bien sabido es lo que prometió la misma Virgen al Papa Juan XXII a quien, apareciéndose, mandó decir a todos los que llevasen su escapulario del Carmen, que el sábado inmediato al día de la muerte de cada uno saldrían libres de las penas del purgatorio. Y así fue declarado por el Sumo Pontífice en la bula que a este fin expidió, confirmada por sus sucesores Alejandro V, Clemente VII, Pío V, Gregorio XII y Pablo V, el cual, en una suya, dada el año 1612, dice: "Que el pueblo cristiano puede piadosamente creer que la Santísima Virgen, con su continua intercesión, méritos y protección especial, ayudará después de la muerte, y principalmente el día de sábado (que la Iglesia le consagra), las almas de los hermanos de las cofradías del Carmen que hayan salido de este mundo en gracia de Dios, habiendo vestido su escapulario, guardando castidad, conforme al estado de cada uno, y rezando el Oficio Parvo de la misma Virgen o que, de no haber podido, hayan observado, al menos, los ayunos de la Iglesia y absteniéndose los miércoles de comer carne, menos el día de Navidad". Y en el oficio de la misma fiesta del Carmen decimos que, según la piadosa creencia de los fieles, la Virgen, con afecto de Madre, consuela y saca muy pronto de aquella penosa cárcel a los que estuvieron agregados a su cofradía.

¿Por qué también nosotros no hemos de esperar este mismo favor, si le somos devotos? ¿Por qué, si la servimos con amor filial, no creeremos que, en acabando de morir, lleve nuestras almas al cielo sin pasar por el purgatorio, como lo prometió al B. Godofredo, mandándole decir por un religioso llamado Fr. Abundio?: "Di a Godofredo que se adelante en virtud y sea muy siervo mío y de mi querido Hijo, y cuando su alma salga del cuerpo, no la dejaré que pase por las penas del purgatorio". Finalmente, por lo que hace a los sufragios, si deseamos aliviarlas, pidamos a nuestra Señora por ellas en todas nuestras oraciones, ofreciendo siempre por su alivio y descanso el Santo Rosario, que le sirve grandemente, como veremos en el ejemplo que vamos a referir.

EJEMPLO.— Cuenta el P. Eusebio Nieremberg, que en una ciudad del reino de Aragón, vivía una doncella por nombre Alejandra, a la cual, por su hermosura y nobleza, pretendían dos jóvenes principales y émulos uno de otro. Llegaron a las manos un día, y ambos quedaron muertos en la calle; y por haber ella sido la ocasión, fueron a su casa los parientes, la degollaron y arrojaron su cabeza a un pozo. Pocos días después, pasando por aquel sitio el patriarca santo Domingo, inspirado por Dios, se arrimó al pozo, y dijo: "Alejandra, sal"; y he aquí que aparece viva en el brocal la cabeza de Alejandra pidiendo confesión. El santo la confiesa y le da también la Sagrada Comunión, todo a la vista del gran concurso de gentes que habían acudido a ver tan gran maravilla. Después le mandó que publicase por qué había Dios tenido con ella misericordia tan señalada. Respondió la joven que cuando le cortaron la cabeza estaba en pecado mortal, pero por la devoción que había tenido de rezar el Rosario, la Virgen le había conservado la vida. Dos días permaneció la cabeza hablando a la orilla del pozo al cabo de los cuales fue destinada el alma al fuego del purgatorio; mas pasados otros quince, se apareció al mismo santo más hermosa y resplandeciente que el sol, y le declaró que uno de los sufragios más eficaces que tienen las benditas ánimas es el santo Rosario ofrecido por ellas, por lo cual, agradecidas, luego que llegan a verse en la presencia de Dios, piden por las personas que les aplicaron esta oración poderosa. Dicho esto, vio el glorioso santo Domingo entrar aquella alma llena de regocijo en la mansión de la eterna bienaventuranza.

ORACIÓN.— ¡Oh, sacratísima Reina de los ángeles, Madre de Dios y Señora nuestra, la más excelente y amable de todas las creaturas! Cierto es que hay en el mundo muchos que ni te aman ni conocen, mas en el cielo tienes millares y millares de ángeles y santos que te aman y alaban incesantemente. También en la tierra se encuentran almas felices, enardecidas en tu amor y prendadas de tu bondad. ¡Oh, si yo te amase igualmente! ¡Si continuamente estuviese pensando cómo servirte mejor, ensalzarte y venerarte, procurando mover a otros al mismo amor y veneración! El Eterno se enamoró de tu incomparable hermosura, con tal fuerza, que le hizo como desprenderse del seno del Padre y escoger esas virginales entrañas para hacerse Hijo tuyo. ¿Y yo, gusanillo de la tierra, no he de amarte? Sí, dulce Madre mía, quiero arder en tu amor y propongo exhortar a otros a que te amen también. Acepta mis deseos y ayúdame a lograrlos. Sé que a tus amantes los mira Dios con particular benevolencia, no deseando nada tanto, después de la dilatación de su gloria, como verte amada, honrada y servida de todo el mundo. Con esta convicción procuraré amarte más y más, y esperaré de ti toda mi dicha. Tú me has de conseguir el perdón de mis pecados; tú, la perseverancia final, tú me has de sacar de las penas del purgatorio, y tú has de llevar mi alma en tus brazos maternales hasta presentarla ante el trono de la Santísima Trinidad. Todo esto esperan tus hijos de ti, y ninguno de ellos queda jamás burlado. Pues lo mismo espero yo, que te amo con todo mi corazón y, después de Dios, sobre todas las cosas.

3. María lleva sus siervos a la gracia

Prenda segura de salvación tienen todos los siervos de María. Pone en su boca la santa Iglesia estas palabras del libro del *Eclesiástico: In omnibus requiem quaesivi, et in haereditate Domini morabor.* ¡Dichosos aquellos en cuya morada halle su descanso, porque siendo tan extremado el amor que nos tiene, y procurando de mil maneras arraigar en nuestros corazones su devoción, muchos o la desechan o no la conservan! ¡Dichoso el que abra su pecho a tan dulce devoción, y allí la mantenga viva, ferviente! Dice "que habitará en la heredad del Señor", los cuales han de ver y bendecir eternamente en el cielo. Prosigue diciendo las palabras siguientes en el lugar citado: "Mi Creador descansó en mi tabernáculo y me dijo: Habita en Jacob, ten tu herencia en Israel y echa raíces entre mis escogidos". O más claramente: "Mi Creador tuvo a bien morar en mi seno y quiso que yo habitase en los corazones de todos los escogidos (herencia de la Virgen y figurados en Jacob), y dispuso que estuviese radicada en todos los predestinados la devoción y confianza en mí".

¡Cuántos de los bienaventurados no lo hubieran sido si María, con su poderosa intercesión, no les hubiese obtenido la felicidad! "Yo hice que naciese en el cielo el sol indeficiente —añade la grande Señora. Tantos soles brillantes como son mis devotos, por mí resplandecen en la gloria y resplandecerán eternamente". Sí, porque a todos los que confían en su protección se les han de abrir de par en par las puertas eternas.

A ti, Señora, están confiadas las llaves y tesoros del cielo, y por esta razón clamamos continuamente, diciendo: "Ábrenos, Virgen piadosa, esas puertas eternas, pues, tienes en la mano las llaves, o por mejor decir, tú eres la puerta, que así te lo dice la Iglesia santa: *Janua coeli, ora pro nobis.*

"Estrella del mar" la llamamos también, porque así como guiados por la estrella dirigen al puerto el rumbo los navegantes, así a los cristianos es la Virgen que guía con dirección al cielo. Igualmente llamamos escala por donde bajó Dios a la tierra y nosotros subimos a Dios. Dios la llenó de gracia para que fuese camino seguro por donde subiésemos al monte de la gloria. Felices aquellos que te conocen ¡oh, Madre dulcísima!, porque el conocerte y publicar tus grandezas y virtudes es ir por el sendero de la vida eterna.

Leemos en las Crónicas de la religión de san Francisco, que una vez Fray León vio una escala de color encarnado, en que estaba nuestro Señor Jesucristo, y otra de color blanco, en que estaba la Virgen. Empezaron algunos religiosos a subir por la primera, y a los pocos peldaños caían al suelo; volvían a subir y volvían a caer. Entonces, oyeron que los animaban a subir por la otra, y así lo hicieron con toda felicidad, porque la Virgen les iba dando la mano, con lo cual llegaban todos arriba.

Verdaderamente, ¿quiénes son los que se salvan? Aquellos por quienes esta Señora benigna interpone la autoridad de sus ruegos. Ella misma lo asegura: *Por mí reinan los reyes*; por mí, las almas reinan primero en esta vida mortal, enseñoreándose de sus pasiones, y después reinan eternamente en el cielo, donde son todos reyes. Es árbitra y Señora, porque la prerrogativa de Madre le da pleno derecho para mandar todo lo que quiere y dar a cuantos quiere entrada en aquellos gozos eternos. Y aun se puede con verdad añadir, que le tiene ya de antemano asegurada tan grande felicidad, pudiendo vivir tan cierto de poseerla, supuesta la perseverancia, como si ya la hubiese conseguido. Servir a María y pertenecer a su corte, es el honor más alto que nos puede suceder. Servir a la Reina del cielo es ya reinar en el cielo; vivir a sus órdenes vale mil veces más que reinar en la tierra; así como está fuera de toda duda que los que no la sirvan no se salvarán, porque privados del favor de la Madre, los abandona el Hijo y toda la corte celestial.

Bendita y ensalzada sea la bondad infinita de nuestro Dios, que la tiene allí constituida por abogada nuestra, para que, como Madre del supremo Juez y Madre de misericordia, intervenga, con eficacia, en el negocio de nuestra salvación. Escuchen, oyentes, ustedes los que desean verse salvos, sirvan y honren a María y lo serán seguramente. Y los que por criminales han merecido las penas del infierno, confíen también si empiezan a servirla. ¡Cuántos pecadores, esforzándose, hallaron por su medio a Dios y se salvaron! Dice san Juan que la vio coronada de estrellas. Y en el *Cantar de los Cantares* parece indicarse con su corona que eran despojos de fieras bravas, como leones y leopardos. ¿Cómo se entiende esto? Son los pecadores, convertidos por su intercesión en estrellas de gloria, más hermosas y dignas de ceñir aquellas soberanas sienes que todos los astros del pabellón del cielo.

Haciendo una vez la novena de la Asunción la sierva de Dios y virgen seráfica de Capri, pidió a Nuestra Señora la conversión de mil pecadores; pero después, temiendo que fuese la súplica demasiado atrevida, se le apareció la misma Señora y la corrigió diciendo: "¿Por qué temes? ¿No tengo yo poder para alcanzarte de mi Hijo la conversión de mil pecadores? Ya tienes concedida la gracia". Y enseguida la llevó en espíritu al cielo, donde le mostró innumerables almas que, habiendo merecido el infierno, estaban, por su protección poderosa, gozando de la eterna bienaventuranza.

Verdad es que nadie en esta vida puede tener la certeza de salvarse. Pero acudamos a María, arrojémonos a sus pies, y no los dejemos hasta que nos dé su bendición, que si nos bendice, seremos salvos. Basta, Señora, que tú quieras, para que nos salvemos, y necesariamente, como aseguran los santos.

Con razón predijo que la llamarían bienaventurada todas las generaciones, pues, por su medio han de alcanzar la bienaventuranza todos los escogidos. Eres, en realidad, Madre amantísima, principio, medio y fin de nuestra dicha; principio, porque nos alcanzas perdón de los pecados; medio, porque nos consigues el don de la perseverancia, y fin porque nos llevas a las moradas del eterno descanso. Tú abriste sus puertas, tú cerraste las del abismo, tú nos recobraste la felicidad y por ti se dio la vida eterna a los desventurados, merecedores de eterna perdición.

Pero mayormente debe animarnos a esperar esto, la dulce promesa con que estimula la Virgen a todos los que la honran en este mundo, y en particular a los que de obra o de palabra procuren, según sus fuerzas, darla a conocer y venerar. ¡Afortunados los que con preferencia lleguen a merecer su favor! A éstos ya los reconocen por compañeros los cortesanos celestiales, y como que llevan en sí la marca de siervos de María, ya sus nombres están inscritos en el libro de la vida.

¿De qué sirve, pues, inquietar la conciencia con las disputas de la escuela sobre si la predestinación es antes o después de haber previsto Dios los méritos de cada uno o las dudas de si nuestros nombres estarán o no escritos en aquel libro? Sin duda lo estaremos, si de María somos siervos verdaderos, logrando que, nos tenga guarnecidos a la sombra de su protección, porque aseguran los santos que a los que Dios quiere salvar les da como prenda y gracia especial la devoción a su Madre, conforme a lo que parece prometió por boca de san Juan, en estos términos: "El que venciere, llevará escrito de mi mano el nombre de Dios y el de la Ciudad de Dios". Y los santos Padres declaran que la Ciudad de Dios es María Santísima.

Bien podemos decir con san Pablo, que a los que tengan este signo los reconocerá Dios por suyos; siendo la devoción a su Madre señal tan evidente de predestinación, que sólo rezar devota y frecuentemente la salutación angélica o Corona o Rosario cada día, se tiene por indicio muy grande de salvación, y sus siervos, no sólo se ven más privilegiados y favorecidos en esta vida, sino que serán más honrados y aventajados en la gloria, llevando allá vestida una librea y divisa particular, mucho más preciosa y elegante que los demás gloriosos cortesanos con que se distinguen por familiares de la Reina del cielo y servidumbre de su corte.

Vio santa María Magdalena de Pazzi, en medio del mar, una navecilla en que iban todos los devotos de la Virgen, y la celestial Princesa, haciendo el oficio de piloto, con la proa derecha al puerto; entendiendo la santa que las personas que viven bajo la protección de María, en medio de los peligros de esta vida, quedan a salvo del pecado y del infierno, porque los guía la misma Virgen con toda seguridad al puerto de bonanza, que es la gloria eterna. Entremos, pues, en esta barca feliz; acojámonos al manto de María, y así nos salvaremos indefectiblemente, pues la Iglesia le dice así: "¡Oh, Santísima Madre de Dios!, todos cuantos han de participar de las delicias celestiales habitan en ti y están amparados a tu sombra maternal".

EJEMPLO.— Cuenta Cesáreo que un monje cisterciense, muy devoto de la Reina de los ángeles, deseaba y pedía ardientemente verla una vez. Salió una noche al jardín, y poniéndose a mirar al cielo y exhalar suspiros abrasados, ve de improviso bajar una virgen muy hermosa y resplandeciente, que le preguntó: —Tomás, ¿quieres oír mi canto? —Sí, por cierto —respondió él—; y la virgen cantó con tal dulzura, que el devoto religioso se imaginaba hallarse en el Paraíso. Acabando el canto, desapareció dejándole con gran deseo de saber quién era, cuando he aquí otra virgen hermosísima que igualmente se puso a cantar. Ya no se pudo contener, y le preguntó quién era. —La otra que viste —le respondió— fue Catalina y yo soy Inés, ambas mártires de Jesucristo y enviadas a consolarte por Nuestra Señora. Dale muchas gracias y disponte a recibir favor mucho más alto. Dicho esto, desapareció; pero el religioso quedó con gran esperanza de ver, al fin, al centro de sus ansias. No esperó mucho tiempo, porque de allí a poco vislumbra una clarísima luz, siente rebosarle el pecho de alegría y ve aparecer en medio de resplandores a la Madre de Dios, rodeada de ángeles, incomparablemente más hermosa que las dos vírgenes anteriores, y le dice: —Amado mío, me complazco del amor con que me sirves, y accedo a tu súplica. Veme aquí. Quiero que oigas también mi canto. Comenzó a cantar aquella boca dulce, y fue tal la suavidad, que el afortunado religioso, de gozo, perdió el sentido y cayó en tierra. Tocaron a Maitines y no viéndole comparecer en el coro, le buscaron por todas partes, y finalmente le hallaron como muerto en el jardín. Le mandó el superior que dijera lo que le había sucedido, y viéndose obligado por obediencia, contó con humildad la visita y favor que había recibido de la Reina del cielo.

ORACIÓN.— ¡Oh, Reina soberana, Madre del amor santo!, pues que eres la más amable y de Dios la más amada entre todas las criaturas, permite que te ame también este pecador, aunque el más ingrato y despreciable de todos los pecadores, el cual, viéndose por tu gracia libre de los tormentos eternos y colmado de favores sin ningún merecimiento suyo, ha puesto en ti toda su afición y esperanza. Te amo Señora, y quisiera exceder en el amor a los santos que te amaron más. Quisiera dar a conocer a todos los que no tienen noticia de ti cuán digna eres de ser amada, para que todos a una te amen y bendigan, y si fuere necesario, tendría

153

por fortuna grande dar la vida en defensa de tu virginidad, de la prerrogativa de Madre de Dios o del misterio de tu Concepción Inmaculada. ¡Oh, amantísima Madre mía!, que te sea agradable la sinceridad de mis afectos, y no permitas que un siervo y amante tuyo tenga en adelante enemistades con Dios, a quien tú tanto amas. ¡Cuán desdichado fue en haber vivido algún tiempo en desgracia suya! Pero entonces no te amaba, ni hacía por ser de ti amado. Ahora, de ninguna cosa tengo deseo, después de la gracia de Dios, como de merecer tu amor, no desconfiando de alcanzar, al fin, esta dicha, a pesar de mis culpas, porque sé que tu benignidad llega hasta el extremo de amar con ternura a los pecadores que te aman, por miserables que sean, y que no consientes que en amar y favorecer te lleve nadie ventaja. Ir al cielo deseo para amarte allí con todo mi corazón. Allí conoceré del todo tu amabilidad, allí descubriré lo mucho que hiciste por salvarme, allí te amaré con amor más inflamado, allí te amaré sin temor de entibiarme ni de perder jamás dicha tan grande. Ruega al Señor por mí, y basta; ruega por mí, y de seguro me salvaré; ruega por mí, y mientras llega tan dichoso día suspiraré por esa patria bienaventurada, y aliviaré las penas de mi destierro, cantando muchas veces así:

¡Oh, Madre del alma mía,
mi esperanza y mi alegría!
Que Vos me habéis de salvar.
Éste será mi cantar.

CAPÍTULO NOVENO

¡OH, CLEMENTE! ¡OH, PIADOSA!

1. Cuán grande sea la clemencia y piedad de María

Hablando san Bernardo de la piedad con que mira por nosotros la Virgen Nuestra Señora, dice que bien se le puede llamar la tierra prometida que mana leche y miel; y añade san León que, por la misericordia de sus entrañas, merece apellidarse no sólo misericordiosa, sino la misma misericordia; y san Buenaventura, considerando haber sido ensalzada a la dignidad de Madre de Dios para bien de todos los desdichados, con el anhelo de dispensar mercedes, y con tanta solicitud y ternura, como si ninguna otra ocupación tuviese que la de socorrer a los infelices, decía que siempre que se paraba a contemplar perdía de vista la justicia divina y no veía más que aquella misericordia sin término en que está rebosando su corazón amante. Verdaderamente, tanta es su clemencia amorosa, que ni un instante cesa de hacernos experimentar los efectos que de ella proceden. ¿Qué otra cosa puede brotar de una fuente de clemencia, si no clemencia? Olivo es llamado en los Libros Sagrados, porque así como el olivo no da fruto más que aceite, símbolo de la misericordia, así de las manos de María no sale otra cosa que misericordia y gracia; de manera que yendo a pedir a esta dulce Madre, que es prudente, el óleo de su piedad, no tenemos que temer lo rehúse, como lo hicieron las vírgenes prudentes negando el suyo a las vírgenes locas, por ser tan rica que, por más que dé mucho, más le queda por dar.

Pero, ¿por qué se dice que está plantada en medio del campo como frondoso olivo, y no más bien dentro de un jardín cercado? Para que sin estorbos puedan todos ir a ponerse bajo su sombra. ¡Cuántas veces, sin más que interponer sus ruegos, revocó la sentencia del castigo que teníamos merecido por nuestros pecados! ¿Qué otro seno tan amoroso como el suyo podremos encontrar? Seno donde el pobre halla socorro; el enfermo, salud; el triste, alivio; y el desamparado, consuelo.

¡Infelices de nosotros si careciésemos de esta Madre misericordiosa, siempre cuidadosa y atenta a socorrer todas nuestras necesidades! Dice el Espíritu Santo que donde no hay mujer gime y padece el enfermo. María es esta mujer piadosa por excelencia, y como todas las gracias se dispensan por su mano; si ella faltase, no habría misericordia ni esperanza. Ni hay que temer que no vea nuestra miseria o que no se compadezca de vernos en necesidad. Mejor que nosotros, y mejor que ningún santo del cielo, las observa y se compadece con tanto amor y solicitud que verlas y acudir al remedio todo es uno. Señora con larga mano das dondequiera que descubres la falta, oficio de clemencia, propio de Madre, y oficio que tú harás mientras el mundo dure.

Figura suya, en los tiempos antiguos, fue Rebeca, la cual estaba sacando agua de un pozo, cuando llegó sediento el criado de Abraham, y, pidiéndole de beber, respondió ella que con mucho gusto se la daría, y también a sus camellos, como lo hizo. Con esta imagen, hablando san Bernardo a la Virgen Santísima, le dice: "Señora, más piadosa y compasiva eres que fue Rebeca, no contenta con dispensar las gracias de tu ilimitada liberalidad a los siervos de Abraham, figura de los siervos de Dios, fieles y leales, sino también a los pecadores, figurados por los camellos". Rebeca no dio más de un cántaro de agua, y esta Madre amantísima da con gran exceso mucho más de lo que se le pide, siendo liberalidad muy semejante a su divino Hijo, cuyas bondades, como tan rico en misericordia con todos los que le invocan, siempre son mayores que nuestros deseos y peticiones. Ruega, Señora, por mí, porque pedirás con más insistencia que yo, y me alcanzarás mayores beneficios de cuantos yo sabré pedir.

Una vez que, por negarse los habitantes de Samaria a hospedar al Señor, querían dos de sus discípulos que cayese fuego del cielo sobre la ciudad, les corrigió diciendo que ignoraban cuál era su espíritu, espíritu de paz y de mansedumbre, no habiendo venido al mundo a castigar a los pecadores, sino a salvarlos. Y siendo el espíritu de María tan parecido al de su santísimo Hijo, bien podemos estar ciertos de la bondad y clemencia de su corazón. Es Madre, y, además, Dios la hizo dulce y amorosa con todos en sumo grado; que por eso la vio Juan vestida de sol. Vistió de su carne inmaculada al Sol divino, y Él la revistió de su poder y misericordia, la cual es tan grande, que cuando se le presenta un pecador implorando su protección, no se pone a examinar si merece o no ser oído, pues tiene por costumbre acoger a sus pies, sin distinción ninguna. Y al compararla con la luna los Libros Santos, es porque si este planeta da luz a los cuerpos inferiores, María ilumina y vivifica a los pecadores más abatidos y abandonados. Así, pues, si temiendo la potestad y justicia del Altísimo, o el peso de nuestras culpas, no nos atrevemos alguna vez a ponernos cerca de aquella Majestad infinita a quien ofendimos, no hay que recelar de aproximarnos a María, porque en ella nada veremos que nos cause temor. Santa y justa es, Reina del cielo es, la Madre de Dios; pero como hija de Adán, es también de nuestra propia carne, y es toda piedad, toda gracia, a todo se presta, a todos abre el seno de su benignidad, todos reciben de la abundancia de su amor, empleada en hacer a todas horas lo contrario de lo que el diablo hace. El diablo nos rodea, con intención de acometernos y tragarnos y María nos busca para darnos vida y salvación.

Debemos, además, persuadirnos de que no tiene límites en su poder, especialmente para desarmar el brazo de la justicia divina. ¿De dónde nace que Dios, que en la antigua ley era tan severo en castigar, actúe ahora comúnmente con tanta blandura con los pecadores? Consiste en los merecimientos y amor de María. ¡Cuánto tiempo ha que se hubiera hundido y aniquilado el mundo si ella, con sus ruegos, no le sustentase! Al contrario, bien podemos prometernos de la divina liberalidad todo género de bienes ahora que tenemos a Jesucristo como mediador con el eterno Padre, y a la Reina del cielo con el Hijo amoroso. ¿Cómo podrá negarse al Hijo cosa alguna cuando muestre a su Padre las llagas que sufrió por nosotros, ni a la Madre Santísima cuando muestre al Hijo los pechos virginales que le alimentaron? Dice un santo que, habiendo hospedado a Dios en su seno esta doncella sin mancilla, pide como paga del hospedaje la paz del mundo, la salud de los desahuciados y la vida de los muertos; de forma que de sus manos está pendiente todo nuestro bien; y por eso hemos de recurrir siempre a su amparo como a puerto, refugio y asilo seguro. Ella es aquel trono de gracia a donde el Apóstol nos exhorta a ir sin temor, seguros de obtener la divina misericordia, con todos los auxilios necesarios al logro de la eterna felicidad del cielo.

Concluyamos con san Bernardo sobre las palabras de la Salve: *¡Oh, clemente; oh, piadosa; oh dulce Virgen María!* Clemente a los necesitados, piadosa a los que piden, dulce a los que aman. Clemente a los penitentes, piadosa a los aprovechados, dulce a los contemplativos. Clemente librando, piadosa perdonando, dulce dándose a los suyos en premio y posesión eterna.

EJEMPLO.— Refiere el P. Carlos Bovio, que en Domene, de Francia, hubo un hombre que, aunque casado, vivía mal con otra mujer. No pudiendo la suya sufrir esto, continuamente los maldecía y clamaba al cielo venganza hasta delante de una imagen de Nuestra Señora que estaba en la iglesia, pidiendo justicia contra su adversaria, la cual tenía la costumbre de rezar diariamente un Avemaría a la misma Virgen. Una noche se le apareció en sueños a la casada, y ésta empezó al instante a repetir su canción: —Justicia, Señora, justicia. Pero la Virgen le respondió: —¿Justicia me pides a mí? Búscala en otra parte. Después añadió: —Has de saber que aquella pobre pecadora me reza todos los días una salutación tan de mi agrado, que nadie que la rece, puedo consentir que sufra ni reciba castigo por sus pecados. Por la mañana fue a oír Misa, donde se veneraba la imagen, que en sueños había visto, y encontrándose, al salir, con la amiga de su marido, comenzó a voces a llenarla de injurias y tratarla de hechicera, que con sus hechicerías había también encantado o engañado a la Virgen. La gente, espantada, le decía que se callase; pero ella respondía: —No quiero callar, y lo que digo es la pura verdad; esta noche se me ha aparecido la Virgen, y pidiéndole justicia me la negó por una salutación que esta malvada le dice. Preguntaron a ésta qué salutación era aquélla, y respondió que no era más que un Avemaría; pero oyendo al mismo tiempo que por tan poca cosa la miraba María Santísima con tanta piedad, corrió a echarse a los pies de aquella santa imagen, y pidiéndole perdón de sus escándalos, hizo allí públicamente voto de perpetua continencia, después se puso hábito de beata, edificó una estancia reducida cerca de la iglesia, y allí encerrada perseveró hasta la muerte haciendo rigurosa penitencia.

ORACIÓN.— ¡Oh, Madre de misericordia!, ya que son tan ardientes tus deseos de acceder a las súplicas de los pecadores, yo, el más infeliz de todos, vengo hoy a las puertas de tu piedad. Pidan otros lo que quisieren: salud, honores, fortuna; yo pretendo lo que tú misma principalmente deseas de mí y es más conforme con la bondad de tu amantísimo corazón. Tú fuiste humilde; alcánzame la verdadera humildad y la alegría en los desprecios. Tú fuiste paciente en sufrir las penas de esta vida; alcánzame paciencia en las adversidades. Tu amor para con Dios fue ardiente; haz que yo también le ame con amor puro y santo. Para con los prójimos fue benéfico; yo solicito para con todos la caridad cristiana, mayormente con los que me son molestos y contrarios. Tu voluntad estuvo siempre unida a la voluntad de Dios: pide para mí una total aceptación de todo cuanto el Señor dispusiere de mí. En suma: tú eres la criatura más santa de cuantas salieron de la mano de Dios; ayúdame a santificarme a mí también. Ni amor ni poder te falta, y sólo puede ser motivo para no lograr tus favores, o mi descuido en recurrir a ti, o mi poca confianza en tu intercesión. Pues estas dos gracias especiales son las que ahora pido y espero de tu bondad: acudir siempre a ti y confiar siempre en ti. Tú eres mi Madre, mi esperanza, mi amor, mi vida, mi refugio y mi consuelo, y espero serás mi gozo por toda la eternidad. Amén.

CAPÍTULO DÉCIMO

OH, DULCE VIRGEN MARÍA

1. El nombre de María es dulcísimo en vida y en muerte

No fue inventado en la tierra el nombre santísimo de María, como lo son los nuestros, sino que descendió del cielo por divina ordenación, según afirman san Jerónimo, san Antonio, san Epifanio y Ricardo de San Lorenzo. Del trono de la divinidad salió tu excelso nombre, Señora, como el más excelente de todos, después del nombre adorable de Jesús, habiendo querido la Santísima Trinidad señalarte y enriquecerte con uno tan santo que, oyéndole pronunciar, doblen la rodilla el cielo, la tierra y los abismos.

Mas entre las otras excelencias que el Señor le concedió, veamos ahora cuán dulce le hizo a sus devotos, así en la vida como en la muerte.

En la vida, su nombre santísimo es la misma dulzura y celestial dulzura. El glorioso san Antonio de Padua halla tanta en él como san Bernardo en el sacrosanto de Jesús. El nombre de Jesús, decía el uno; el nombre de María, respondía el otro, es júbilo al corazón, miel a la boca, música al oído. El venerable Juvenal Ancina, obispo de Saluzzo, siempre que pronunciaba el nombre de María sentía en la boca una dulzura sensible, tan suave que se relamía los labios; y otro tanto afirma Marsilio, obispo, de una devota mujer de Colonia, por cuyo consejo practicándolo él, empezó también a sentir el mismo favor y muy exquisito. Hasta los ángeles preguntaban repetidas veces el día de su gloriosa Asunción: ¿Quién es ésta?, por oír reiterando su dulce nombre, de tanta delicia para ellos.

Mas aquí no hablamos del gusto sensible, porque éste se concede a pocos, sino de la dulzura saludable de consuelo, amor, alegría, confianza y fortaleza que de ordinario da este suave nombre a todos los que le invocan devotamente. Después del santo nombre de Jesús, es el de María tan rico de bienes soberanos, que ni en la tierra ni en el cielo resuena otro con el cual experimenten las almas piadosas tantas avenidas de gracia, confianza y dulzura; porque en sí contiene suavidad tan inefable, que siempre que llega a los corazones de los amigos sienten como fragancia y recreo de santidad. Y su maravillosa propiedad es que oído mil veces de los amantes de María, mil veces les parece nuevo, mil veces prueban el mismo gozo y dulzura.

Decía un santo que al oírle o pronunciarle se le reanimaba tanto la esperanza y tanto se le enardecía el corazón, que entre el júbilo y lágrimas que le empezaban a correr en abundancia, deseaba exhalar el espíritu por la boca, pareciéndole que este delicioso nombre se le derretía, como un panal, en el fondo del alma; y así le dice: "¡Oh, nombre suave de María! ¿Qué será la persona que tiene nombre tan dulce, si tan lleno está sólo él de gracia y amabilidad? ¡Oh, excelsa, oh, piadosa; oh, digna de toda alabanza!, no se puede pronunciar tu nombre sin que se inflamen los corazones, ni pensar en él sin recrear y alegrar los ánimos de todos los que te aman". Y si hablar de tesoros alegra tanto a los pobres, ¡cuánto más el santo nombre, más deseable y precioso que todas las riquezas del mundo, más eficaz y poderoso para aliviar los males de la vida presente que todos los remedios terrenos! En sí lleva la gracia y bendición, ni puede nunca ser proferido sin hacer bien a quien le pronuncie con afectos de devoción.

Esté duro un corazón más que la piedra y sienta en sí gran desaliento y desconfianza, si llega a proferir tu nombre, es tanta su divina virtud que al instante se alentará, hablará y cambiará en otro muy diverso que antes, porque tú confortas al pecador, animándole a esperar y disponiéndole a recibir la gracia. En fin: es tu nombre bálsamo lleno de celestial fragancia y así, Virgen piadosa, te pido que descienda hasta lo íntimo de mi corazón, concediéndome que le traiga siempre estampado en él con amor y confianza, pues quien te tenga y te nombre así puede estar seguro de haber alcanzado ya la gracia divina, o a lo menos prenda segura de haberla pronto de poseer. Sólo su recuerdo consuela a los afligidos, vuelve a los extraviados al sendero de la salvación y conforta a los pecadores temerosos, para que no se dejen vencer de la desesperación. Con sus cinco llagas dio al mundo el Salvador el remedio de todos los males, y tú con tu nombre dulce, que tiene cinco letras, alcanzas a cada hora perdón a los pecadores. ¡Dichoso el que a la hora de la muerte le invoque confiadamente! Gracia especial será y signo muy cierto de salvación. Madre mía, te amo, y porque te amo tengo también amor y devoción a tu santísimo nombre. Con tu favor y benignidad espero que le invocaré toda mi vida. Por la gloria, pues, y dignidad de tu nombre dulcísimo sal al encuentro de mi alma cuando parta de este mundo, y recíbela en tus brazos maternales, consolándola con la hermosura de tu presencia, abogando por mí en el Tribunal de la divina justicia y poniéndome ya perdonado, en posesión del eterno descanso.

EJEMPLO.— Cuenta el P. Rho en su *Libro de los Sábados*; y el P. Lireo, en su *Trisagio Mariano*, que en un pueblo de Gueldres, por los años de 1645, una soltera llamada María fue enviada por un tío suyo a comprar algunas cosas al mercado de Nimega, con orden de quedarse aquella noche a dormir en casa de otra tía suya. Ésta no la quiso recibir, y tuvo la sobrina que volverse; mas haciéndosele de noche en el camino, empezó despechada a llamar al demonio, que no tardó en aparecérsele en figura de hombre, prometiéndole que la ayudaría, con tal de que hiciese dos cosas. —Todo lo haré —respondió la infeliz—. —Pues la una es —volvió a decir el diablo— que de hoy en adelante no te has de hacer la señal de la Cruz, y la otra que has de cambiar de nombre. —En lo de la Cruz convengo —contestó ella—; pero nombre tan dulce como el de María no me lo cambio. —Pues yo no te favorezco —replicó el enemigo. Finalmente, después de una larga contienda, quedaron en que se llamaría con la primera letra de su nombre, esto es M., y se fueron juntos a la ciudad de Amberes, donde vivió seis años con tan mal compañero en el estado infeliz que deja qué pensar, al cabo de los cuales tuvo deseos de volver a su patria, y aunque él se negaba mucho, al fin condescendió.

Al entrar en Nimega, hallaron que se estaba representando en público un acto de la vida de la Virgen; a cuya vista, la pobre M., sintió avivarse la centella que conservaba en el corazón de afecto para con la Virgen Santísima, y empezó a llorar. A esto, el demonio le dijo muy enojado: —¿Qué hacemos aquí? ¿Quieres que nosotros representemos otra comedia más graciosa? Y tiraba de ella para apartarla de allí por la fuerza, mas ella se resistía. Conociendo entonces que iba a perderla para siempre, la levantó en el aire y la dejó caer en el tablado. Se hizo poco daño, y contó en alta voz su historia, yendo desde allí a buscar al párroco para confesarse, quien la mandó al obispo de Colonia, y éste al Papa, el cual, oyéndola en confesión, le mandó por penitencia llevar siempre tres aros de hierro, uno en el cuello y dos en los brazos. Aceptó la penitencia y llegando a Maestricht, se encerró en una casa de recogidas, donde vivió catorce años en rígida penitencia al cabo de los cuales, al levantarse una mañana, vio rotas por sí las tres argollas; pasados otros dos murió con fama de santidad, dejando dicho que la enterrasen con aquellos hierros, que de esclava del demonio la habían hecho sierva feliz de su divina libertadora.

ORACIÓN.— Madre de Dios y Madre mía, aunque mi lengua inmunda es indigna de nombrarte, tú, que me amas y deseas mi salvación, me has de conceder que pueda invocar en mi favor tu santo y poderoso nombre, de gracia y salud en vida y muerte. ¡Oh, Virgen pura; oh, Madre amorosa; oh, María!, sea para mí en adelante tu santo nombre escudo y defensa, concediéndome que en todas mis tentaciones, necesidades y peligros, y especialmente a la hora de la muerte, clame sin cesar: María, María, para tener así la suerte de acabar la vida felizmente y verte y bendecirte en el cielo por toda la eternidad. ¡Oh, clemente; oh, dulce Virgen María; oh, Madre amable, qué aliento, confianza y alegría siente mi alma en nombrarte; y aun solamente en acordarme de ti! Doy gracias de haberte dado, para mi bien, un nombre tan dulce, un nombre tan amable y tan poderoso.

Mas no me satisfago con que mis labios le pronuncien sino además quiero nombrarte por amor y con amor; quiero que el amor me recuerde a cada hora tan hermoso nombre; quiero poner todo mi amor en él. ¡Oh, María; oh, Jesús! Vivan únicamente tus dulces nombres en mi memoria y en la de mis prójimos, olvidando cómo se llaman las criaturas, para no tener otros en el corazón y la boca que los nombres adorables de Jesús y María. Jesús amantísimo, Redentor mío; Madre amorosa, Madre de mi alma, por tus merecimientos te pido como gracia especial que a la hora de mi muerte las últimas palabras que articule sean:

—Jesús, José y María, les doy el corazón y el alma mía.

Reveló María Santísima a un alma devota suya que es muy de su agrado que sus siervos la veneren con las oraciones siguientes:

Gracias te doy, Padre eterno, por el poder dispensado a María Santísima, tu Hija querida.

Padrenuestro, Avemaría, Gloria.

Gracias te doy, Hijo de Dios eterno, por la sabiduría concedida a tu Madre Santísima.

Padrenuestro, Avemaría y Gloria.

Gracias te doy, Espíritu Santo, Dios eterno, por el amor concedido a María tu Esposa dulcísima.

Padrenuestro, Avemaría y Gloria.

SEGUNDA PARTE

DISCURSOS
SOBRE LAS FIESTAS PRINCIPALES
DE NUESTRA SEÑORA

DISCURSO PRIMERO

SOBRE LA INMACULADA CONCEPCIÓN

Que fue cosa muy conveniente el que las tres Personas
de la Santísima Trinidad
preservasen a la Virgen del pecado original

Grande fue el daño que hizo la culpa a nuestros primeros padres y a toda su posteridad, pues perdiendo la gracia y demás dones de que los había Dios enriquecido, atrajeron sobre sí y sus descendientes todo género de males. Pero de esta desgracia general tuvo a bien el Señor eximir a aquella Virgen esclarecida que eligió por Madre el segundo Adán, Jesucristo, reparando la pérdida causada por el primero; privilegio muy conveniente y digno de las tres Personas de la Santísima Trinidad, preservándola el Padre como a Hija, el Hijo como a Madre y el Espíritu Santo como a Esposa suya.

Punto primero.— Y en primer lugar, muy conveniente fue que el Eterno Padre la preservase, por ser esta Señora su Hija primogénita, como atestiguó ella misma, diciendo: "Salí de la boca del Altísimo, Yo, primogénita de todas las criaturas"; palabras que le aplica la santa Iglesia en la solemnidad de su Purísima Concepción. Porque, bien sea primogénita como predestinada con su Hijo en los divinos secretos antes que toda otra criatura, según enseña la escuela de Escoto, bien sea primogénita de la gracia como predestinada para Madre del Redentor, después de previsto el pecado, según sostiene la escuela de santo Tomás; todos convienen en llamarla primogénita de Dios, y en este concepto, muy conveniente fue que jamás estuviese bajo el dominio de Satanás, sino poseída de sólo su Creador desde el primer instante de ser, conforme a lo que ella misma dice: "Desde el principio me poseyó el Señor", siendo por esto llamada de un santo "hija única de la vida", a diferencia de las otras mujeres, que, naciendo en culpa, son hijas de la muerte.

También fue conveniente que el Eterno Padre la criase en gracia, porque la destinaba para reparadora del mundo, medianera de paz entre Dios y los hombres, como la llaman los santos Padres, entre los cuales dice san Juan Damasceno que nació para dar salud a toda la tierra; san Bernardo, que si en el arca de Noé escaparon pocas personas del diluvio, por María se salvó todo el género humano. San Atanasio, que es la nueva Eva, Madre de la vida; san Teófanes, obispo de Nicea, que desvaneció la tristeza de la primera mujer; san Basilio y san Efrén, que reconcilió con Dios a los hombres. Ahora bien: la persona enviada a tratar de paces no ha de ser enemiga del ofendido, ni menos cómplice del mismo crimen, porque si el juez se ha de apaciguar, no parece bien mandarle un enemigo suyo, que, en vez de aplacarle, le irrite más. Y así, habiendo de ser María pacificadora entre Dios y los hombres, toda buena razón pedía que no se presentase avergonzada delante de Dios, sino amiga suya exenta de todo crimen.

La misma conveniencia hubo por estar destinada a pisar y quebrantar la cabeza del dragón del infierno, que engañó a nuestros primeros padres y causante de la muerte de su descendencia, conforme a la amenaza en que Dios dijo a la serpiente maligna: "Enemistad pondré entre ti y la mujer, y ella quebrantará tu cabeza". Pues si había de ser María la mujer valerosa destinada en el mundo a que venciese a Lucifer, por cierto repugnaba que antes la venciese y sujetase Lucifer a su esclavitud, sino más bien que estuviese pura y libre de toda mancha, ajena del daño común y nunca sujeta al poderío de aquel tirano. Bien quiso el soberbio, en el momento de ser concebida, contagiarla también con su veneno; pero gracias a la divina bondad, que se anticipó y la previno con tanta plenitud y gracia, que sin haberle llegado a tocar la ponzoña abatió y confundió la soberbia de su contrario.

Pero, sobre todo, fue conveniente que el Padre la preservase de la culpa de Adán, porque la destinaba para Madre de su unigénito Hijo. Si otro motivo no hubiese habido, bastaba el honor de su Hijo, que es Dios para que la criase inmaculada, pues, como enseña el Doctor Angélico, todas las cosas ordenadas a Dios deben ser santas y exentas de mancha; que por esto David, trazando la idea del templo de Jerusalén con toda la magnificencia correspondiente al obsequio y culto del Señor, decía: "No ha de ser habitación de un hombre, sino de Dios". Pues, ¿cuánto más razonable fue que, destinando a María el Hacedor eterno para Madre de su mismo Hijo, adornase y hermosease su alma de los dones más excelentes de gracia y santidad, para que en ella el Señor tuviese morada digna y conveniente a su grandeza? La Iglesia lo asegura en una oración, diciendo que Dios adornó el cuerpo y alma de la gloriosa Virgen para que fuese en la tierra albergue digno del unigénito del Padre.

La prerrogativa primera de un hijo es nacer de padres nobles; por lo que más se tolera en el mundo pobreza y pocas letras, que bajo nacimiento; porque el pobre puede con su industria enriquecerse, y el ignorante aprende estudiando; pero el que nace vil, difícilmente puede llegar a ennoblecerse, o si al fin lo consigue, siempre se le puede echar en cara la villanía de su cuna. ¿Cómo, pues, hemos de pensar que pudiendo haber hecho Dios que su Hijo naciese de madre noble, preservada de la vileza del pecado, hubiese consentido verle hijo de una mujer infecta y denigrada, para que Lucifer pudiese decir que este Señor había nacido de una pecadora esclava suya y enemiga de Dios? No. Dios esto no lo consintió; miró por el honor de su Hijo y cuidó de darle Madre inmaculada y perfecta, cual convenía a la santidad y excelencia de Hijo tan excelso y amado.

Es axioma, común entre los teólogos, no haberse concedido jamás a criatura don alguno de que no hubiese sido enriquecida la Reina de los ángeles. Y habiendo distancia infinita entre la Madre de Dios y los siervos de Dios se debe consiguientemente admitir que en todo género confirió Dios a la Madre mayores dones de gracia que a todos los siervos. Dado así por supuesto, se pregunta: ¿no pudo, acaso, la divina Sabiduría disponer al Verbo eterno de antemano un albergue decente y libre de mancha? ¿Pudo Dios preservar de la caída a una parte de los ángeles? ¿No habrá podido preservar de la caída del hombre a la Reina del cielo, destinada para Madre de Dios? ¿Pudo crear a Eva en justicia original y no a María?

Sí, Dios lo pudo, y si lo pudo lo quiso, porque justo fue que aquella Virgen santa, elegida para Madre de su amantísimo Hijo, fuese tan pura, que no sólo excediese a la pureza de todos los ángeles y santos, sino que ninguna mayor se pudiese imaginar fuera de la de Dios, de suerte que el Padre, como a hija predilecta, le pudiese decir, complacido, "azucena entre espinas", pues todas las demás tienen algún deslumbre y fealdad, mas ella es la única flor siempre fragante, siempre inmaculada.

Punto segundo.— También fue conveniente que el Hijo de Dios preservase a su Madre Santísima del pecado original. No está en manos de nadie escoger madre a su voluntad; pero si pudiese esto ser, ¿quién sería el que, pudiendo nacer de una reina, quisiese ser hijo de una esclava?; ¿pudiendo tenerla ilustre, la escogiese villana?; ¿pudiendo elegirla amiga de Dios, la prefiriese enemiga? Sí, pues el Hijo de Dios pudo elegir Madre a su gusto, no hay que dudar que la escogió tan excelente como a Dios convenía. Y siendo algo digno de Dios, que es purísimo, tener Madre pura y limpia de toda culpa, así lo fue ciertamente. Por testimonio del Apóstol, tenemos en Jesucristo un Pontífice santo, inocente, inmaculado y apartado de los pecadores. Mas esto último, ¿con qué verdad se diría si hubiese la Madre sido pecadora?

Vaso celestial se llama, no porque dejase de ser terrena por naturaleza, como soñaron algunos herejes, sino celestial por gracia, en razón de haber sido superior a los ángeles en santidad y pureza, cual correspondía a la dignidad del Rey de la gloria, que habitó en su purísimo seno; y concebida fue sin pecado para que de ella naciese sin pecado el Hijo de Dios, que, aunque incapaz de contraer la culpa, no quiso sufrir el oprobio de tener Madre vilipendiada con la deshonra del pecado y esclava del demonio.

Dice el Espíritu Santo que el honor del Padre es el honor del Hijo, y la deshonra del Padre, deshonra del Hijo. Por esto preservó el Señor de toda corrupción el cuerpo muerto de su Madre Santísima, porque hubiera sido menoscabo suyo en que hubiese entrado la podredumbre en aquella carne virginal de que Él se había revestido. Ahora bien: si para el Salvador hubiera sido género de oprobio provenir de una mujer con cuerpo sujeto a la corrupción de la carne, ¿cuánto más el nacer de la que hubiese tenido el alma contagiada con la inmundicia y corrupción del pecado? Es positivo que la carne de Jesús es la misma que la de María, aun después de la resurrección, y si la de la Madre se hubiese concebido en pecado, aunque es verdad que aun así hubiera la del Hijo quedado libre, con todo, siempre sería poco decoroso el haber así unido la de quien por algún tiempo hubiese sido inmunda y sujeta al dominio del príncipe de las tinieblas. María fue Madre, y Madre digna del Salvador. Así a una voz lo dicen los santos Padres con toda la santa Iglesia.

Pues, según esto, ¿qué excelencia o prerrogativa habrá que no le sea debida? Enseña el Angélico Doctor: que cuando Dios ensalza a uno a cualquier dignidad, le hace idóneo para ella, y que, por tanto, habiendo escogido a María para Madre suya, la hizo con su gracia digna de tan alto destino; de donde infiere el santo que la Virgen no cometió jamás pecado alguno, ni venial, porque, de otra suerte, añade, no hubiera sido digna Madre de Jesús, pues como hijo de madre criminal, hubiera participado de la infamia de ella. Luego, si por un pecado venial, que no priva al alma de la gracia divina, no hubiera sido idónea Madre de Dios, ¿qué diremos del original, que nos hace enemigos de Dios y viles esclavos del demonio? Vean aquí por qué san Agustín dice en aquella sentencia tan sabida, que hablando de la Virgen no hay que pensar en pecado, y esto por respeto al Señor, que mereció tener por Hijo, de quien recibió gracia para vencer el pecado completamente.

Así que tengamos por cierto que el Verbo Encarnado eligió la mejor Madre que pudo escoger, y tan excelente, que nunca se pudiese de ella avergonzar. No fue descrédito suyo el que le dijesen los judíos, por desprecio, hijo de María, dando a entender que era una mujer pobre, porque el Señor vino al mundo a darnos ejemplo de humildad y paciencia. Mas si los demonios hubieran podido decir con verdad que era hijo de una pecadora salida de su cautiverio, éste hubiera sido no pequeño desdoro. Aun el haber nacido fea, corcovada, contrahecha o endemoniada, no hubiera carecido de incidencia, ¿cuánto más de una horrible por la culpa, y poseída en el alma por el enemigo?

¡Oh, que aquel Señor de infinita sabiduría supo bien fabricar una casa donde vivir, hermosa, proporcionada a su majestad y grandeza, santificándola muy de mañana; esto es, desde el primer instante, para que de este modo fuese digna de sí, pues que al Dios de santidad no correspondía elegir casa que no fuese santa! Y si el mismo Señor asegura que nunca entrará en alma malévola ni en cuerpo sujeto a pecado, ¿quién ha de imaginar que quisiese hacer su morada en el vientre de madre que desde el primer instante de su ser no hubiera sido pura y santa? Dice al Señor la Iglesia en el *"Te Deum"*: *Non horruisti Virginis uterum.* Por cierto que un Dios de tanta gloria se hubiera horrorizado de entrar en el seno de Inés, Gertrudis o Teresa, porque estas vírgenes, bien que santas, se vieron algún tiempo envilecidas con el pecado original; pero no tuvo ningún horror de hacerse hombre en el seno de María, porque esta Virgen privilegiada fue siempre pura y limpia de todo lunar de culpa, y jamás empañada con el hálito de la serpiente.

Dio precepto Dios de honrar padre y madre, del que no se dispensó haciéndose hombre, antes bien colmó a la suya de gracia y honor, amándola, obedeciéndola y principalmente, conservando en el sepulcro su cuerpo purísimo sin corrupción alguna, para cumplir con este mandamiento; el cual, así como nos manda honrar a la madre, así condena el faltar al honor y respeto debido. Pero ¿cuánto más reparable hubiera sido la falta permitiendo que le alcanzase el pecado de Adán? Cualquier hijo, que, pudiendo preservar a la suya de este vilipendio, no lo hiciese, pecaría, y por consecuencia, lo que en nosotros fuera mal hecho, lo debemos suponer poco decente en el Hijo de Dios.

Es cierto, además, que Jesucristo vino al mundo a redimir a su Madre más que a todos los otros hombres. Y siendo dos los modos de redimir, uno levantando al caído y otro deteniéndole para que no caiga, que es mucho mejor, porque así se evita el daño y el reato que siempre queda después de la caída, hemos de creer firmemente que María fue redimida del segundo modo, mejor, más noble que el otro y más conveniente a la predilecta, a la digna, a la escogida para Madre de Dios.

Añadamos, para concluir este punto, que puesto que por el fruto se conoce el árbol, si fue siempre inmaculado el Cordero de Dios, inmaculada fue su Madre, por serlo digna de Hijo tan digno, excelsa de Hijo tan excelso, y Él sólo digno de Madre tan noble, pura, santa y escogida. Unamos, pues, nuestras voces con la del fervoroso san Ildefonso para decirle, enardecidos en su amor: "Alimenta, Señora, con tus pechos virginales al Creador de los cielos, el cual te hizo en todo perfecta cual era necesario que lo fueses para que naciese de ti".

Punto tercero.— También fue conveniente que el Espíritu Santo preservase a su Esposa dulce del pecado original, María fue la única que mereció ser llamada Madre y Esposa del Altísimo, pues el Espíritu Santo habitó en ella aun corporalmente, enriqueciéndola de gracia más que a ninguna otra criatura, constituyéndola Señora del cielo y haciéndola Esposa muy querida suya. De su cuerpo inmaculado formó el cuerpo inmaculado de Jesús, y de este modo habitó en ella corporalmente cuando al efecto, verificándose el anuncio del Ángel, quedando hecha templo y sagrario del Espíritu Santo, y por obra del mismo, concibiendo al Hijo de Dios como su verdadera Madre.

Ahora bien, si estuviese en manos de un excelente pintor dar a su esposa facciones a medida de su deseo, ¿qué esmero no pondría en agraciarla con toda la hermosura que le fuese posible? ¿Y qué diremos del Espíritu Santo? ¿Cómo será creíble que habiendo podido producir una Esposa adornada con toda la belleza y gracia correspondiente, lo dejase de hacer? No, fue tan pura y linda como la dignidad del Esposo merecía, y así, el mismo Señor le dice, alabándola: "Toda hermosa eres, amiga mía, y no hay mancha en ti"; cuyas palabras se entienden propiamente de esta Virgen pura, como sostienen san Ildefonso y santo Tomás, y en particular, de su inmaculada Concepción, como enseña san Bernardino de Sena.

Lo mismo significó el Espíritu Santo cuando dijo a esta su querida esposa, jardín cerrado y fuente sellada. Lo uno y lo otro fue así verdaderamente, porque no entraron jamás los enemigos a combatirla, y se mantuvo siempre intacta en alma y cuerpo.

Más la amó su divino Esposo que a todos los ángeles y santos juntos, ensalzándola desde luego a la cumbre de la santidad sobre todos los bienaventurados, y así elogiándola dice: "Riquezas acaudalaron muchas hijas, pero ninguna cuanto tú"; de cuyas palabras se infiere que si fue superior a todas en los tesoros de la gracia, desde el principio tuvo también la justicia original, como Eva, Adán y los ángeles. En otro lugar dice que las doncellitas son innumerables; pero la paloma, la perfecta o la inmaculada, como expresa el texto hebreo, es una nomás. Todas las almas justas son hijas de la gracia divina; pero entre ellas María es la paloma sin hiel de culpa, la perfecta sin la mancha original, la única concebida en gracia.

Aun antes de la Encarnación la saludó el Ángel llamándola llena de gracia, porque había recibido la gracia en plenitud, cuando a los demás se les dispensa en parte; y fue con tanta profusión y largueza, que no sólo el alma era santa, sino también la carne de que había de revestir al Verbo eterno. Para que entendamos que desde el primer instante de su ser el Espíritu Santo la colmó de las riquezas de su liberalidad, anticipándose a prevenirla y hermosearla con sus preciosos dones antes de que la sierpe antigua tuviese tiempo para dañarla con la ponzoña de su aliento.

Por ser la Purísima Concepción patrona de nuestra mínima Congregación, me detendré algo más en este discurso que en los otros explicando brevemente los motivos que me convencen, y deben, a mi juicio, convencer a todo el mundo de la verdad y solidez de esta pía sentencia y singular privilegio de que Nuestra Señora fue concebida sin pecado original.

Aún más que esto sostienen muchísimos Doctores, y es que ni siquiera contrajo el débito del pecado; cosa muy probable, porque aunque sea cierto que todos fuimos incluidos en la voluntad de Adán como cabeza, según parece que se puede sacar de aquellas palabras del Apóstol, que dicen: "Todos pecaron en Adán", también es muy creíble que, habiendo Dios distinguido tanto a María de los demás hombres, quedase fuera de la voluntad del primer padre, y que así ni aun el débito de la culpa contrajese.

A esta opinión, por ser más gloriosa a la Virgen nuestra Señora, me adhiero ya gustosamente. Mas que no incurrió en el pecado, no sólo lo tengo por cierto, sino también por muy próximo a ser declarado artículo de fe, según muchos autores han escrito; y paso en silencio las revelaciones que ha habido sobre lo mismo, especialmente las de santa Brígida; mas no omitiré el decir algo de lo que sintieron los santos Padres en el particular, para que veamos cuán acordes estaban en conceder a María Santísima la prerrogativa gloriosa de que vamos hablando.

San Ambrosio: "Virgen sin corrupción, Virgen por gracia exenta de toda mancha de pecado".

Orígenes: "No la envenenó el hálito de la serpiente".

San Efrén: "Fue inmaculada, y estuvo remotísima de todo pecado".

San Agustín: "Saludándola el ángel llena de gracia, fue tanto como decir que allí cesaba el rigor de la primera sentencia y volvía a plenitud de gracia y bendición".

San Jerónimo: "Aquella nube mística nunca se oscureció; siempre fue luminosa".

San Cipriano, o quien sea el autor del libro que cito: "No sufrió la justicia divina que aquel vaso de elección fuese mancillado, pues, que siendo tan excelente y superior a los demás, si era de la misma naturaleza, no participó de la misma culpa".

San Anfiloquio: "El Señor, que creó sin defecto a la primera virgen (que fue Eva), creó sin defecto ni crimen a la segunda".

Sofronio: "Se llama esta Virgen inmaculada porque estuvo siempre libre de corrupción".

San Ildefonso: "Nos consta que no tuvo pecado original".

San Juan Damasceno: "En este paraíso no tuvo entrada el diablo".

Pedro Damián: "La carne de María, procedente de Adán, no se vició con la mancha de Adán".

San Bruno: "Ésta es aquella tierra santa que bendijo Dios, libre por eso del contagio de la culpa".

San Buenaventura: "Nuestra Señora, en su santificación, fue llena de gracia previniente, esto es, gracia preservativa de la miseria del pecado original".

San Bernardino de Sena: "No es creíble que el hijo de Dios quisiese nacer de carne manchada con el pecado original".

San Lorenzo Justiniano: "Desde su Concepción la previno el Señor con bendiciones de dulzura".

El sabio Idiota: "¡Oh, dulcísima Virgen! Gracia hallaste y gracia singular, pues, desde el primer instante fuiste preservada del pecado original".

Lo mismo dicen otros muchos Doctores.

Ahora, los motivos que nos aseguran de la verdad de esta pía sentencia son los dos principales:

El primero, el consentimiento universal de los fieles. De las Órdenes religiosas no hay que hablar, pues aun la de santo Domingo cuenta más de cien escritores que le defienden; y como prueba mayor de ser éste el común sentir de la Iglesia católica, atestiguaba ya en el año de 1661 nuestro santo Padre Alejandro VII, en su famosa bula *Sollicitudo omnium ecclesiarum*, que no sólo las universidades, sino ya casi todo el orbe católico había abrazado la misma pía sentencia. De las universidades católicas apenas habrá una, donde, al graduarse, no presten todos juramento de defender el misterio de la Concepción Inmaculada. Este unánime sentir de los fieles es argumento convincente, porque si nos dan certeza de su gloriosa Asunción a los cielos, con igual certidumbre nos debe asegurar de su purísima Concepción.

El segundo motivo, de más peso que el anterior, es ver que la Iglesia celebra la fiesta de la misma Concepción Inmaculada, siendo cierto que nunca pudo solemnizar cosa que no sea santa, según el oráculo de san León, Papa, san Eusebio, san Agustín, san Bernardo y santo Tomás, que en prueba de haber sido santificada antes de nacer, emplean este mismo argumento de la celebración de su Natividad por toda la Iglesia. Luego debemos tener por indudable que fue concebida sin pecado original, pues, que milita la misma razón de celebrarse también este misterio universalmente. En confirmación de esta prerrogativa de Nuestra Señora son innumerables los favores y prodigios que todos los días se digna el Señor dispensar por medio de las cédulas de la Inmaculada Concepción. Mucho pudiera referir de que han sido testigos los Padres de nuestra Congregación, pero contaré solamente dos de los más notables.

EJEMPLO.— Vino a una de las casas que tiene en este reino nuestra Congregación cierta mujer casada, lamentándose de que hacía muchos años que su marido rehusaba confesarse, no sabiendo qué hacer para persuadirlo, porque hasta le daba ya de palos cuando le hablaba de confesión. Por último remedio le aconsejó un Padre que procurase darle una estampa de la Purísima Concepción. Llegada la noche, empezó de nuevo la mujer a reiterar sus exhortaciones, mas viendo que se hacía sordo como siempre, le puso la estampa en la mano, y no bien la hubo tomado, cuando le dice: —Pronto estoy; ¿cuándo quieres llevarme a la iglesia?— La mujer se puso a llorar de gozo viendo cambio tan repentino, y a la mañana siguiente le trajo a la nuestra. Le preguntó el Padre cuánto tiempo hacía que no se confesaba. Dijo que veintiocho años. Le volvió a preguntar qué cosa le había movido a venir aquella mañana, y contestó: —Padre, yo estaba obstinado; pero habiéndome dado anoche mi mujer una estampa de la Virgen, de repente se me cambió el corazón, y cada momento parecía un siglo por deseo de que amaneciese para venir. En efecto, se confesó muy a satisfacción de entrambos, cambió de vida y siguió confesándose por muchos años con el mismo Padre.

En otro lugar de la diócesis de Salerno, hacíamos la misión, y vivía en él un hombre enemistado públicamente con otro que le había ofendido. Fue un Padre a hablarle de reconciliación y le dijo él: —Por eso no voy al sermón, y aunque me condene, quiero vengarme—. El Padre hizo cuanto pudo para aplacarle y convertirle; pero conociendo que era tiempo perdido, le dijo al fin: —Toma esta estampa de la Virgen—. Él, antes de tocarla, respondió: ¿Y de qué puede servirme ese papel? —Mas luego que la tomó, como si nunca se hubiera negado, dijo: —Padre, ¿qué es lo que pretende usted de mí? ¿Que me reconcilie? Lo haré gustoso—. Y convinieron en que el día siguiente quedarían hechas las paces. Llegada la mañana, se le halló de nuevo renuente. Le presentó el Padre otra estampa, y no la quería; al fin la toma, aunque con repugnancia, y dice al instante —Ahora sí ¿dónde está ese hombre?— Vino éste, se hablaron, se reconciliaron, y después el ofendido se confesó.

ORACIÓN.— Virgen inmaculada, al considerarte tan pura, rica y llena de gracia, me regocijo de tu felicidad, y con hacinamiento de gracia al Señor y ánimo de dárselas incesantes por haberte preservado de toda culpa, en defensa de privilegio tan precioso estoy pronto a dar la vida si es menester, deseando ardientemente que todo el mundo te reconozca y confiese por aquella hermosa aurora llena siempre de divina luz, por aquella arca de salvación, libre del general naufragio del pecado, por aquel jardín cercado, recreo del Señor, por aquella fuente sellada que jamás enturbió el aliento del enemigo, por aquella azucena cándida, pura y fragante que el Altísimo escogió para Sí. Permite que te alabe también, uniendo mis voces con las del Esposo divino, para decir que toda eres pura y sin mancha, y pues, que a los ojos del Señor estás colmada de gracia, virtudes y belleza, dígnate mirar con esos hermosos y piadosos ojos las llagas de mi alma, para que las sanes movida de compasión. ¡Oh, imán de los corazones! Atrae y lleva hacia ti el mío para siempre, y acuérdate que desde el primer instante de tu ser apareciste pura y casta en la divina presencia, ten misericordia de mí, que no sólo nací en pecado, sino que después del bautismo he vuelto mil veces a manchar mi alma. ¿Qué te podrá negar aquel Señor de quien eres Hija, Madre y Esposa, y por esto libre de todo pecado y a todas las criaturas preferida? Virgen inmaculada, tú me has de salvar. Para obtener tan dichosa suerte, haz que nunca me olvide de ti, y tú de mí no te olvides. Mil años me parece el tiempo que tardo en ir a ver en el cielo tu hermosura, para amarte y bendecirte eternamente. Amén.

DISCURSO SEGUNDO

DE LA NATIVIDAD DE NUESTRA SEÑORA

María nació colmada de santidad

Celebran los hombres con fiestas y alegrías el nacimiento de sus hijos y debieran más bien dar muestras de luto y de dolor, reflexionando que no solamente nacen privados de toda razón y merecimiento, sino corrompidos por la culpa, hijos de ira y condenados a sufrir muchas penas en este mundo y a poco la muerte. El nacimiento de María es el que merece ser solemnizado con todo género de regocijos, porque, si niña en edad, viene a la luz colmada de méritos y virtudes. Para que algo conozcamos del alto grado de santidad con que al nacer sale ya enriquecida, debemos considerar primeramente la grandeza de la gracia con que Dios la previno desde luego, y en segundo lugar, la gratitud y fidelidad con que al instante correspondió a gracia tan excelente.

Punto primero.— Fue el alma de María la más hermosa que Dios creó; fue la obra más perfecta y digna de Sí que salió de sus manos omnipotentes, exceptuando siempre la Encarnación del Verbo. Por lo mismo, la divina gracia no descendió en María cual gotas de rocío, como en los santos, sino como lluvia muy abundante. Se compara su alma santísi-

185

ma al vellón de lana que atrajo a sí toda la lluvia de la gracia sin perder una gota, quedando aun antes de nacer poseedora de todas las riquezas, que los santos reciben con tasa y limitación. Su gracia fue mayor que la de cada santo en particular, y mayor que la de todos los santos y ángeles juntos, como prueba el doctísimo P. Francisco Pepé de la Compañía de Jesús, en su preciosa obra de las grandezas de Jesús y María, afirmando que esta opinión tan gloriosa a la Reina del cielo es hoy común y cierta entre los teólogos modernos, que han examinado y tratado expresamente, cosa que los antiguos no habían hecho. Y cuenta, además, que la misma Virgen, por medio del P. Martín Gutiérrez (hombre santo), dio gracias al P. Francisco Suárez por haber sostenido con tanta energía la anunciada opinión probabilísima, que después fue defendida de común acuerdo en la Universidad de Salamanca.

Ahora bien: si esta sentencia es común y cierta, también será muy probable que desde el primer instante de su Purísima Concepción recibió toda esta gracia, superior a la de los santos y ángeles juntos; y en apoyo, fuera del peso que le dan muchos y grandes autores, hay dos razones muy convincentes:

La primera es por haber sido elegida para Madre del Verbo eterno, alteza superior a la de todas las criaturas, y dignidad en cierto modo perteneciente al orden de la unión de la naturaleza divina con la humana en la persona del Hijo de Dios, por lo cual los dones que se concedieron a su Madre Santísima, luego que empezó a existir fueron incomparablemente mayores y más excelentes que los que se han dispensado a todas las demás criaturas, no pudiendo dudarse que, al mismo tiempo que en los divinos decretos fue el Verbo eterno predestinado para hacerse hombre, fue también su Madre predestinada, y enseñando santo Tomás y otros santos, conforme a la doctrina del Apóstol, que Dios a cada uno le da la gracia en proporción al cargo que le confiere, con todos los dones necesarios a su perfecto desempeño y lustre debido a la dignidad.

Y como la Madre de Dios es tan excelsa, recibió en el primer instante de su ser una gracia sin medida, muy superior a la de todos los ángeles y santos, correspondiente a tan sublime dignidad y, en fin, tan grande, tan excelente, tan inmensa, que la hizo merecedora de la divina maternidad; así, se le llamó llena de gracia, no porque enteramente se le diese toda la que Dios puede comunicar, pues, como enseña el Angélico Doctor, ni aun la gracia habitual de Jesucristo fue suma en este sentido, en razón de que es tan ilimitado el divino poder, que, por más que dé, siempre le queda más que dar, así como puede ensanchar más y más los senos de las criaturas para comunicarles más y más; sino quiere decir que tanto a Jesucristo como a su bendita Madre, se les dio una gracia inmensa y correspondiente a los fines altísimos a que se ordenaban, que eran la unión de la naturaleza humana con la Persona del Verbo y la maternidad de María.

Con razón, pues, dijo el Real Profeta que los cimientos de la ciudad de Dios, que es la misma Virgen, se habían de poner en las cumbres de los montes, pues el principio de su vida inmaculada había de ser más alto que la última perfección de todos los santos. La ama Dios mucho más que a los otros, porque en su seno purísimo se dignó hacerse hombre, y así, los dones que le dispensó, desde luego fueron proporcionados a tan grande dicha y preeminencia.

Esto mismo significó Isaías cuando profetizó que en los tiempos venideros se había de preparar o levantar el monte de la casa del Señor sobre la cima de los otros montes, y que por esta causa vendrían a él todas las gentes y recibirán misericordia y gracia porque María resplandece en una altura muy elevada, porque fue monte escogido de Dios para morar en él, porque ella es el ciprés del monte Sión, y el cedro del Líbano, y el olivo hermoso, y la escogida como el sol, ante quien las estrellas esconden su luz; en fin, porque en santidad es tan sublime, que ni Dios debió tener otra Madre, ni María otro Hijo que no fuese Dios.

La segunda razón con que se prueba que era más santa al empezar su vida que todos los santos juntos en uno, se funda en el oficio excelentísimo de abogada y medianera de los hombres en que fue constituida desde el primer instante de su ser, por el que fue necesario que desde entonces poseyese mayor caudal y cúmulo de gracias que toda la multitud de los santos. Abogada y medianera lo es por haber obtenido con su poderosa intercesión y mérito de *congruidad* y *conveniencia* la dicha de todos, procurándonos el beneficio inestimable de la redención, aunque siempre se ha de entender que sólo Jesucristo es nuestro mediador de justicia con mérito de *condigno* (expresión de las escuelas), por haber ofrecido sus méritos al Eterno Padre, aceptándolos el Padre, por nuestra salvación, cuando María es medianera de gracia, intercesión y mérito de congruencia, por haber también ofrecido sus merecimientos por nuestro remedio y aceptados gratuitamente por el Padre, en unión con los de Jesucristo. De manera que juntos nos alcanzaron el mismo efecto, y María deseó la redención de todos, la pidió, la consiguió y por ella fuimos dichosos, habiendo, por su medio, recibido cada cual de los santos todos los bienes y dones de la vida eterna.

Esto es puntualmente lo que la Iglesia quiere significar cuando le aplica las palabras que están escritas en el capítulo 24 del *Eclesiástico: In me gratia omnis viae et veritatis;* en mí está la gracia del camino y de la verdad: del camino, pues por su medio se dispensa la gracia a los que todavía vamos caminando como peregrinos; de la verdad, porque también se nos dio por su medio la luz de la verdad. "En mí, dice asimismo, está toda esperanza de vida y virtud": de vida, pues que por María esperamos vida de gracia y gloria, y de virtud, pues que por su medio se consiguen las virtudes, especialmente la fe, esperanza y caridad necesarias para salvarnos. "Yo soy Madre del Amor Hermoso, de temor, conocimiento y santa esperanza".

Así es, porque con su intercesión poderosa alcanza a sus siervos los dones del amor divino, del amor santo, de la luz celestial y la confianza en la bondad y misericordia divinas. De lo cual infiere san Bernardo como legítima consecuencia que es doctrina de la Iglesia católica que María es nuestra medianera y abogada universal; y por la misma razón la llamó el ángel llena de gracia, pues que, habiéndose dispensado a los demás con tasa y medida, a María se la dio toda entera, y esto para que pudiese dignamente ser medianera entre Dios y los hombres; porque, sin tanta gracia, ¿cómo fuera posible? ¿Cómo hubiera podido ser escala del cielo, abogada del mundo y medio de reconciliación que nos volviese a granjear la benevolencia divina?

Ahora se ve con toda claridad la segunda razón que propusimos. Si desde el primer instante de su ser se le confirió el piadoso empleo de medianera nuestra, necesario fue que desde entonces se viese adornada de una gracia mayor que la que tuvieron todos los santos por quienes había de interceder. Es decir, que si por medio de María habían de ser los hombres agradables a Dios, fue necesario que ella lo fuese más que todos los otros. Si no, ¿cómo hubiera podido interceder por todos? Para que un intercesor logre del monarca cualquier beneficio a los vasallos, es forzoso que goce de más favor que todos ellos, en el ánimo del monarca; y así lo goza María en el acatamiento divino.

Y de los ángeles, ¿fue también Medianera, pues que aseguran muchos teólogos que también a los ángeles les mereció la gracia de la perseverancia? A esta pregunta decimos que el Salvador fue su Mediador de condigno, y María de congruencia, pues habiendo acelerado con sus ruegos la venida del Redentor, o a lo menos merecido la divina maternidad, mereció a los ángeles, como gloria de la bienaventuranza que habían perdido los espíritus malos.

Así, se ha de tener por cierto que, pues esta Niña celestial fue elegida como abogada del mundo y Madre del Redentor, tuvo desde el principio mayor gracia que toda cuanta se dio a los santos. Y, según esto, consideramos qué objeto de tanta complacencia y recreo era ya desde entonces el alma de esta Niña preciosa delante del cielo y de la tierra. Entre todas las criaturas era, ciertamente, la más amable a los ojos divinos, porque colmada ya de gracias y merecimientos, pudo desde luego decir: *Cum essem parvula, placui Altissimo.* Y también era la más amante de cuantas habían aparecido en el mundo hasta aquella hora; de suerte que si hubiera nacido al instante que fue concebida, la hubiera ya visto el mundo más colmada de virtudes y merecimientos que toda la multitud de santos. Pues ¡cuánta mayor sería su santidad al nacer enriquecida ya con los méritos adquiridos en el espacio de nueve meses!

Pasemos ahora a considerar lo que indicamos en el segundo punto; esto es, cuán grande fue la fidelidad con que desde luego empezó a corresponder a la divina gracia.

Punto segundo.— No es opinión singular, sino persuasión de todo el mundo que María, con la gracia santificante que Dios le infundió en el vientre de la gloriosa santa Ana, recibió también el uso completo de la razón y una luz superior y correspondiente a la gracia de que fue revestida. Así, bien podemos creer sin dificultad que desde aquel instante primero en que el alma hermosa quedó unida al cuerpo purísimo, Dios la iluminó con los rayos de la divina sabiduría, para que al instante conociese las verdades, y, principalmente, la infinita bondad del Señor, digno de ser amado por todas las criaturas, y de ella especialmente, por los dones singulares de que la colmó distinguiéndola y prefiriéndola entre todas las demás, preservándola del pecado original y comunicándole una gracia tan soberana, cual se requería para el alto destino de Madre de Dios y Reina de todo el universo.

De aquí es que, siendo desde aquel primer momento tan agradable a Dios, empezó a corresponder y obrar con toda excelencia y perfección, negociando fielmente con el gran caudal y tesoro de gracia que allí se le dio esforzándose en complacer y amar a la bondad divina con todo su poder, y continuando así durante los nueve meses, sin dejar que pasase un instante en que no se uniese íntimamente a Dios con actos de amor fervientes. Estaba libre del pecado original y, por consiguiente, libre de todo apego y afición terrena, de todo movimiento desordenado, de toda distracción, de toda oposición de los sentidos acordes totalmente con la razón para volar al divino centro y amarle más y más. Que por esto se llamó "plátano puesto a la corriente de las aguas, como planta lozana, siempre fecunda y favorecida, junto al raudal de la divina gracia, y se llamó vid generosa", no sólo por haber sido tan humilde a los ojos del mundo, sino porque siempre iba creciendo como la vid, que nunca para de subir mientras tiene algún árbol en el que apoyarse. Ella estribó en su Amado, y así, nunca dejó de subir y remontarse a la perfección.

Además, dicen los teólogos que el alma que posee cualquier hábito de una virtud como sea fiel en corresponder a las gracias actuales que Dios le da, consecuencias del mismo hábito infuso o adquirido, viene siempre a producir un acto igual en intensidad al hábito que tiene, de forma que gana cada vez un nuevo y noble mérito, igual al cúmulo de todos los ganados anteriormente. Este aumento, dicen, se concedió a los ángeles cuando todavía se hallaban como viandantes en estado de merecer; y si a los ángeles se les concedió, ¿quién lo negará de la Virgen Santísima por todo el curso de su vida mortal, y especialmente de aquellos nueve primeros meses de que vamos hablando, durante el cual fue mucho más fiel que los ángeles en cooperar a la divina gracia? Y como correspondía con todo ahínco y perfección a cada uno de los actos que practicaba, iba duplicando los méritos por instantes, en términos que si en el primero tuvo mil grados de gracia, en el segundo ya tenía dos mil, en el tercero cuatro mil, en el cuarto ocho mil y en el sexto treinta y dos mil. Y si esto sólo fue en el sexto instante de su concepción, multipliquemos los méritos de un día, y después los de tantos días como hace nueve meses, y veremos los tesoros espirituales de que al momento de salir a la luz estaba ya revestida y hermoseada.

Alegrémonos, pues, con esta Niña prodigiosa, dándole mil parabienes de verla nacer tan santa, llena de gracia y agradable a Dios, y alegrémonos, no sólo por ella, sino también por nosotros, pues que viene al mundo, para gloria suya y para bien nuestro. De tres maneras la colmó Dios: primero, llenando su alma de suerte que desde el primer instante fuese toda suya; segundo, el cuerpo, con que mereció revestir de su carne purísima al Verbo eterno; tercero, fue llena para beneficio común, a fin de que todos los hombres pudiesen participar de tanta abundancia.

Tienen algunos santos tanta gracia, que no sólo basta para ellos, sino también para muchos otros; pero solamente a Jesús y a María se concedió tanta riqueza y plenitud, que basta para salvarnos a todos y por esta razón, el dicho de san Juan de que "todos recibimos de la plenitud del Salvador", lo extienden los santos también a María. Y en realidad, ¿quién habrá en el mundo con quien no se haya mostrado benigna, dispensándole alguna misericordia? Aunque siempre se ha de entender que de Jesucristo recibimos la gracia como autor de ella, y de María como medianera; de Jesucristo como Salvador, y de María como abogada; de Jesucristo como fuente, y de María como acueducto de las misericordias del Señor. Y así nos exhortan los santos a que acudamos a esta Virgen pura, poniendo en ella nuestra esperanza, seguros de que por su mano recibiremos todo cuanto bien podamos desear, y especialmente san Bernardo, que lo asegura con estas afectuosas expresiones:

"Considerar la tierna devoción con que el Señor quiere que la veneremos, pues que en su mano colocó todos sus tesoros para que sepamos que de ella proviene nuestra esperanza y salvación. ¡Desdichado de aquel que por su culpa llegue a obstruir este canal de gracia! ¿Qué hizo Holofernes para tomar a Betulia? Rompió las cañerías de la ciudad. Y el demonio, ¿qué hace para entrar en un alma? Procura que deje la devoción a María Santísima. Pero, ¡ay, que cerrado este canal saludable, pronto perderá el hombre el refrigerio de la gracia divina, la luz del cielo, el temor de Dios, y, por última dicha, la salvación eterna!" Léase el ejemplo siguiente, y se verá por una parte la bondad del corazón de María y por otra, la desgracia que se acarrea el que olvida la devoción de esta Virgen piadosa.

EJEMPLO.— Cuentan Tritemio, Canisio y otros, que en Magdeburgo, ciudad de Sajonia, hubo un hombre llamado Hugo, el cual era, de muchacho, tan rudo y tan escaso de entendimiento, que servía de risa a todos sus iguales y conocidos. Un día en que por esto se vio más afligido, se postró a los pies de una imagen de María Santísima, encomendándose a su protección. La Virgen se le apareció en sueños y le dijo: "Hugo, haré lo que me pides, y no sólo te alcanzaré de Dios la habilidad suficiente para que nadie se burle de ti, sino un talento tan grande que cause admiración, prometiéndote, además, que cuando el obispo muera, tú le has de suceder". Todo ello se cumplió así. Hugo sobresalió en las ciencias, y llegó a ser obispo, pero fue tan ingrato a Dios y a la bondad de su bienhechora la Reina de los cielos, que, dejada toda devoción, llegó a ser el escándalo general. Hallándose una noche en la cama, sacrílegamente acompañado, oyó una voz que le decía: "Hugo, basta ya de juego, bastante has ofendido a Dios"; palabras que le enfadaron, sospechando que las dijese alguna persona que le reprendía; mas oyéndolas repetir la segunda y la tercera noche, entró en algún temor de que fuese aviso del cielo, aunque sin enmienda ninguna. Pasados otros tres meses que Dios le dio para volver en sí, llegó el castigo.

Un devoto canónigo, llamado Federico, oraba una noche en la iglesia de san Mauricio, pidiendo a Dios que remediase el escándalo del Prelado, cuando de pronto se levanta un viento impetuoso y la puerta de la iglesia se abre de par en par. Entraron dos jóvenes con teas encendidas en la mano y se pusieron a los lados del altar mayor. A éstos siguieron otros dos, que delante del mismo altar tendieron una alfombra; poniendo encima dos sillones de oro. En seguida entró otro en traje militar y espada en mano, el cual, parándose en medio del templo, gritó diciendo: —Santos que en esta iglesia tienen sus reliquias, vengan a presenciar la justicia que va a hacer el Juez supremo. A esta voz aparecen muchos santos, y con ellos los doce Apóstoles, como asesores de aquel juicio, y a continuación entra Jesucristo y se coloca en uno de los dos sillones. Se presentó por último María Santísima, seguida de gran numero de vírgenes, y su divino Hijo le presentó el otro sillón, donde se sentó. Entonces mandó el Juez que trajesen al reo, y éste era el desdichado Hugo.

Habló san Mauricio de parte de la ciudad escandalizada, pidió justicia de la conducta infame de aquel mal hombre y todos alzaron la voz diciendo: —Señor, merece la muerte— Pues, muera —respondió el eterno Juez. Pero antes de la ejecución de la sentencia, la Madre Santísima (¡oh, cuán grande es tu misericordia!), por no ver aquel acto tan temeroso, se retiró, y al instante se acerca al infeliz Hugo el ministro con la espada desnuda, le corta el cuello de un tajo y desaparece la visión. Todo queda a oscuras. El canónigo, temblando, va y enciende una vela en una lámpara que ardía en los sótanos de la iglesia; vuelve con la luz, y ve por tierra, en un charco de sangre, el cuerpo del infeliz, separado de la cabeza. Por la mañana contó lo sucedido a la gente que acudió al templo, y aquel mismo día se apareció Hugo, condenado, a un capellán suyo que nada sabía. Arrojaron su cadáver a una laguna, y para perpetua memoria quedó en el pavimento la sangre que siempre se tiene tapada, habiendo desde entonces introducido la costumbre de descubrirla solamente cuando un obispo nuevo toma posesión de la dignidad, a fin de que, a la vista de tan formidable castigo, piense en ordenar bien su vida y no ser ingrato a los beneficios del Señor y de su Madre Santísima.

ORACIÓN.— ¡Oh Santísima Niña! Tú, que eres la destinada para ser Madre del Redentor del mundo y abogada de los pecadores, ten compasión de mí, pues me ves postrado a tus pies implorando tu misericordia; y aunque en justo castigo de mis ingratitudes merecía ser abandonado de ti y de Dios, no pierdo la confianza, sabiendo que nunca desechas al pecador arrepentido que recurre a ti, llena siempre de bondad y de misericordia. Pues, ¡oh, Niña preciosa y la más excelsa de todas las criaturas, sobre cuyo trono está sólo el trono de Dios, y ante quien son pequeños los más grandes del cielo!; ¡oh, Santa de los santos!; ¡oh, llena de gracia y piélago de gracia!, favorece a un miserable que hizo la gran locura de perderla. Sé que Dios te ama tanto que nada te niega, y sé también que te complaces en emplear tu grandeza e intercesión en favor de los infelices pecadores. ¡Ah, Señora!, da a conocer lo grande que es la gracia y cabida que gozas con Dios, alcanzándome una luz y llama divina tan poderosa, que, desprendiéndome de todos los efectos terrenos, inflame enteramente mi alma en el amor divino. Hazlo así, Señora, hazlo por el amor de aquel Dios que te hizo tan grande, poderosa y buena. Así lo espero de tu bondad. Amén.

DISCURSO TERCERO

DE LA PRESENTACIÓN EN EL TEMPLO

María se ofreció a Dios sin demora ni reserva

Ni hubo ni habrá jamás, de parte de una pura criatura, ofrenda mejor ni más entera que la que hizo al Señor María, a la edad de tres años, cuando se presentó en el templo a dedicarle, no aromas, becerros, ni monedas de oro y plata, sino a sí misma, en holocausto y víctima agradable, consagrándose a su gloria para siempre. Oyó la voz de Dios que desde entonces la llamaba a los regalos de su amor, diciéndole así: "Apresúrate y ven, querida mía"; y exhortándola a olvidar desde luego su patria, parientes y todas las cosas para que atendiese únicamente a su honor y servicio, como al momento lo verificó. Consideremos pues cuán agradable fue al Señor este acto de tan pronta y entera voluntad, y serán dos puntos.

Punto primero.— Es cierto que desde el primer instante en que esta Niña celestial fue santificada en el vientre de su madre, tuvo completo el uso de la razón con que desde luego empezó a merecer como afirman comúnmente los doctores con el P. Suárez, el cual dice que, siendo el modo más perfecto de los que usa Dios en la santificación de las

197

almas hacerles esta gracia por merecimiento propio de ellas según enseña también santo Tomás, debemos creer que María fue santificada de esta manera; porque si tal fue el privilegio concedido a los ángeles y al primer hombre, con más razón hemos de suponer que se concediese a María, puesto que, habiéndose dignado escogerla Dios para Madre suya, de mayores dones la colmaría que a todas las demás criaturas. Como Madre, pues, tuvo derecho a los favores del Hijo; y así por causa de la unión hipostática fue consiguiente que el Señor poseyese en plenitud todas las gracias celestiales, así por la excelencia de la divina maternidad fue justo que el Hijo amantísimo comunicase mayores dones y gracias a su dulce Madre que a todos los santos y ángeles del cielo; y entre otras muy principales, ¿qué lengua explicaría la perfección con que desde el primer instante conoció a su Creador, y la prontitud y amor ardiente con que al momento se ofreció para siempre al beneplácito divino?

Poco después, habiendo sabido la fervorosa Niña que sus padres habían prometido a Dios, con voto, que si les daba fruto de bendición se lo consagrarían en el templo, y siendo ya costumbre antigua entre los judíos criar recogidas a las doncellas en algunas habitaciones contiguas al mismo templo apenas habían cumplido tres años, edad en que las más de ellas necesitaban el cuidado y regalo de sus padres, quiso públicamente dedicarse a Dios, y aun se adelantó a pedir a los suyos con insistencia que no tardasen en cumplir la promesa, como lo hicieron en seguida.

Vean a los dos esposos que, para ofrecer al Señor la prenda que en este mundo más amaban, salen de Nazaret, llevándola en los brazos, ya el uno ya el otro, porque por su pie no podía hacer ella camino tan largo. Iban acompañados por millares de ángeles, que servían y festejaban a su Reina. ¡Oh, qué hermosos y agradables a Dios (cantarían los espíritus bienaventurados) son los pasos que das, yendo a ofrecer en su santa casa, oh hija, entre todas la más predilecta! Aun el mismo Dios celebró aquel día fiesta en toda su corte, porque jamás habían visto venir a su templo criatura más santa y querida. Camina, pues, Reina del mundo, camina con regocijo a la morada del Señor, a esperar la hora en que el Espíritu Santo te hará Madre del Divino Verbo.

Luego que llegó con sus padres la humilde Niña, se arrodilló a sus pies, y besándoles respetuosamente la mano, les pidió su bendición. Después, sin volver la cara, subió los quince escalones que dicen tenía el templo, y se puso delante del sumo sacerdote, despidiéndose para siempre del mundo, renunciando a todo cuanto en él hay y consagrándose enteramente a su Dios y Señor.

Fue como la paloma inocente salida del arca, a la que volvió por no hallar sitio limpio donde poner los pies. El cuervo halló cadáveres, y allí se quedó cebándose en ellos, como hacen muchos hombres, metidos y cebados en las vilezas de la tierra. Pero esta paloma sin mancha, esta doncella tan hermosa, conoció que Dios es nuestro único bien, esperanza y amor; conoció que el mundo está sembrado de lazos y peligros, y con esto se aceleró a dejarle pronto y esconderse en el sagrado retiro, donde pudiese oír sin estorbo las inspiraciones interiores y emplearse totalmente en amar y servir a su divino Dueño.

Punto segundo.— Con los resplandores del cielo, que iluminaban ya el entendimiento de la dichosa Niña, conoció bien que Dios no acepta un corazón a medias, sino que lo quiere todo para Sí, conforme al precepto que nos dio: "Amarás a tu Dios y Señor con todo tu corazón"; en cuyo cumplimiento había empezado a amarle con todas sus fuerzas desde el primer instante de su concepción. Pero su alma pura esperaba con gran deseo la hora de consagrársele del todo públicamente. Consideremos, pues, el fervor con que, viéndose ya encerrada en aquel lugar santo, ante todas las cosas, se postró a besar la tierra con gran respeto, como casa de Dios; después adoró la Majestad divina, dándole gracias por el beneficio que le hacía al admitirla a tan corta edad en su santo templo, y en seguida se entregó enteramente al Señor, ofreciéndole todas sus potencias y sentidos, afectos y deseos, alma y cuerpo, sin reserva alguna, haciendo también entonces, para más agradarle, voto de perpetua virginidad, siendo la primera virgen que lo hizo, con propósito firme de quedar allí consagrada para toda su vida, si fuese del divino beneplácito. ¡Con qué espíritu repetiría sin cesar, luego que allí se vio!: "Mi amado para mí y yo para él". "¡Dios mío! Aquí he venido sólo por complacerte y glorificarte cuanto yo alcance. Aquí quiero vivir para ti, si te agrada, hasta la muerte. Acepta el sacrificio que hace de sí misma esta tu esclava, y dale tu favor para ser fiel y perseverante".

Con este principio, consideremos la vida que emprendió y continuó por todo el tiempo que estuvo dentro de aquel retiro, donde crecía cada instante en perfección, como crece la aurora en claridad. ¿Quién podrá decir los grados y quilates de las excelentes virtudes con que iba resplandeciendo continuamente? ¿La caridad, modestia, humildad, silencio, mortificación y mansedumbre? Era como el olivo frondoso plantado en la casa del Señor, regado con la gracia del Espíritu Santo y adornado de todas las virtudes. Su aspecto, modesto; su ánimo humilde, y sus palabras, dulces y salidas de un interior piadoso y recogido. Allí alejó del pensamiento todas las cosas de la tierra, y se dio a la práctica de toda virtud, que mereció ser templo digno de Dios. Era sumisa y dócil, mesurada en las palabras, compuesta en el exterior, enemiga de risa vana, siempre igual y apacible, perseverante en la oración, asidua en la lección de la escritura divina, inclinada al ayuno y pronta para todos los ejercicios de misericordia y devoción.

Dice san Jerónimo que tenía repartidas las horas del día de esta manera: Desde la madrugada hasta las nueve perseveraba en oración; hasta mediodía se ocupaba de alguna obra exterior y entonces empezaba de nuevo a orar, hasta que un ángel le traía de comer. Era la primera en las vigilias, la más esmerada en el cumplimiento de la divina ley, la más humilde de todas las doncellas, y en los actos de todas las virtudes la más perfecta. Nadie la vio jamás airada; antes bien sus expresiones iban acompañadas de tal dulzura, que bien se conocía que era Dios el que movía su lengua.

Reveló la misma Virgen a santa Isabel, virgen benedictina, que cuando sus padres la dejaron en el templo, resolvió tener a sólo Dios por padre, pensando de continuo en qué podría darle más gusto, consagrarle su virginidad, renunciar a todas las cosas del mundo y resignar totalmente su voluntad a la voluntad divina. Le dijo también que, entre los demás preceptos de la ley, tomó por mira principal el primero, que nos manda amar a Dios sobre todas las cosas, y que, para cumplirlo mejor, se levantaba de ordinario a medianoche y se iba delante del altar a pedir al Señor su gracia, y por especial favor, el de no morir hasta que hubiere nacido la madre del Mesías; la conservación de la vista, para verla; de la lengua, para alabarla; de los pies y manos, para servirla, y de las rodillas para adorar en su seno su dulcísimo Hijo. Santa Isabel, al oír esto, exclamó: "Pero, Señora, ¿no estabas llena tú de virtud y gracia?" A lo cual respondió la Santísima Virgen: "Has de saber, hija, que entre todas las criaturas, me reputaba yo la más indigna de la divina gracia, y por eso la pedía incesantemente". En fin, para que conozcamos nuestra necesidad, añadió: "¿Piensas que sin fatiga adquirí la gracia y las virtudes?... Ninguna poseí sin esfuerzo grande, oración continua, deseos ardientes y muchas lágrimas y penitencias".

Muy notables son también las revelaciones que tuvo sobre esto santa Brígida: "Desde niña, dice, estuvo llena del Espíritu Santo y conforme crecía en edad iba creciendo en gracia amando a Dios con todo su corazón, y siempre muy lejos hasta de la sombra del pecado. Despreciaba todos los bienes de la tierra y daba a los pobres cuanto podía. En la mesa guardaba tal templanza, que no tomaba sino lo preciso para el sustento corporal. Habiendo entendido, por la lectura de los libros santos, que para redimir al mundo había Dios de nacer del vientre de una doncella, se inflamó tanto en el amor divino, que no pensaba más que en Dios, ni se complacía en ninguna cosa fuera de Dios, excusando el trato de las gentes y de sus mismos padres, para que no le quitasen a Dios de la memoria. Por último, deseaba ardientemente alcanzar el tiempo de la venida del Mesías, para tener la suerte de ser esclava de aquella virgen felicísima que había de merecer la dicha de ser su Madre".

Y ciertamente, por amor de esta doncella inmaculada aceleró su venida, pues cuando, llevada de profunda humildad, ni por digna se reputaba de servir como sierva a la que hubiera de ser Madre de Dios, fue escogida para serlo ella misma, y con la suave fragancia de sus virtudes y poderosa eficacia de sus ruegos, atrajo a su seno virginal al Hijo del Altísimo. Y así la llamó "tórtola" su Esposo, no solamente porque no cesaba de gemir, compadecida de la desventura del mundo, y ocupada en pedir a todas horas el beneficio suspirado de la redención, enviando suspiros al cielo y repitiendo con mucho más ardor y vehemencia que los profetas, las plegarias con que ellos clamaban sin cesar por el remedio del mundo.

En fin, era cosa de sumo agrado a los divinos ojos ver cómo, a semejanza de un vástago odorífero, frondoso y lleno de virtudes, según la llamó en los Cantares el Espíritu Santo, iba la doncellita sin mancha subiendo a lo más elevado de la perfección.

Era verdaderamente jardín delicioso donde el Señor se recreaba, porque en él veía toda suerte de flores de exquisita fragancia, habiéndola escogido para Madre suya por no haber hallado en toda la tierra virgen más excelente ni albergue más digno en que habitar que su purísimo seno; y así, hubo de ser tan acabada la perfección de su santidad, que sobremanera aventajase a todas las demás criaturas.

Pues así como se ofreció en el templo con tanta entereza y prontitud, así también nosotros pongámonos hoy delante de la misma Señora, con ánimo resuelto y generoso, pidiéndole humildemente que nos presente a Dios, y el Señor no rehusará la ofrenda viéndonos ofrecidos, por las manos purísimas de la que fue templo vivo del Espíritu Santo, delicia de su Creador y verdadera Madre de su unigénito Hijo. Y con gran confianza esperémoslo todo de la bondad de sus maternales entrañas, sabiendo que recompensa con amor superabundante los obsequios con que sus devotos la veneran, como se verá en el siguiente:

EJEMPLO.— Dominica del Paraíso, entretejió un sábado dos coronas de flores y las presentó a Jesús y María en sus imágenes, suplicándoles humildemente que se dignasen olerlas; pero viendo que no alcanzaba esta gracia, y creyendo que consistía en no haber dado cierta limosna que acostumbraba, se asomó a una ventana para llamar a un pobre y dársela. Lo primero que vio fue una mujer con un niño de la mano, que aunque en traje pobre, mostraba en el aspecto mucha gravedad y nobleza; al instante, levantó el niño las manos, pidiéndole limosna, y la madre hizo lo mismo.

Observó la doncella que el niño tenía llagas en las manos, y dijo movida de compasión: —Espérenme un poco—. Baja con la limosna, y antes de llegar a la puerta, que estaba cerrada, se encuentra dentro a los pobres, y admirada les pregunta: —¿Quién ha abierto la puerta? ¡Ay de mí, si mi madre lo ve!— Calla, hija —respondió la mujer—, que nadie nos ha visto. —¿Cómo puede andar tu hijo —dijo Dominica— con las llagas que lleva en los pies? —El amor se las hizo —respondió la señora—. La modestia del niño era singular, y tenía como absorta a Dominica, quien le preguntó: —¿No te duelen las heridas?— Y él dijo sonriéndose: —¿Qué? Y al mismo tiempo se puso a mirar atentamente las flores de que estaban coronadas las dos imágenes y a pedirlas a su madre. Ésta las alcanzó y se las dio: —¿Quién te mueve, hija, a coronar de flores estas imágenes? —El amor que tengo a Jesús y a su bendita Madre. —¿Cuánto los amas?— Todo cuanto puedo. —¿Cuánto puedes? —Cuanto ellos me ayudan. —Pues, sigue amándolos así, que Dios te dará el premio. No se saciaba Dominica de mirar ya el uno, ya el otro. —¿Qué miras? —le preguntó la mujer. —A tu hijo —contestó la joven; y, acercándose algo más, percibía un olor suave que salía de las llagas. Entonces dijo ella: —Señora, ¿con qué bálsamo le curas las llagas, que trasciende tanto? —Con el de la caridad. —¿Y dónde se vende? —Se encuentra con la piedad y las buenas obras.

Al llegar aquí tomó Dominica un lienzo para limpiar otra llaga que el niño tenía en el pecho, la cual exhalaba mayor fragancia, y él se retiró un poco. —Ven, niño ven —dijo la doncella—, te daré pan. —Su alimento —dijo su madre— es el amor: si tú quieres contentarle, ámalo mucho. Al oír estas palabras, comenzó el niño a mostrar alegría y a hablar con Dominica. —¿Amas a Jesús?— Le amo tanto, que ni de día ni de noche pienso en otra cosa más que en Él, ni deseo hacer más que lo que le agrade. —El amor te enseñará cómo le has de agradar —dijo el niño. A todo esto iba creciendo el olor exquisito de las heridas, en términos que, recreada Dominica, exclamó: —Si las llagas de un niño tienen tal fragancia, ¿cuál será la de la gloria? —No te admires —dijo la mujer—, que donde Dios está, allí está el origen y fuente de los olores aromáticos y suavísimos—. Y al acabar de decir estas palabras, se cambió la escena repentinamente: el rostro del niño resplandeció como el sol, y la madre apareció también vestida de una luz clarísima. Toma Jesús las flores de la falda de su Madre, y esparciéndolas sobre Dominica, le dice: —Recibe estas flores como prenda de las que te daré después eternamente—. Dicho esto, desaparecieron, llevándose consigo todo el corazón de la dichosa doncella.

ORACIÓN.— Amable Reina de los ángeles, amada del Altísimo sobre todas las criaturas, bien quisiera haber dedicado a tu amor y servicio los primeros años de mi vida, siguiendo tu ejemplo en la perfecta consagración con que a tan corta edad te dedicaste al Señor en su sagrado templo. Mas, ¡ay de mí!, que empleé los mejores y más floridos en servir al mundo y sus vanidades. Con todo, aunque tarde, quiero empezar. Heme aquí, Señora; hoy me ofrezco enteramente a servirte y servir a mi Creador para todo el tiempo que me reste de vida, renunciando, como tú lo hiciste, al amor desordenado de las criaturas. Te consagro, pues, el entendimiento para que piense de continuo en el amor grande que mereces; te consagro la lengua para que te alabe sin cesar, y el corazón para amarte ardientemente. Acepta la ofrenda de este pobre pecador por aquella alegría que sintió tu pecho amoroso en el acto solemne de tu consagración. Tarde empiezo, pero lo resarciré redoblando amor y obsequios. Fortalece, Señora, con tu intercesión poderosa mi desaliento y flaqueza, alcanzándome del Señor el auxilio y esfuerzo que necesito para ser fiel hasta la muerte, a fin de que, amándote y sirviéndote en este mundo, logre después la dicha de verte, amarte y bendecirte en el cielo por todos los siglos de los siglos. Amén.

DISCURSO CUARTO

DE LA ANUNCIACIÓN DE NUESTRA SEÑORA

En la Encarnación del Verbo divino,
ni la humildad de María pudo ser más profunda,
ni pudo subirla Dios a mayor altura

"Quien se ensalce, será humillado, y quien se humille, será ensalzado"; estas son palabras del Señor, y no pueden fallar. Por eso, habiendo determinado hacerse hombre, para redimir al hombre perdido por la culpa, y teniendo para ello que elegir madre, buscaba entre las mujeres la más santa y humilde de todas, y halló a María, doncella sin igual, tanto más sencilla y humilde cuanto más perfecta y colmada de todas las virtudes. La vio el Señor y dijo: "Ésta ha de ser mi escogida y mi Madre".

Veamos, pues, hasta dónde llegó en la Encarnación su humildad y cuánto la ensalzó el Altísimo, considerando en el primer punto que su humildad no pudo ser mayor de lo que fue, y en el segundo, que ni Dios pudo ensalzarla más de lo que la ensalzó.

Punto primero.— Dice el sagrado libro de los Cantares estas palabras: "Estando en su lecho el Rey, dio mi nardo su fragancia". Y en la planta del nardo, por ser pequeña y baja, se figuró la humildad de María, cuyo suave olor subió a los cielos y llegó hasta el pecho del eterno Padre, y de allí atrajo dulcemente a su seno virginal el Verbo divino. Mas Él, para que la gloria y mérito de su Madre fuese mayor, no quiso sin su previo consentimiento ser Hijo suyo. Estaba, pues, en su retiro la humilde doncella, suspirando con más ardor que nunca por la venida del Redentor del mundo, cuando de pronto se le presenta el arcángel san Gabriel con aquella embajada tan gloriosa: "Dios te salve, María, llena de gracia, el Señor es contigo". Llena de gracia y siempre colmada, mucho más que todos los santos; contigo está el Señor, porque tu humildad lo merece; bendita tú eres entre todas las mujeres, porque habiendo incurrido las demás en la maldición de la culpa, tú, como Madre de Dios, eres bendita y siempre lo serás, y nunca en ti hubo ni habrá mancha de pecado.

A una salutación tan alta y honorífica ¿qué responde la doncella humilde? Nada; antes bien, al oírla, se turba y queda pensando qué podrá significar. ¿De dónde proviene la turbación? ¿De recelo de algún daño o de ruborosa modestia viendo al ángel en figura de hombre delante de sí? No, que el Sagrado Texto dice claramente que se turbó de sus palabras, no de verle. Fue, pues, turbación de humildad nacida de aquellas alabanzas tan distantes de ningún concepto que de sí misma tenía formado; y así cuando el ángel la ensalzaba, más ella se humillaba, más ahondaba en la consideración de su propia bajeza. Reflexiona aquí un santo, que si el mensajero hubiera empezado a decir que era la mayor pecadora del mundo, no se hubiera admirado; pero oyendo elogios tan altos, toda se agitó interiormente, porque siendo tan grande su humildad, aborrecía su alabanza propia, y sólo deseaba que fuese alabado y bendecido su Creador, fuente de todo bien.

Pero una Virgen tan ilustrada con la luz del cielo, bien sabía que ya había llegado el tiempo anunciado por los profetas en que había de bajar a la tierra el Salvador del mundo; ya veía cumplidas las semanas de Daniel; ya el cetro de Israel en manos del rey extranjero, según la profecía de Jacob; ni tampoco ignoraba que una virgen había de ser la madre del Deseado de las naciones. ¿Le ocurrió entonces, a lo menos, alguna ligera sospecha de que tal vez ella sería la escogida y la dichosa? No; su profunda humildad la tenía muy lejos de tal pensamiento. Aquellos elogios lo que causaron fue un temor tan grande, que el ángel tuvo que serenarla y alentarla, como después confortó al Señor otro en el huerto de los Olivos. "No temas, María —le dijo—, ni te admires de los títulos grandiosos que te doy, porque si a tus ojos eres tan pequeñuela, Dios, que se complace en levantar a los humildes, te hizo digna por tu humildad, de que hallases la gracia perdida por el hombre, te preservó de la culpa original, te colmó, desde la concepción, de una gracia superior a la de todos los santos, y ahora te ensalza a la dignidad de Madre suya".

¿Por qué tardas, Señora, en hacernos felices? Esperan los ángeles tu respuesta; la esperamos nosotros, que estamos condenados a muerte. En tus manos se pone el precio de nuestra salvación. Si tú quieres, quedaremos al instante libres de la desgracia eterna. Aquel Señor que tanto se prendó de tu hermosura, desea con el mismo ardor tu consentimiento como medio para salvar al mundo. Responde pronto, Virgen humilde, no difieras el instante dichoso de la salud común, que ya depende sólo de un acto de tu voluntad.

Mas ella responde, y dice: "Aquí está la esclava del Señor; hágase en mí según tu palabra". ¡Oh, respuesta admirable! Si todos los hombres y ángeles del cielo hubiesen estado por un millón de años pensando qué contestar en aquella ocasión, no hubieran inventado respuesta tan hermosa, humilde y prudente como ésta lo fue. ¡Oh, respuesta poderosa, que alegró el cielo y trajo al mundo un mar de gracias y bendiciones! Respuesta que, apenas salida de los labios puros de quien la daba, arrebató del seno del Padre al Hijo unigénito para hacerse hombre en sus entrañas virginales. ¡Oh, palabra poderosa, palabra eficaz, palabra venerable! Porque si Dios con otro igual (*fiat*) sacó de la nada la luz, los cielos y la tierra, con éste de María se hizo hombre cual uno de nosotros.

Sigamos considerando cuán grande fue su humildad en esta respuesta. Bien conocía la Virgen sapientísima lo sublime y excelso de la dignidad de Madre del Altísimo, y el ángel claramente le aseguraba que era ella la escogida para tan gran felicidad; pero, con todo, ni se tiene por eso en más, ni se detiene a complacerse de su exaltación, sino que, mirando por una parte su propia nada, y por otra la infinita Majestad del Señor, que entre todas las criaturas la prefería, se reconoce indigna de tanto honor, mas no resiste a la divina voluntad. Por lo que, pidiendo el ángel su consentimiento, ¿qué hace? ¿Qué dice? Aniquilada en sí misma, pero al mismo tiempo inflamada y deseosa de unirse más a Dios, se pone totalmente en sus divinas manos, diciendo: "Aquí está la esclava del Señor; no soy más que una esclava suya, obligada a obedecer lo que me mande"; queriendo decir: Si el Señor elige a una esclava que de sí nada tiene, siendo todo don suyo, ¿quién ha de pensar que intervenga aquí mérito alguno mío? ¿Qué mérito puede haber en una esclavilla para ser Madre de su mismo Señor? Alábese únicamente su bondad, y no se dé a la sierva alabanza ninguna, pues es mera bondad suya poner los ojos en criatura tan baja como yo para hacerla tan grande.

¡Oh, humildad tan pequeña en sí misma, y tan grande a los ojos del que no cabe en todo el ámbito de los cielos! ¡Oh, Señora! Y ¿cómo pudiste juntar concepto o estimación tan baja de ti misma con tanta pureza, inocencia y plenitud de gracia? ¿Cómo tanta humildad al verte ensalzada, al verte con el título glorioso de Madre del Señor? Si cuando se reconoció Luzbel dotado de angélica hermosura quiso elevar tan alto su trono y ser semejante al Altísimo, ¿qué hubiera dicho y pretendido si hubiera descubierto en sí tu hermosura? Tú al contrario, como tan prudente cuanto más ensalzada, te humillaste tanto más, y en premio de humildad tan excelente fuiste digna de que el Señor te mirase con singular amor, digna de que el Rey de la gloria se prendase de tu belleza, digna de encerrar en tu seno purísimo al Unigénito del Padre, habiendo merecido con aquellas solas palabras: "Aquí está la esclava del Señor", más que con todas sus obras las criaturas juntas pudieran nunca merecer.

Así es, en efecto, pues si con la virginidad fue tan grande a los ojos de Dios, con la humildad se hizo digna, en cuanto pudo una criatura serlo, de la preeminencia de Madre suya. Dijo a un alma santa la misma Señora: "¿Cómo llegué yo a tanta altura sino conociendo mi nada y humillándome hasta lo profundo?" Antes lo cantó en el *Magnificat*: "Porque miró la humildad de su sierva, hizo en mí el Todopoderoso cosas tan grandes". No dijo: Por haber mirado mi virginidad, ni mi inocencia sino sólo mi humildad; advirtiendo que en estas expresiones no pretendió dar elogios a su humildad como virtud, sino decir que Dios había mirado, para ensalzarla, su bajeza y nada, engrandeciéndola por pura gracia.

Así, la humildad de María, al mismo tiempo que fue como una escalera por donde el Señor tuvo a bien bajar a la tierra y hacerse hombre en su seno inmaculado, fue también la disposición más perfecta y próxima de parte de la Virgen para subir a dignidad tan excelsa, y por eso el Unigénito del Padre, "flor divina", como le llamó el profeta Isaías, había de nacer, no de la copa ni del tronco, sino de la raíz de la planta de Jesé, cosa que denota la humildad de la Madre. Por lo mismo, le dijo el Señor: "Tus ojos me han hecho volar". "¿De dónde —pregunta san Agustín—, sino del seno del Padre al seno maternal?" Sí, porque mirando siempre con humildad profunda su propia nada y la divina grandeza, aquellos ojos puros, más cándidos y hermosos que los de la paloma, hicieron tanta violencia al mismo Dios, que le arrebataron y le trajeron a su vientre inmaculado. De este modo, en el misterio de la Encarnación, llegó su humildad al último y más perfecto grado a donde pudo llegar, que fue lo que propusimos en el punto primero. Pasemos al segundo, y veamos cómo al mismo tiempo no pudo ensalzarla Dios más altamente de lo que la ensalzó.

Punto segundo.— Para llegar a entender la altura a que fue elevada esta dichosa doncella, sería necesario que conociésemos toda la sublimidad y grandeza de Dios; pero al menos, basta decir que la hizo Madre suya para persuadirnos que su brazo poderoso no pudo ensalzarla más de lo que la ensalzó. Que su alteza y dignidad fuese mayor que la de todos los ángeles y bienaventurados, lo dicen los santos a una voz, porque todas las creaturas le son inferiores, Dios únicamente es superior a ella, y su elevación es tanta, que sólo Dios la puede comprender.

No es extraño, pues, habiendo sido los Evangelistas tan difusos en elogiar a san Juan Bautista y la Magdalena, nos dijesen tan poco del mérito de María. ¿Qué podían añadir, después de haber dicho que era Madre de Dios? Esto sólo excede a lo más sublime que el entendimiento puede alcanzar y la lengua decir, fuera de Dios. Llámala "Reina del cielo, Señora de los ángeles" y todo cuanto quieras: nada llega a lo que ella es. Y la razón está clara, porque, según enseña el Doctor Angélico, cuando más cerca está una cosa de su principio, más participa de la perfección de él, y siendo María la criatura más inmediata a Dios, participa cual ninguna otra de la gracia, perfección y grandeza divinas. De aquí nace el argumento con que se prueba que la dignidad de Madre de Dios es de un orden incomparablemente superior a cualquier otro criado, porque en su manera pertenece al de unión con una Persona divina, con quien está unida necesariamente, siendo la más alta, la más estrecha, la más íntima que después de la unión hipostática no hay ninguna unión con Dios tan próxima como la de la Madre de Dios con su Hijo; tanto, que ser su Madre es la dignidad inmediata al ser mismo de Dios, y sólo haciéndola Dios pudiera subir más.

Tan encumbrada y sublime es esta dignidad que para ella hubo de ser ensalzada la Madre a una cierta igualdad con las Personas divinas, por una gracia casi infinita; porque siendo los padres y los hijos, moralmente hablando, una misma cosa, sin diferencia en los bienes y honores que disfrutan, y habitando Dios en sus criaturas de varias maneras, habitó en María de modo único y singular de identidad. Callen, pues, todas las criaturas, y, llenas de espanto, inclinen la frente, reverenciando lo elevado de la preeminencia y dignidad que, verdaderamente, se puede llamar infinita en género, porque no pudo subir la dichosa a mayor altura de la que subió. Un mundo mayor, un cielo mayor, los puede Dios hacer; pero levantar a una criatura más que a ser su Madre, no. Lo dijeron sus dulces labios: "Hizo en mí cosas grandes". No explicó cuáles eran. Y ¿por qué? Por ser imposibles.

Por esta Virgen dichosa creó Dios el mundo, por ella lo conserva y por ella perdonó al hombre después de la culpa y no le aniquiló. Todo a título de su dignidad incomparable, dotada por Él en sumo grado de todas las gracias y dones generales y particulares que se han concedido y concederán a las demás criaturas hasta el fin de los siglos. Fue niña; pero de aquella edad sólo tuvo la inocencia, no la ignorancia y falta de uso de razón. Fue Virgen sin desdoro de la esterilidad. Fue Madre, pero sin perder el precioso candor de virgen, fue hermosa, fue muy hermosa, y con tal extremo, que, habiéndola visto una vez toda en carne mortal san Dionisio Aeropagita, dice que la hubiera adorado como una deidad si la fe no le hubiera enseñado que era criatura humana pero con ser tan hermosa, y más hermosa que los ángeles y todo lo creado, nadie la miró nunca con peligro, antes bien, desvanecía su vista todo mal movimiento e inspiraba pensamientos de honestidad, así como la mirra, nombre que le atribuye la santa Iglesia, preserva de corrupción.

La vida activa no la separaba de la unión con su divino Esposo, ni la contemplativa de las ocupaciones externas y oficios de caridad debidos al prójimo. En fin, aunque la muerte la tocó también no vino acompañada de afanes ni congojas, ni a su cuerpo santo llegó corrupción alguna en el sepulcro. Concluyamos, pues, diciendo que esta venturosa Madre es superior en grado inmenso a todas las criaturas, aunque siempre inferior a Dios infinitamente; y que si fue imposible que hubiese un hijo más noble que Jesús, fue imposible también hallar una Madre más noble que María. Esto ha de servir a sus devotos para alegrarse de sus grandezas y aumentar la confianza en su poderoso patrocinio, pues por la dignidad de Madre de Dios, tiene derecho para disponer de los divinos dones en favor de quien se los pida, sin que el Señor le pueda negar cosa alguna.

Ilimitado, Señora, es tu poder, propensa tu voluntad y vivos los deseos que tienes de favorecernos. Igualmente sabes que no por ti sola te creó el Altísimo tan llena de gracia y revestida de tan superior autoridad, sino que te dio a los ángeles por restauradora, a los hombres por reparadora y abogada y a los enemigos infernales por vencedora poderosísima.

Bendigámosla, saludándola muchas veces con las palabras del arcángel; pues, no hay otras que le sean más dulces y agradables, según dijo a santa Matilde la misma Señora, confiando que así lograremos de su misericordia beneficios muy singulares, como se dirá en el siguiente:

EJEMPLO.— Cuenta el P. Séñeri en su libro de *El cristiano instruido*, que una vez en Roma fue a confesarse con el P. Nicolás Zucchi un joven encenagado en los vicios de la deshonestidad. Le oyó el confesor caritativamente y, compadecido de su miseria, le dijo que la devoción a María Santísima era eficaz para sacarle de su mal estado, imponiéndole por penitencia hasta otra confesión, rezar al acostarse y levantarse un Avemaría, ofreciendo a Nuestra Señora ojos, manos y todo el cuerpo, rogándole que le guardase como a cosa suya y besando tres veces la tierra. Cumplió el joven la penitencia al principio con poca enmienda; pero el Padre le exhortaba a proseguirla constantemente, animándole siempre a confiar en el amparo de María Santísima.

Fue el penitente a correr tierras en compañía de algunos amigos, y vuelto a Roma, buscó al confesor, el cual, con extraordinario gozo y maravilla, halló su alma enteramente cambiada y libre de los vicios. El joven le aseguró que la Reina de los ángeles, por aquella corta devoción practicada por su consejo, le había obtenido del Señor tan grande merced. No pararon aquí sus misericordias, porque contando el Padre desde el púlpito aquel favor, un capitán del auditorio, que ya de muchos años tenía trato ilícito con una mujer, propuso firmemente empezar la misma devoción, con deseo de romper las cadenas de la esclavitud (deseo necesario de todo pecador para lograr el auxilio de la Virgen), y al fin salió victorioso y cambió de vida. Al cabo de seis meses, fiándose ya de sus propias fuerzas, quiso ir un día a verse con aquella mujer, por la curiosidad de saber si también ella se había enmendado; pero al llegar a la puerta, con tan manifiesto peligro de volver a caer se sintió tan repelido hacia atrás por una fuerza invisible y se vio tan lejos de allí cuán larga era la calle, que llegó hasta su propia casa, conociendo entonces claramente que la Virgen Santísima le había librado del precipicio.

Aquí se descubre el cuidado especial que tiene esta Señora, no sólo de sacarnos del pecado si la invocamos con este buen deseo, sino también del peligro de recaídas.

ORACIÓN.— ¡Oh, Virgen Santísima, que siendo tan pequeña a tus ojos, fuiste a los de Dios tan grande, que te eligió para Madre suya y Reina del cielo, y de la tierra! Gracias doy al Señor por tan singular prerrogativa, y me regocijo de verte unida con Él íntimamente y elevada a donde jamás pudo llegar una criatura. Me avergüenzo de comparecer en tu soberana presencia, viendo en ti, con el cúmulo de tantos méritos, tan profunda humildad, y en mí tanta soberbia, siendo tan criminal y despreciable. Pero, con todo, me animo a saludarte, diciendo: Dios te salve, María, llena eres de gracia. Alcánzamela también a mí. El Señor es contigo. Siempre lo estuvo pero mucho más haciéndose Hijo tuyo. Bendita tú eres entre todas las mujeres. Llegue igualmente a nosotros por tu medio la bendición divina. Y bendito es el fruto de tu vientre, Jesús; fruto santo que nació de ti. Santa María, Madre de Dios. Madre suya eres, Madre verdadera, y por defender esta verdad estoy pronto a dar mil veces la vida. Ruega por nosotros pecadores. Por salvarnos se hizo Dios tu Hijo, y nos dio por Madre a ti; y tus súplicas tienen virtud para salvar a cualquier pecador. Ruega por nosotros ahora y en la hora de nuestra muerte. Ruega en todo tiempo. Ruega ahora que nos ves acosados de tentaciones y rodeados de peligros, pero con más insistencia ruega a la hora de la muerte, cuando ya estemos próximos a salir de este mundo para ser presentados en el Tribunal divino, a fin de que salvos por los méritos de nuestro Señor Jesucristo y tu poderosa intercesión, entremos, finalmente, en los gozos de la gloria, alabándote en compañía de tu bendito Hijo por toda la eternidad. Amén.

DISCURSO QUINTO

LA VISITACIÓN

María es la tesorera de todas las gracias.
El que busque la gracia, debe recurrir a María.
Todo el que así lo haga, hallará lo que desea

Por favorecida se tiene la casa donde entra una persona real, con motivo del honor que recibe y de los favores que espera para después; pero por más feliz debe tenerse el alma a quien se digne visitar la Reina de los cielos, porque ciertamente la colmará de honor y de toda suerte de bienes. Quedó bendita la casa de Obededón cuando estuvo en ella el Arca de la alianza; pero mucho más abundantes son las bendiciones con que esta Madre piadosa enriquece las almas. Bien lo experimentó la familia dichosa de san Juan Bautista. Apenas entró por sus puertas la Virgen sacrosanta, los llenó a todos de beneficios celestiales, y por esto llaman mucho a la Visitación fiesta de la Virgen de las Gracias.

Veremos, pues, en el discurso siguiente que ella es la tesorera de todas las gracias que se reparten a los hombres, y serán dos puntos: primero, el que busca la gracia debe recurrir a María; segundo, el que a María recurra alcanzará la gracia que desea.

Punto primero.— Luego que de la boca del arcángel san Gabriel oyó la piadosa Virgen que su prima

Isabel estaba encinta de seis meses, conoció interiormente, iluminada por el Espíritu Santo, que el Verbo divino encarnado en sus entrañas virginales quería, desde luego, manifestar al mundo las riquezas de su misericordia, distribuyendo sus primeras gracias en toda aquella familia. Y así, dejando al instante la quietud de la contemplación a que estaba continuamente entregada, salió con rapidez a visitar a Isabel. Y porque la caridad todo lo sufre, y la gracia y moción del Espíritu Santo no conoce tardanzas, por esto María, no mirando la fatiga del viaje ni la ternura y delicadeza de sus pocos años, se puso inmediatamente en camino; y luego que entró por la casa, fue la primera en saludar a su prima; pero sus palabras no fueron como lo son de ordinario las de las gentes del mundo, reducidas a cumplimientos y vanas ceremonias, sino expresiones santas, amorosas y acompañadas de gracias y felicidades, porque a la primera salutación quedó Isabel llena del Espíritu Santo y Juan libre del pecado original y santificado, como lo dio a entender claramente en aquellos saltos de júbilo que daba en el vientre de la madre; queriendo así manifestar al mundo la gracia recibida por medio de aquella Virgen soberana, como lo afirmó santa Isabel.

Reflexionaremos ahora que, si todos estos frutos de la redención pasaron por manos de María, habiendo sido el canal por cuyo medio se dio a Juan Bautista la gracia, a Isabel el Espíritu Santo, a Zacarías el don de profecía y a toda la casa tantos beneficios, que fueron los primeros que sepamos hizo el Verbo divino después de su Encarnación, debemos creer que desde entonces constituyó Dios a María acueducto universal, como la llama san Bernardo, para que por ella pasen todas las gracias que hasta el fin del mundo tiene determinado comunicar a los hombres, cosa que dejamos probado en el capítulo quinto de la primera parte.

Tesorera, pues, y dispensadora de la gracia divina, llaman con razón a esta Madre feliz todos los santos, asegurándolo también la misma Señora. Sí, Madre amantísima; sí, dulce esperanza del género humano, bien sabemos que en tus manos están los tesoros de la divina misericordia; bien sabemos que han de pasar por ellas cuantos hasta el fin de los siglos se hayan de dispensar a todos los hombres. No temas, te diré con el ángel, porque tú no has usurpado la gracia, como Luzbel quería, ni la perdiste, como Adán la perdió, ni la compraste, como intentó Simón mago, sino que la hallaste por haberla deseado y buscado. Hallaste la gracia increada, que es el mismo Dios hecho Hijo tuyo, y con ella todos los bienes, para repartirlos a beneficio de los hombres con tanta plenitud, que no hay uno que por tu medio no se pueda salvar, pues así como el sol fue creado para que iluminase toda la tierra, así lo fuiste tú para distribuir las divinas misericordias, siendo cosa indudable que desde el momento en que fuiste constituida Madre del Redentor del mundo, adquiriste para dispensarlas jurisdicción suprema.

Concluyamos esto exhortando a quienquiera que desee conseguir alguna gracia recurra a María con toda confianza, seguro de que nada que le pida le puede Dios negar, porque halló la gracia, y a su disposición la tiene a todas horas. Busquemos la gracia, y busquémosla por medio de María. Ésta es la voluntad del Autor de todo bien. Todo, sin excepción alguna, quiere que pase por sus manos puras. Y pues que para obtener cualquier favor necesitamos confianza, pasemos a ver ahora cuán firme es la que en María podemos poner cuando nos acercamos a pedir alguno.

Punto segundo.— ¿Qué fin tuvo el Señor cuando depositó en aquellas manos virginales las riquezas de su misericordia, sino el que las distribuya entre sus devotos, puesto que ellos la aman, veneran y con tanta confianza imploran su auxilio y favor?

"Todos los tesoros en mi mano están para enriquecer a los que me aman", expresiones de la Escritura que le aplica la santa Iglesia en todas sus festividades. Para ninguna otra cosa como para socorrer nuestra miseria tiene y conserva estos tesoros de gracia y vida eterna la riquísima Virgen, en cuyo seno depositó el Señor la abundancia de tantos bienes, a fin de que, repartidos entre los pobres quedásemos todos ricos y felices. Canal precioso por donde corren continuamente. Por esto san Gabriel, aunque la encontró, al saludarla, llena de gracia, le dijo que el Espíritu Santo, viniendo a su seno purísimo, la llenaría más y más. Pero, ¿cómo, si ya estaba colmada? Lo estaba, ciertamente, pero el divino Espíritu la colmó de nuevo abundantemente, para que de tanta abundancia llegase su parte a cada uno de nosotros.

Quien me halla, dice la misma Señora, hallará la vida con tanta felicidad como tomar el agua de una fuente caudalosa. Basta pedirle cualquier cosa para conseguirla. Antes que naciese no recibían los hombres la abundancia de gracias que ahora brotan del cielo, porque faltaba el canal por donde se nos comunicasen. Mas en el presente, que la tenemos, qué beneficio se nos podrá negar acudiendo a los pies benditos de esta Madre de misericordia. Es a todos ciudad de refugio. Pues, acudan a ella todos sus hijos, y les dará mucho más de cuanto ellos acierten a pedir.

No hay duda que a muchas personas sucede lo que vio una vez en espíritu una sierva de Dios. Se le representó la Reina de los cielos en figura de una fuente abundante de la que muchos sacaban agua en gran cantidad, pero solamente los que habían ido con los cántaros o vasijas en buen estado eran los que la llevaban sin derramarse, porque los demás, que iban con las vasijas rotas, es decir, con pecado en el alma, aunque también sacaban, pronto se les iba toda; si bien es positivo que a todos los hombres, buenos y malos, descienden por su medio a cada hora bienes innumerables.

Aviven con esto sus devotos la confianza todas las veces que recurran a Ella, para lo cual no olviden dos cosas principales, que son los deseos que esta Señora tiene de favorecernos y el poder ilimitado para alcanzarnos cuanto quiera. Sus deseos bien los acredita el motivo de esta festividad, esto es, la visita que hizo a su prima santa Isabel. Setenta millas dicen que hay de Nazaret a Hebrón, ciudad de Judá, y, no obstante, al momento que el ángel habló se puso en camino doncella tan tierna y delicada. Pues, ¿quién la impedía? Su caridad ardiente, aquella caridad que respiraba su dulce corazón, deseoso de empezar desde luego a ejercer su oficio de dispensadora de la divina gracia. No iba con ánimo curioso de cerciorarse de lo que el ángel le había dicho tocante al embarazo de la anciana Isabel, sino llena de júbilo y con deseos vivos de favorecer aquella casa, dándose prisa a caminar por el gusto que sentía en hacer el bien y con el alma puesta en el fin piadoso a que la guiaba su misma bondad.

Ni se crea que por verse ya tan feliz en el cielo su amor para con nosotros se haya entibiado o menoscabado; antes es mayor ahora, porque allí conoce más claramente nuestras necesidades y tiene más compasión de nuestras miserias, anhelando hacernos mayores beneficios que los que nosotros podemos desear; tanto que como el hacer bien lo tiene de índole y natural inclinación, se da por ofendida de los que no acuden a implorar su misericordia.

Bien podemos asegurar que quien la hallare, hallará todo bien. Y hallarla, ¿quién no puede, por más pecador que sea? ¿No sabemos que es benigna? ¿No es cierto que siempre admite a cuantos recurren a su protección? "A todos los llamo", nos está diciendo con rostro afable; "a todos los espero, ansío que todos acudan a mí, y si el mayor pecador del mundo quiere venir a buscarme, puede estar seguro de que no le desecharé".

Cualquiera, pues, que pretenda su verdadera felicidad, la tiene pronta, porque allí está la Madre deseando granjearle la gracia y salvación con sus poderosos ruegos.

Y ésta es la otra reflexión que debe animar nuestra confianza: saber con seguridad que en favor de sus devotos obtiene todo cuanto pide. Para confirmación de esta verdad, observemos la virtud y eficacia que tuvieron sus palabras en esta ocasión que vamos considerando, porque apenas las pronunció quedaron Isabel y su hijo llenos de la gracia del Espíritu Santo. Mucho es lo que a Dios agrada que le pida esta Señora por nosotros alguna cosa, porque entonces lo que nos da, lo considera concedido a su Madre más que a nosotros, queriéndola de este modo honrar y obedecer como a su verdadera Madre, según se vio también en las bodas de Caná, donde por darle el gusto hizo aquel gran milagro.

Vayamos, pues, con toda confianza (nos exhorta el Apóstol) al trono de la gracia para alcanzar misericordia. Este trono es María. Si deseamos, pues, conseguir la gracia, corramos a María con esperanza cierta de ser escuchados. Busquemos la gracia, y busquémosla por su medio, porque cuando el Espíritu Santo la colmó de su dulzura y suavidad, la hizo tan agradable a los ojos de Dios, que cuantos favores pidamos por su medio seguramente los alcanzaremos.

Y si damos fe al dicho tan sabio, de san Anselmo, de que a veces somos escuchados más pronto recurriendo a María que a nuestro Salvador, no porque el Señor deje de ser la fuente y dueño de todas las gracias, sino porque valiéndonos del favor de la Madre e intercediendo ella por nosotros tendrán sus ruegos mucho más eficacia. No nos apartemos nunca de sus sacratísimos pies diciéndole con los afectos del corazón como a tesorera y dispensadora de todos los bienes celestiales que, pues, es la salud y consuelo del género humano, se digne abrirnos las puertas de la divina misericordia, alcanzándonos especialmente los auxilios más conducentes a nuestra salvación, para lo cual nos hemos de poner totalmente en sus piadosas manos, como lo hizo aquel siervo de Dios, fray Reginaldo, de la sagrada Orden de Predicadores, por consejo de una de las dos santas vírgenes que acompañaban a María Santísima cuando se le apareció para darle salud. ¡Qué dicha tan grande ser visitado por esta soberana Señora! Pero si deseamos favores semejantes, visitémosla y venerémosla frecuentemente en sus imágenes y santuarios, y acaso mereceremos un favor parecido al que voy a referir en el siguiente:

EJEMPLO.— En las Crónicas de los Padres Franciscanos se cuenta que, yendo dos religiosos de su Orden en peregrinación a un santuario de la Virgen, se les hizo de noche en medio de un bosque muy grande, por lo cual afligidos en extremo, no sabían qué hacer; pero caminando un poco más, les pareció que veían entre las sombras una casa. Se acercan, y era en efecto así. Van a tientas por las paredes, hallan la puerta y oyen que preguntan de adentro quién era. Respondieron que dos pobres religiosos que habían perdido el camino y pedían albergue por aquella noche, temiendo dar con alguna fiera. Sin decir más, ven abrirse la puerta, salir dos pajes ricamente vestidos y saludarlos con mucha cortesía. Los religiosos les preguntaron quién era el dueño o persona que habitaba en aquella casa, y les respondieron que una señora de gran caridad. —Quisiéramos ir a darle las gracias del favor que nos hace— dijeron los religiosos, y los pajes contestaron que los llevarían a verla, porque ella les quería hablar. Suben la escalera, y todas las salas estaban iluminadas, adornadas y dando de sí una fragancia de cielo. Entran finalmente, donde estaba una señora de gran majestad y hermosura, la cual los recibió con benignidad, preguntándoles a dónde iban. Dijeron que a un santuario de la Santísima Virgen, y la señora volvió a decir: —Pues entonces les daré una carta que les podrá ser útil—. Y mientras decía esto ardían sus corazones en amor de Dios y se anegaban en un gozo nuevo antes nunca experimentado. Se fueron de allí a acostar, aunque apenas podían dormir del contento que sentían en sus corazones.

A la mañana siguiente fueron otra vez a darle las gracias y tomar la carta que, en efecto, les dio, con la cual se despidieron y continuaron su camino. Mas, a poca distancia, repararon que no llevaba destinatario y decidieron volver; pero por más vueltas que dieron, no hallaron rastro de la casa. Entonces abren la carta para ver a quién iba dirigida y encontraron que María Santísima escribía a los mismos religiosos, diciéndoles que ella había sido la señora que habían visto, y que, por la devoción que le profesaban, les había deparado en aquella soledad posada y cena; que siguiesen así y les remuneraría sus obsequios favoreciéndoles en vida y en muerte. Al pie estaba la firma que decía: *Yo, María Virgen.* Consideremos cómo quedarían los buenos religiosos, qué gracias darían a Nuestra Señora y qué nuevos afectos y encendidos deseos sentirían en sus almas de amarla y servirla hasta la muerte.

ORACIÓN.— ¡Virgen inmaculada, Virgen bendita!, pues tienes el piadoso encargo de repartir a los hombres los favores y misericordias divinas, con justicia puedo y debo llamarte esperanza mía, esperanza de todos. Bendigo mil veces al Señor por haberme dado en ti el medio seguro de alcanzar la gracia y mi salvación, aunque sé que los méritos de Jesucristo, tu santísimo Hijo, son los principales. Ahora, Virgen benigna, como fuiste a visitar a tu prima, date prisa a venir a la casa de mi alma del mismo modo. Mejor que yo sabes cuán pobre y necesitada está, cuántos afectos desordenados la combaten, cuántos apetitos desordenados, cuántos hábitos malos, cuántos pecados cometidos, y otros infinitos males que la inclinan y arrastran a su perdición. Tú, que eres la salud de los enfermos y tesorera de los caudales del Señor, la puedes fácilmente librar de todas sus miserias y dejarla rica.

Visítame con frecuencia en la vida, visítame especialmente en la hora de la muerte, porque entonces me será más necesaria tu asistencia. No es que pretenda yo (indigno soy de tan alto favor) que me visites en esta vida con tu presencia visible, gracia concedida a muchos de tus fieles siervos; mas ellos no lo desmerecían ni habían sido ingratos como yo; y así me contento con verte después en el paraíso celestial, donde con incesantes acciones de gracias por los favores recibidos de tu mano te amaré eternamente. Ahora me basta que me visites con tu misericordia y ruegues por mí. Ruega por mí, Señora, intercede por mí ante tu dulce Hijo. Tú conoces mejor que yo mis necesidades y miserias. ¿Qué más puedo yo decir? Ten misericordia de mí. No digo más, porque soy tan rudo y ciego, que ni siquiera conozco ni sé pedir lo que necesito. Reina y Madre mía, hazlo tú por mí; alcánzame aquellas gracias y auxilios que veas son más convenientes y necesarios al bien de mi alma. En tus manos me pongo totalmente, no pidiendo más a la Majestad divina sino que, por los méritos de mi Señor Jesucristo, me conceda lo que tú le pidas por mí. A tus súplicas nada se niega. Son súplicas de Madre presentadas en el acatamiento del Hijo que tanto te ama y que tanto se complace en acceder a cuanto tú deseas, para honrarte más de esta manera y acreditar el amor tierno que te tiene. Quedamos en esto, Señora. En ti confío y en tus manos queda mi salvación eterna. Amén.

DISCURSO SEXTO

DE LA PURIFICACIÓN

Sacrificio excelentísimo que hizo en este día
la Reina de los cielos ofreciendo a Dios la vida de su Hijo

Dos preceptos imponía la ley antigua al nacer el primogénito de cada familia. En el uno mandaba Dios que la madre estuviese cuarenta días, como inmunda, encerrada en casa, después de los cuales fuese al templo a purificarse. En el otro ordenaba que los padres le ofreciesen el hijo en el mismo templo, y la Santísima Virgen cumplió con ambos en este día. Al primero no estaba, ciertamente obligada, porque siempre fue Virgen pura; pero, por efecto de humildad y obediencia, quiso ir a purificarse con las otras madres. Cumplió con el segundo presentando a su Hijo al Eterno Padre, pero haciéndolo de otro modo y con otro espíritu muy diferente de lo que solían las demás al ofrecer los suyos. Éstas bien sabían que aquello no era más que una simple ceremonia legal; pues, rescatándolos por unas cuantas monedas, los recobraban en el acto, sin quedarles el temor de ofrecerlos a la muerte después. Pero María ofreció realmente a su Hijo a la muerte, estando cierta de aquel sacrificio, entonces empezado, se había de consumir a su tiempo en el ara de la Cruz; de suerte que, ofreciendo a Dios la vida preciosa del Hijo tan querido, en realidad se ofreció a sí misma toda entera, cual víctima de amor.

Omitiendo, pues, las demás consideraciones de esta sagrada festividad, fijemos únicamente la atención en la grandeza de este sacrificio que hizo de sí misma la Virgen María, con ofrecer tan entera y generosamente la vida de su dulce Hijo.

Había Dios decretado salvar al hombre perdido por la culpa, librándole de la muerte eterna; pero queriendo que esto fuese sin menoscabo de su divina justicia, exigió que su unigénito Hijo satisfaciese la pena que nosotros merecíamos. Para esto le envió al mundo, dándole por Madre a María; mas ni quiso que no fuese, ni que el Redentor diese la vida sin prestar ella primero su consentimiento, a fin de que juntamente con éste sacrificase la Madre su Corazón puro, pues, como la calidad de madre da siempre derecho sobre el hijo, siendo Jesús inocente, y no merecedor de pena alguna, pareció justo que la misma Señora consintiese de voluntad en aquel sacrificio tan costoso. Desde la Encarnación tenía dado el consentimiento; pero fue voluntad de Dios que en este día, solemnemente y en medio del templo, se ofreciese a sí misma en agradable sacrificio juntamente con su Hijo santísimo.

Pues, empecemos a contemplar el dolor que le causó y las virtudes heroicas que practicó en aquel acto difícil y admirable. Veámosla encaminarse con paso acelerado a Jerusalén, lugar del sacrificio, llevando abrazada, con gran amargura, la víctima preciosa. Entra en el templo, llega al altar y, con sin igual modestia, humildad y devoción, presenta el

Hijo al Eterno Padre. Al mismo tiempo, Simeón, a quien Dios había prometido no morir sin haber tenido el consuelo de ver nacido el Mesías, recibe en sus brazos de manos de la Virgen al divino Infante, y entonces, iluminado por el Espíritu Santo, profetiza a la Madre lo mucho que le había de costar el sacrificio que entonces hacía de su querido Hijo, en unión del cual había de ser también sacrificada su alma bendita.

Contemplando este misterio santo Tomás de Villanueva dice que el santo viejo se hubo de quedar al principio silencioso y turbado, lo que viendo la Virgen, le preguntó por qué se contristaba en medio de tanto gozo y consuelo, a lo que el sacerdote respondió: "¡Virgen noble, gran pena me da el tener que anunciarte hoy cosas de tanto dolor! Pero, pues que Dios así lo dispone para tu mayor merecimiento, escucha lo que voy a decir: Llegará día en que este Niño, que ahora te causa tanto placer, y con razón tan justa, producirá en tu alma el dolor más terrible que jamás experimentó criatura nacida, y esto ha de ser cuando lo veas hecho blanco de la malicia de los hombres, perseguido, injuriado, maltratado y al fin, muerto en un patíbulo delante de ti. Y aunque no morirás padeciendo en el cuerpo tormentos como los muchos martirios que este Señor ha de tener, serás mártir en el corazón".

Sí, en el corazón, porque no fue otra la espada que atravesó su pecho santísimo que la compasión de las penas de aquel Hijo tan amado. Bien sabía la divina Señora por la lectura de las Santas Escrituras y la enseñanza interior del Espíritu Santo, lo que el

Salvador había de sufrir, mayormente en su sagrada Pasión. Bien sabía por los profetas que uno de sus discípulos le había de vender; que los otros le habían de abandonar; que había de sufrir desprecios, irrisiones, salivazos y bofetadas, hasta venir a ser la mofa y vilipendio de la plebe; que su cuerpo santísimo había de ser desgarrado, despedazado y hecho todo una llaga, como leproso, a fuerza de golpes y azotes, y que, finalmente, había de perder la vida en un madero por la salvación de los hombres. Pero cuando el santo viejo le anunció que su alma sería traspasada con cuchillo de dolor, se le descubrieron en particular las circunstancias de todas aquellas penas, así interiores como exteriores.

Mas en todo consciente, y con una constancia que pasmó a los mismos ángeles del cielo, pronuncia la sentencia de que muera Jesús, y muera con toda aquella ignominia y dolor diciendo: "Padre Eterno, pues que tú lo quieres, hágase tu voluntad, y no la mía; con la tuya santísima me conformo plenamente, sacrificando en tus manos este Hijo querido, consintiendo que pierda la vida por tu gloria y la salvación de los hombres, y sacrificando juntamente mi corazón para que sea herido, angustiado y afligido cuanto tú quieras, a fin de que así quedes tú glorificado y complacido". ¡Oh, caridad sin límites! ¡Oh, constancia inaudita! ¡Oh, victoria digna de admiración eterna! Constante en esta resolución, no despegó sus labios cuando el Salvador, fue acusado ante Poncio Pilato, ni cuando el juez reconoció su inocencia, y sólo por asistir al sacrificio se presentó públicamente en el monte Calvario, permaneciendo firme hasta el sacrificio.

Sería necesario conocer la grandeza del amor que ardía en su pecho maternal, para que entendiésemos hasta dónde llegó la violencia que interiormente tuvo que hacerse esta Madre amantísima. Por lo regular, suele ser muy grande el amor de las madres para con sus hijos, y así, cuando los ven cercanos a morir, olvidan todas sus faltas y aun los disgustos y malos tratos que tal vez han recibido de ellos, y es indecible la pena que entonces sienten y los extremos que hacen, con tener de ordinario repartido el amor entre muchos hijos u otras personas o cosas del mundo. Pero esta Madre no tenía más que un Hijo, y éste, no sólo sin defectos, sino el más hermoso y cabal de todos los hijos de los hombres: amable, obediente, inocente, santo, y en fin en todo perfecto, como que era Dios; ni se hallaba dividido su amor entre otros, ni en amarle temía que pudiese haber exceso, por saber que merecía ser amado con infinito amor. Éste fue el Hijo que sacrificó en este día.

Cualquiera puede imaginar aquí lo que esto le costaría y la fortaleza de su ánimo invicto en este caso, siendo el Hijo quien era. Si fue la madre más dichosa del mundo por ser Madre de Dios, fue también la más afligida y angustiada que hubo jamás, por haberle tenido que destinar a la muerte desde que fue concebido, y especialmente hoy. ¿Qué madre querrá tener un hijo sabiendo que le debe entregar a una muerte cruel e ignominiosa y verle morir a sus propios ojos? Pues María Santísima acepta serlo con esta dura condición, y aun le inmola por su propia mano. ¡Con cuánto gusto hubiera sufrido, a cambio de librarle, todas aquellas penas, hasta beber el cáliz de la muerte! Pero pues era voluntad de Dios que le sacrificase venciendo, aunque con sumo dolor y dificultad, toda la ternura de tan fino amor, siendo así mucho mayor su violencia y generosidad si hubieran recaído los tormentos en su propia persona, con lo que superó la prontitud y valentía de los mártires, pues habiendo éstos ofrecido su vida, la Virgen inmoló la del Hijo, a quien amaba, sin comparación, más que a sí misma.

Ni aquí se limitaron las penas de esta desconsolada Señora, sino que entonces empezaron, porque de allí en adelante continuamente tuvo presente la muerte, y los dolores que el Cordero inmaculado había de padecer, creciendo en su corazón maternal el cúmulo de las penas a proporción que con la edad iba descubriendo en Él mayor gracia, amabilidad y belleza. ¡Oh, Madre dolorosa! Si hubieras amado menos, o hubiera sido tu Hijo menos amable de lo que era, menor sin duda hubiera sido el ofrecerle tu sentimiento; pero no hubo ni habrá nunca madre que más amase que tú, porque no se vio jamás hijo ni más amoroso para con su madre ni que tan digno fuese de amor como lo es el tuyo. Si cualquiera de nosotros hubiese visto la hermosura y majestad de aquel divino infante, ¿hubiera tenido ánimo de entregarle a padecer y morir en medio de tan grandes tormentos? Pues ¿cómo tú, Señora, siendo Madre amantísima y Él la misma inocencia, tuviste corazón para tanto?

¡Qué escena tan dolorosa tuvo desde aquel día delante de los ojos del alma esta Virgen amante! ¡Ay, que el amor le representaba continuamente a su Hijo en la agonía del huerto, atado a la columna y hecho todo una llaga, coronado de espinas y clavado en la cruz. ¡Mira, Madre, le decía el amor, mira el Hijo que ofreces y a qué penas y muerte le ofreces! ¿De qué sirve que le libres ahora de las manos de Herodes, si después ha de tener su vida término tan lastimoso?

Así que se puede decir que el sacrificio fue de toda la vida y de cada instante de ella porque hasta el día de su gloriosa Asunción a los cielos no tuvo alivio su dolor, ni le faltó del pecho la espada penetrante que el sacerdote le predijo. Ni a dolor tan intenso hubiera podido resistir un instante si Dios, con su soberana virtud, no la hubiera confortado, sosteniéndole el hilo de la vida para que pudiese padecer. Vivía muriendo, porque a cada hora la asaltaba el temor de la muerte de su amantísimo Hijo, sobresalto más temeroso que la misma muerte.

Por el mérito relevante que así contrajo en nuestro favor la llaman los santos "reparadora del género humano, redentora de los cautivos, reparadora del mundo perdido, restauradora de nuestras miserias, Madre de todos los fieles, Madre de los vivientes y Madre de la vida"; pues habiendo unido íntimamente su voluntad con la de su Hijo y ofrecido juntos un mismo sacrificio, obraron ambos la redención y dieron la salud a los hombres: Jesucristo, satisfaciendo por nuestros pecados, y María alcanzándonos con sus ruegos que esta satisfacción se nos aplicase, por lo que puede sin dificultad ser llamada "Salvadora del mundo", habiendo merecido esta dicha con la pena que padeció ofreciéndole voluntariamente al rigor de la divina justicia.

Ahora bien, habiendo sido constituida de esa manera Madre de todos los redimidos, es razón que creamos que sólo por su mano se les distribuyen los dones de la divina gracia, los medios para conseguir la vida eterna y todo el fruto de la Pasión; porque si a Dios agradó tanto que Abraham le quisiese inmolar en el monte a su hijo, que por esto le prometió multiplicaría su descendencia como las estrellas del cielo, ¿cuánto más grato le sería el sacrificio de esa Madre amantísima? En premio de tanto amor y generosidad, le concede el Señor que cada día se multiplique el número de sus dichosos hijos, que son los escogidos.

A san Simeón Dios había prometido no morir sin ver al Mesías; pero ¿por quién mereció esta gracia? Por medio de María. ¿Dónde le vio? En sus brazos virginales. Así, todo el que quiera encontrar a Jesús no tiene que buscarle sino por conducto de María. Acudamos, pues, a esta divina Madre con toda confianza si deseamos hallar al Señor. Reveló la misma Virgen a una sierva suya, que todos los años en este día de la Purificación se dispensa a un pecador una misericordia grande. ¿Quién sabe si alguno de nosotros será uno de estos afortunados? Si nuestros crímenes son enormes, mayor es su misericordia; su divino Hijo nada le niega, y si está enojado con nosotros, la Madre piadosa se encarga de aplacarle. Cuenta Plutarco que Antípatro escribió una vez a Alejandro Magno una carta muy larga llena de quejas contra Olimpia, su madre, y que, leída, dijo Alejandro: "¿No sabe Antípatro que mil cartas como ésta quedan borradas con una lágrima de mi madre?" Así nos hemos de imaginar que responde Jesucristo a las acusaciones del enemigo cuando María ruega por nosotros: "¿No sabe Lucifer que una palabra de mi Madre basta para que olvide Yo todas las ofensas de cualquier pecador?" Leamos, para comprobarlo, el siguiente:

EJEMPLO.— Este ejemplo no se ha escrito hasta ahora en ningún libro, pero lo sé por habérmelo contado un sacerdote compañero mío, con quien la cosa pasó. Es, pues, el caso que estando él confesando en cierta iglesia de un pueblo, que se calla por justos respetos (aunque el penitente dio licencia para que el hecho se publicase), se le puso delante un joven que parecía querer y no querer confesarse. Habiéndole el Padre mirado varias veces, al fin le llamó, preguntándole si, en efecto, se quería confesar. Respondió que sí; pero, temiendo que la confesión fuese larga, se fueron a una habitación retirada. Allí empezó el joven a decir que era forastero y de familia noble, pero que, habiendo tenido una vida muy mala, no pensaba que Dios le pudiese perdonar. Fuera de los innumerables pecados de deshonestidad, homicidios y otros, dijo, que estando ya desesperado de su salvación, había seguido cometiendo maldades, no tanto por gusto, cuanto por despecho y odio contra Dios. Entre otras cosas, le dijo que llevaba consigo un santísimo Cristo, a quien por burla y desprecio había dado azotes. Añadió que aquella misma mañana había ido a comulgar sacrílegamente, ¿y con qué fin?, con el de pisar después la sagrada Hostia, cosa que estaba ya para poner en práctica cuando pasó gente y se contuvo para que no le viesen, y, en efecto, envuelta en un papel, entregó al Padre la Hostia. Después dijo que, pasando por la puerta de aquella iglesia, había sentido un impulso tan grande de entrar, que no pudo resistir, y en seguida un gran remordimiento de conciencia, con alguna voluntad de confesarse, aunque confusa y con poca resolución; que a este fin se había puesto delante del confesionario, pero con tal confusión y desconfianza, que ya quería volverse, pero que le parecía que una mano invisible le detenía por fuerza; hasta que usted, Padre —dijo— me llamó. Aquí estoy y quiero confesarme, pero no sé cómo. Éste le preguntó si en todo aquel tiempo había tenido alguna devoción, queriendo significar en la Virgen Nuestra Señora, porque triunfos como éste de conversiones tan maravillosas no vienen sino por las manos de aquella Reina poderosísima. —¿Qué devoción, Padre, si ya me tenía por condenado? —Repasa mejor la memoria —le volvió a decir el confesor—. Nada, Padre —respondió él—, como no sea esto —y metiendo la mano en el pecho le enseñó un escapulario de Nuestra Señora. —¿Lo ves, hijo? A la Virgen Santísima debes gracia tan especial, y este lugar en el que estamos es iglesia suya—. Entonces el joven se comenzó a compungir y llorar, y continuando la confesión, creció tanto el dolor y las lágrimas, que cayó en tierra, al parecer, desmayado. El Padre procuró volverle en sí, y acabada la confesión, le volvió, con gran consuelo del penitente, alegría y firme resolución de cambiar de vida, volviéndose a su patria después de haber dado permiso de publicar la misericordia extraordinaria que había usado con él la Reina de los ángeles.

ORACIÓN.— ¡Oh, Santísima Madre de Dios y Madre mía! ¿Conque fue tanto tu amor para conmigo, que llegaste a ofrecer a la muerte por mí a tu dulcísimo Jesús? ¡Ah, Señora, si tan verdaderos y ardientes son tus deseos de mi salvación, bien puedo poner en tus manos mi confianza! Sí, Virgen bendita; en ti la pongo plenamente. Pide al Señor, por lo que mereciste en el sacrificio costosísimo de su preciosa vida, que tenga compasión de mi alma, pues por ella quiso morir.

También yo desearía ofrecerle hoy mi corazón para imitarte; pero temiendo no lo acepte por verlo tan abominable, te pido que tú se lo ofrezcas en tus manos puras, y entonces no lo desechará. Aquí me tienes, Madre benigna; a ti me entrego todo, ofréceme al Eterno Padre como cosa tuya, uniéndome con la oferta de mi piadoso Redentor y suplicándole que por los méritos de su Pasión santa y respeto a ti, me reciba por suyo para siempre. Amada Madre mía, por amor de este Hijo querido, sacrificado por mí en el ara de la Cruz y hoy ofrecido de antemano con tanta amarga pena, no me dejes un instante para que nunca vuelva a perder su gracia y amistad. Dile que soy tuyo; dile que tengo puesta en ti toda mi esperanza; dile que me quieres salvar, y seguramente me salvaré. Amén.

DISCURSO SÉPTIMO

DE LOS DOLORES DE LA VIRGEN MARÍA

María fue Reina de los mártires
por haber sido su martirio más prolongado
y penoso que el de todos ellos

¿Habrá entre los hombres corazón tan duro que oyendo aquel caso único y lastimoso acaecido en el mundo, no se ablande y conmueva? Era una Madre noble y santa, la cual tenía un Hijo único, el más amable, inocente, hermoso y amante de su Madre de cuanto se pueda imaginar; en tan alto grado, que, lejos de haber dado el más mínimo disgusto a Madre tan querida, siempre le había tenido sumo respeto, obediencia y amor, y todo el de la Madre estaba concentrado en su amantísimo Hijo. Pero, por envidia de sus enemigos, fue falsamente acusado, y el juez inicuo, por no disgustarlos, después de confesar su inocencia, le condenó a muerte infame, como ellos pedían, y su angustiada Madre le vio morir en la flor de la edad a fuerza de tormentos. Almas devotas, ¿qué dicen oyendo esto? ¿No es caso lastimoso? ¿No es digna aquella Madre de nuestra compasión? Bien entienden de quién hablo.

El Hijo ajusticiado con tanta inhumanidad es nuestro amado Redentor, y su Madre es María Santísima, que por tu amor le vio sacrificado a la divina Justicia en manos tan crueles. Pues esta pena que sufrió María, pena mayor que si hubiera muerto mil veces, merece de nuestra parte compasión y agradecimiento. Mas si con otra cosa no le podemos corresponder, a lo menos detengámonos hoy un poco a considerar la amargura de esta pena con que fue mártir y Reina de los mártires, por haberlos a todos superado en el padecer, pues como martirio fue el suyo más prolongado y doloroso que el de todos ellos.

Punto primero.—Llámase Jesucristo Rey de dolores y Rey de mártires porque padeció en esta vida más que los otros y, a semejanza suya, se llama Reina de mártires la Virgen María, porque su martirio fue el mayor de cuantos el mundo vio, fuera del de su santísimo Hijo. ¿Y quién le labró la corona? Sus penas y angustias, mayores que las de todos los mártires juntos.

Que fuese mártir verdadera no se puede poner en duda, como sea cosa constante que para el martirio basta sufrir un dolor suficiente para quitar la vida, aunque por alguna causa no se llegue a perder; y así, es venerado por mártir san Juan Evangelista, sin embargo, no murió en la tina de aceite hirviendo, antes bien salió de ella con mejor aspecto que cuando entró, porque para merecer y ver la gloria de mártir no es menester más que ofrecernos a la muerte. Pues María lo fue en realidad, no a manos de verdugos, sino a fuerza de penas en el corazón más que sobradas para darle muchas muertes cuanto más una; y como su pena, o mejor diremos, muerte lenta, fue de casi toda la vida, excedió en padecer, cuanto a la duración, a todos los mártires.

Desde el nacimiento empezó Jesús a padecer, y a su imitación su Santísima Madre; *Mar amargo* quiere decir su nombre, entre otros significados que tiene, y por esto se le aplican las expresiones del profeta Jeremías: "Grande como el mar es tu quebranto". Toda el agua del mar es amarga y salada, y toda la vida de esta Señora fue mar de amargura, ocasionada de tener continuamente presente la Pasión de su Hijo; porque no podemos dudar que, iluminada por el Espíritu Santo, entendiese todas las profecías concernientes a su Pasión y muerte mucho más claramente que los Profetas que las anunciaron, y que la compasión de los dolores que el Señor había de sufrir por pecados ajenos, angustiase sobremanera el ánimo de aquella tiernísima doncella aun antes de la Encarnación del divino Verbo. Después se aumentó mucho más el martirio, y hasta la muerte no se le acabó.

Y esto, sin duda significaba la visión que tuvo santa Brígida en Roma, dentro de una capilla de Santa María la Mayor, donde se le apareció la Virgen Nuestra Señora con el santo anciano Simeón y un ángel que traía en la mano una espada larga y ensangrentada, símbolo del dolor amargo que traspasó el pecho de la Madre todo el tiempo que le duró la vida. De suerte que parece que nos está diciendo: "Almas redimidas, hijas de mis dolores, no limiten su compasión a las tres horas en que al pie de la Cruz vi expirar a mi dulce Hijo, que mucho antes empezaron mis penas, y al darle, de Niño, el pecho, y al estrecharlo entre mis brazos y a todas horas, antes y después de la resurrección, tuve viva y como reciente la llaga profunda en medio del alma".

De esta manera, el tiempo, que suele mitigar las penas a los afligidos, no alivió en nada las de María, sino al contrario: cuanto más pasaba, mayores eran, descubriendo por una parte cada día más hermosura y amabilidad en el blanco dulcísimo de su amor, y viendo, por otra, correr tan aprisa el tiempo de su Pasión y muerte. Crece la rosa, pero crece entre espinas; y así esta Señora vivió siempre cercada de espinas y tribulaciones.

Pasemos a contemplar ahora la grandeza de su amor.

Punto segundo.— No fueron solamente de larga duración las penas de María Santísima, sino también mayores y más intensas que todas las que sufrieron los mártires de la santa Iglesia. ¿Quién es capaz de comprender hasta dónde llegaron? Bien podemos exclamar con el profeta Jeremías, y decir: ¡Oh, Señora! ¿A quién hemos de compararte? Inmenso, como son los mares, es tu dolor. ¿Quién te aliviará? ¿Quién te consolará? No hay amargura, como la del mar, ni dolor hay tampoco que iguale a tu dolor; tanto, que si por milagro especial no te hubiese Dios conservado la vida, hubiera bastado para quitártela lo que sufrías a cada momento. Y aún más llega a decir un santo; que, repartiendo aquel padecer entre todas las criaturas capaces de razón o de sentimiento, hubiera bastado para que muriesen todas repentinamente.

Ahora bien, ¿cuáles fueron las causas de dolor tan extraño? La primera fue que los mártires sufrieron en el cuerpo; pero María padeció en el alma, como lo anunció Simeón. Y cuanto el alma es más noble y delicada que el cuerpo, tanto excedieron sus penas a las de los otros mártires, siendo cierto que no hay comparación entre los dolores del espíritu y los de la carne, como dijo Nuestro Señor a santa Catalina de Siena. Según esto, quien se hubiese hallado en aquel monte de amargura cuando el Salvador expiró en la cruz, hubiera visto allí dos altares, uno en el cuerpo del Redentor, y otro en el Corazón de María, pues al mismo tiempo que el Hijo sacrificaba con la muerte su cuerpo santísimo, sacrificaba la Madre su alma con la compasión.

La segunda causa fue que los otros mártires ofrecieron sus vidas; pero la invicta Virgen sacrificó la de su Hijo, a quien amaba más que a su propia vida; de suerte que no sólo sufrió en el espíritu todo lo que el Señor sufrió en su sagrada humanidad sino que, además, le causó más sentimiento la vista de las penas de su Hijo que si en sí misma las hubiera sufrido todas. Y en esto no hay duda, porque las aflicciones de los hijos son aflicciones de las madres cuando los ven padecer; testigo fue la madre de los Macabeos, que habiendo presenciado el tormento de sus siete hijos, padeció en el corazón el martirio de todos ellos. Lo mismo sucedió con esta Madre afligida; todos los dolores, azotes, espinas, clavos y cruz que atormentaron las carnes inocentes de Jesús, penetraron en el corazón de la Madre, que interiormente era como un espejo de los dolores del Hijo, y allí se veían retratados los golpes, llagas, salivazos, y todas las penas que nuestro divino Salvador padecía, repartidas por todo su cuerpo, estaban juntas en el corazón de su dolorosa Madre.

De este modo, por la fuerza de la compasión a su querido Hijo, fue dentro de su amantísimo corazón azotada, coronada de espinas, clavada en la cruz; y así le podemos preguntar: Señora, ¿dónde estabas aquel día? ¿Cerca de la cruz solamente? No, sino en la misma cruz, y con tu Hijo crucificado. Y tú, Señor, con razón te quejabas de que en la hora solemne de nuestra redención no hubiese a tu lado ningún hombre que se compadeciese de ti tanto como era debido, pero hubo una mujer, que fue tu madre, la cual sufrió en su amoroso corazón todo cuanto tú sufriste en tu sagrada humanidad.

Pero poco es lo que hemos dicho hasta aquí, porque mucho más fue lo que padeció de ver a su Hijo padecer que si todo lo hubiera ella sufrido. Regularmente los padres sienten más los males de sus hijos que los suyos propios; y si no en todos es así, en María lo fue, sin duda alguna, porque amando más, sin comparación, a su Hijo que a su vida, y mil vidas que hubiera tenido, su pena fue mayor de verle padecer que si hubiera tenido que sufrir en su propia persona todos los tormentos de la Pasión. Y se ve claramente porque, como dicen, más está el alma donde ama que donde anima, y donde cada uno tiene su tesoro allí tiene su corazón. Si, pues, por la vehemencia del amor, más que en sí misma vivía íntimamente unida con su dueño, cierto es que le fue más amargo y sensible verle morir que si hubiera perdido la vida millares de veces.

De aquí se infiere que otra de las causas para que su martirio fuese incomparablemente mayor que el de todos los mártires, fue haber padecido, no solamente más, sino también sin alivio ni consuelo alguno. Padecían los mártires; pero, por el amor que tenían a Jesucristo, todo se les hacía dulce y suave. Fue san Vicente descoyuntado en el potro, descarnado con garfios de hierro, tostado con planchas encendidas; pero hablando con el tirano mostraba tal fortaleza y desprecio de los tormentos que parecía ser uno el que hablaba y otro el que padecía; tanta era la dulzura del amor con que el Señor le recreaba en medio de aquella atrocidad.

Rasgaban con escorpiones de hierro el cuerpo de san Bonifacio, le introducían astillas de caña entre las uñas y la carne, le echaban por la boca plomo derretido, y él no cesaba de repetir: "Gracias te doy, Señor mío Jesucristo". Sufrían los santos Marcos y Marcelino, atados a un madero, con los pies clavados, y llamándoles el tirano infelices y exhortándolos a que se librasen de aquellas penas, respondían que jamás se habían visto en banquete que les diese más gusto.

Sufría san Lorenzo, pero mientras se quemaba en las parrillas vivo, otro fuego más poderoso, que era el amor divino, ardía dentro de su pecho; y éste le daba tal valentía, que se atrevió a burlarse del tirano, diciéndole: "Ya estoy asado de un lado; vuélveme del otro y come de mi carne". ¿Cómo era posible solazarse de esta manera en el acto de estar padeciendo martirio tan atroz y prolongado? ¡Ah! Con aquella santa embriaguez del amor divino se puede decir que no sentía ni los tormentos ni la muerte.

Vemos, pues, que cuanto más amaban a Jesucristo, tanto menos sentían los dolores, bastándoles para confortarse poner la vista en su Dios crucificado.

Pero nuestra Madre Santísima, ¿qué consuelo recibía del amor de su Hijo y de la vista de sus penas? Ninguno; antes bien, el Hijo que padecía era todo el motivo del dolor, y el amor que le tenía era el verdugo más cruel de todos. Porque su martirio consistió precisamente en la vista y compasión de las penas que sufría su Hijo adorado, y por eso, cuanto más era el amor, más era el dolor y menos el alivio. A los otros mártires el amor les mitigaba las penas y sanaba las heridas; pero a ti, Reina de los cielos, ¿qué cosa pudo aliviarte, qué lenitivo suavizar las llagas de tu corazón? Tienen consigo los otros mártires cada uno los instrumentos de su pasión: san Pablo, la espada; san Andrés, las aspas; san Lorenzo, las parrillas; pero tú tienes en el regazo a tu mismo Hijo como instrumento y causa única de tu padecer.

Cuanto más amamos una cosa, más sentimiento nos causa perderla, y así, sentimos más la muerte de un hijo o de un hermano, que la de una persona extraña. Pues por esta regla, para conocer a dónde llegó el sentimiento de María Santísima en la muerte de su divino Hijo, sería menester que supiésemos cuánto le amaba. Pero, ¿quién podrá medir amor tan encendido? Juntos ardían en su corazón dos amores vivos, natural y sobrenatural, que eran el de Madre y el de amante de su Dios y Señor, y ambos levantaban una llama de caridad tan intensa, o, por mejor decir, tan inmensa, que a más no es posible llegue la que en un alma puede caber. Luego si era inmenso el amor, inmenso fue también el dolor.

Imaginemos, pues, que estando al pie de la cruz, esta Madre dolorosa nos dice las palabras del Profeta Jeremías: "Ustedes, los que pasan por el camino, atiendan y vean si hay dolor semejante a mi dolor; ustedes, que van corriendo por el camino de la vida, sin que se paren un poco a compadecerse de mí, deténganse un instante y contémplenme ahora que estoy viendo expirar a mi dulce Hijo, para ver si en todo el mundo se hallará persona más afligida y angustiada que yo". Así es, Virgen dolorosa; no hay dolor que se pueda comparar al tuyo, porque nunca hubo hijo más amable que Jesús, ni madre tan amante como tú.

De este modo, si aseguramos que padeció más que todos los mártires juntos en uno, aún diremos poco, porque comparadas con sus penas, las de todos ellos fueron casi nada, cuando las de esta Madre angustiada llegaron a tan alto grado, que sólo ella se compadeció de la muerte de Dios hecho hombre todo cuanto era debido.

Pero, Señora, ¿por qué tú fuiste a sacrificarte al monte Calvario? ¿No bastaba, para redimirnos, Dios crucificado, sino que también quiso ser crucificada su Santísima Madre? Ciertamente basta para redimir el mundo, y mundos infinitos; pero como el amor de nuestra Madre para con nosotros fue tan grande, quiso contribuir a nuestra salvación con el mérito de sus dolores, ofreciéndose en el Calvario por nuestro bien, de modo que si por tan señalada fineza debemos agradecimiento a nuestro Divino Redentor, agradecimiento debemos a su piadosa Madre, la cual gustosamente padeció tanto por que saliésemos del estado infeliz de la culpa; pudiéndose decir que el único alivio que experimentaba en medio de tantas aflicciones era el saber que con la muerte y Pasión del Salvador del mundo íbamos a quedar para siempre reconciliados con Dios.

Agradezcamos este amor tan fino de María Santísima, siquiera con meditar y compadecer sus dolores, sabiendo que se queja de que sean tan pocas las personas que la acompañan en su sentimiento ni que aun se acuerden de lo mucho que por nosotros padeció; siendo, por el contrario, muy de su agrado que traigamos sus penas fijas en la memoria, según manifestó a los siete Santos varones fundadores de la Orden de los Servitas, cuando les dio el hábito de color negro que habían de usar como despertador continuo del fin e instituto de aquella sagrada religión. Conforme a lo cual, reveló también Jesucristo a la Beata Verónica de Binasco que casi más se complace de que nos compadezcamos de las penas de su amantísima Madre, por el inmenso amor que le tiene, que de las suyas propias.

Y Pelbarto refiere que se le reveló a santa Isabel que después que María subió a los cielos, deseó volverla a ver san Juan Evangelista, lo cual le concedió su dulcísima Madre, juntamente con Jesucristo Nuestro Señor, y mientras aquel favor duraba, oyó que la Madre pedía a su Hijo querido alguna gracia especial para los devotos de sus dolores, y que Jesucristo le prometió estas cuatro muy principales: 1ª. Que todo el que la invoque por los méritos de sus dolores, hará penitencia de sus pecados antes de morir. 2ª. Que Él guardará a todos estos devotos en las tribulaciones, y especialmente a la última hora. 3ª. Que imprimirá en sus almas la memoria de su Pasión, y después, en el cielo, les dará el premio correspondiente. 4ª. Que pondrá en manos de María a dichos devotos de sus dolores, para que disponga de ellos como le agrade y les alcance los favores que guste. Veámoslo confirmado con el siguiente:

EJEMPLO.— Se cuenta en el libro de las Revelaciones de santa Brígida, que hubo un caballero de tanta nobleza por su nacimiento como de perversas costumbres, pues habiendo hecho pacto expreso con el demonio de ser esclavo suyo, había vivido sesenta años sin acercarse a recibir los Sacramentos, con la disolución y abandono que es consiguiente. Pero le llegó la hora de salir de este mundo y, queriendo Jesucristo usar con él de misericordia, mandó a santa Brígida que le enviase su confesor y le exhortase a confesar. Fue el confesor, pero el enfermo se excusó con decir que ya otras veces se había confesado. Fue por segunda vez, y el otro se mantuvo en su obstinación. Mandó Jesucristo de nuevo a la santa que enviase al confesor, el cual volvió la tercera vez, y le descubrió la revelación, añadiendo que volvía porque el Señor deseaba usar con él de misericordia. Al oír esto el enfermo se enterneció y empezó a llorar, exclamando: "¿Cómo he de alcanzar yo perdón de mis pecados, habiendo servido al demonio por espacio de sesenta años y cometido innumerables pecados?" El confesor le animó, prometiéndole perdón de parte de Dios. Entonces, animándose, dijo que, aunque había desesperado de su salvación, teniéndose por condenado, ya sentía dolor y arrepentimiento de sus maldades y confiaba en la misericordia divina. En efecto, aquel mismo día se confesó cuatro veces con gran dolor, el siguiente comulgó, y al sexto murió contrito y resignado en la voluntad de Dios. Después habló de nuevo Jesucristo a santa Brígida, descubriéndole que el alma de aquel pecador estaba en el purgatorio y que se había salvado por intercesión de la Virgen, su Madre, porque en medio de la vida desgarrada que había llevado, siempre había tenido devoción a los dolores de la misma Señora, compadeciéndose de ellos siempre que se le venían a la memoria.

ORACIÓN.— ¡Oh, Virgen dolorosa, Reina de los mártires! ¿De qué me servirán las muchas lágrimas que por mí derramaste en la Pasión y muerte de tu santísimo Hijo, si al fin me hubiese de condenar? Pues, por los méritos de tus dolores te pido que me alcances verdadero dolor de mis pecados, enmienda completa en las costumbres y continua y afectuosa compasión de las penas de mi Señor Jesucristo y de las tuyas. Y, pues, que ambos, siendo inocentes, padecieron tanto por mí, alcáncenme que yo, reo de muerte eterna, sufra también algo por tu amor. Finalmente, Madre mía, por aquella congoja que sintió tu amoroso pecho al ver a tu Hijo inclinar la cabeza y expirar en el madero de la Cruz, te pido me obtengas la gracia de una buena muerte. En aquella hora de combate y agonía que ha de llegar, en aquel paso para la eternidad no dejes de asistirme, ¡oh, abogada de pecadores! Y como entonces será fácil que pierda el habla y no pueda invocar tu santísimo nombre y el de Jesús, a ambos esperanza mía, desde ahora, los invoco y llamo, pidiendo humildemente que me socorran en trance tan amargo, para lo cual, al presente digo y diré mil veces: Jesús y María, en tus manos santísimas encomiendo mi espíritu. Amén.

REFLEXIONES SOBRE
LOS SIETE DOLORES EN PARTICULAR

PRIMER DOLOR

PROFECÍA DE SIMEÓN

Nacemos para llorar en este valle de lágrimas, y cada día tenemos algo que sufrir; pero mucho más penosa fuera la vida si supiésemos de antemano todos los males que nos esperan. Nos mira en esto Dios con ojos compasivos, ocultándonos las cruces que nos ha de poner para que no las padezcamos dos veces. No lo hizo así con María Santísima, porque habiéndola destinado para Reina de dolores y en todo semejante a Jesucristo, le puso a la vista con anticipación todas las penas del porvenir, que fueron las de la Pasión y muerte de su santísimo Hijo.

Consideremos, pues, que teniendo Simeón en los brazos al divino Infante, anunció a la Virgen piadosa que aquel Niño sería signo y blanco de contradicción y persecución, y que por esto había de ser su alma (la de la Madre) traspasada con el cuchillo del dolor.

Reveló la misma Señora a santa Matilde que, al oír este vaticinio, se le trocó en tristeza su alegría, porque aunque, según fue también revelado a santa Teresa, sabía ya la Madre bendita que su Hijo había de ser sacrificado por la salvación de los hombres, entonces conoció en particular, y con más distinción, las circunstancias de su Pasión y muerte, descubriéndosele claramente cómo sería perseguido y contradicho en todas las cosas. Contradicho en la doctrina, porque, en vez de ser creído, sería tratado de blasfemo por enseñar que era Hijo de Dios, como lo declaró Caifás aquella triste noche. Contradicho en la estimación, porque, siendo de sangre real, sería menospreciado y tenido por vil.

Es la sabiduría por esencia, y fue tratado por ignorante, de falso profeta, de loco, de borracho, de glotón, de amigo de gente mala, de hechicero, de hereje y de endemoniado, y, en fin, de hombre tan notoriamente criminal que, para condenarle, no era menester proceso, como dijeron a Pilato los judíos. Contradicho en el espíritu, porque a fin de que la divina Justicia quedase del todo satisfecha, hasta su Eterno Padre se negó a consolarle cuando decía: "Padre, si es posible, pase de mí este cáliz", y le dejó abandonado al temor y tristeza, en tales términos, que faltó poco para que la aflicción y desamparo le quitasen la vida, y de la pena y lucha interior de su alma llegó a sudar sangre de todo su sacratísimo cuerpo. Finalmente, fue contradicho y perseguido en el cuerpo y la vida, porque recibió heridas y tormentos en las manos, pies, rostro, cabeza y todos los miembros, hasta morir desangrado y vilipendiado en un madero infame.

Cuando, en medio de las delicias reales, oyó David la intimación de la muerte de su hijo, hecha por boca del profeta Natán, empezó a llorar amargamente, y se arrojó por tierra y afligió su cuerpo con riguroso ayuno. Escuchó María con confianza admirable el anuncio de la muerte de su unigénito Hijo, y con la misma se mantuvo siempre; pero, ¿cuál sería su dolor viendo continuamente delante de sus ojos aquel Hijo amable, cuyas palabras eran de vida eterna, en cuyas acciones resplandecía la santidad?

Si tanto padeció Abraham en su ánimo durante los tres días que fue con su hijo hablando y acercándose al monte donde le había de sacrificar, ¿qué dolor sería el de esta Madre amantísima por espacio, no de tres días, sino de treinta y tres años; no por un hijo como Isaac, sino incomparablemente más digno de ser amado? Ni una hora tuvo libre su alma sensible de tan agudo dolor. Cuantas veces le miraba, cuantas le vestía, cuantas tocaba aquellos pies delicados y aquellas manos tiernas, otras tantas quedaba como sumida en dolor, pensando que algún día sería puesto en una cruz. Le estrechaba entre sus brazos con amor encendido; pero cuanto mayor era la fuerza del amor, más amargo también era el manojo de mirra abrazado a su pecho, considerando que la fortaleza de los santos había de estar agonizando, la hermosura del paraíso sería desfigurada, el Señor del mundo atado como reo, el Creador del universo azotado bárbaramente, el supremo Juez sentenciado a morir, la gloria de los cielos despreciada, el Rey de los reyes coronado de espinas y tratado como rey de burlas.

Cuando le daba el pecho purísimo se le presentaba la hiel y vinagre; cuando le envolvía, las sogas y cordeles; cuando le llevaba en brazos, que había de ser crucificado, y cuando dormía, muerto y sepultado, arrasándose de lágrimas y oprimiéndosele de amargura el corazón.

Dice el evangelista que, al paso que Jesús crecía en los años, así también delante de Dios y de los hombres iba creciendo en gracia. Quiere decir que a vista de los hombres iba manifestando cada día mayor gracia y sabiduría, y a la de Dios. Porque si desde el principio de su ser no hubiera tenido la plenitud de santidad y gracia debida a la unión hipostática, cada hora hubieran ido sus méritos creciendo por la excelencia y dignidad de todas sus obras. Ahora bien, si el Señor crecía diariamente en el amor y aprecio de los hombres, ¿cuál sería en el de su Madre Santísima? Pues en la misma proporción se aumentaba la pena de haberle de perder algún día, y cuanto más se iba la muerte acercando, más profundamente atravesaba su puro corazón la espada que le anunció el profeta.

La consecuencia que aquí debemos sacar es que si Jesucristo, nuestro divino Capitán, y su dulce Madre no rehusaron por nuestro amor sufrir toda la vida pena tan atroz, no será justo que nosotros nos lamentemos de lo muy poco que en este mundo tengamos que sufrir. Una vez se apareció el Señor crucificado a Sor Magdalena Orsini, religiosa dominica, que de tiempo en tiempo padecía una grave tribulación y animándola a perseverar consigo en la cruz con aquel trabajo, ella respondió lamentándose: "Señor, tú no estuviste más que tres horas en la tuya, y yo estoy clavada en ésta muchos años ha". Entonces le dijo el Redentor: "¿Qué dices, ignorante? Desde que fui concebido tuve en el corazón todas las penas que padecí en la Cruz". Pues con esta doctrina, cuando venga sobre nosotros cualquier aflicción o trabajo, imaginémonos que Jesús y María nos dicen a nosotros lo mismo.

EJEMPLO.— Cuenta el P. Roviglione, de la Compañía, que un joven que tenía la devoción de rezar algo todos los días a una imagen de Nuestra Señora de los Dolores con las siete espadas, cayó una noche en pecado mortal. Habiendo ido a rezar la mañana siguiente, como de costumbre, vio en el pecho de la Señora, no siete, sino ocho espadas, y oyó una voz que le decía que su pecado era la octava espada clavada en su afligido corazón. Oído lo cual, se fue desde allí a confesar, y recobró la gracia por la intercesión de la soberana Señora.

ORACIÓN.— ¡Oh, Madre Santísima!, yo he clavado en tu corazón tantas espadas como pecados he cometido, y como reo merezco la pena, no tú, que eres inocente. Pero, pues has querido tomarla por mí, alcánzame un verdadero dolor de mis pecados y paciencia para sobrellevar los trabajos de esta vida, que por grandes que sean, siempre serán menores de lo que tengo merecido. Hazlo así por tu bondad. Amén.

SEGUNDO DOLOR

HUIDA A EGIPTO

Así como la cierva herida, dondequiera que va, lleva consigo clavada la saeta, así, después de la profecía de Simeón, la Madre Santísima llevó consigo siempre la espada del dolor penetrante con la memoria continua de la Pasión que había de sufrir su dulcísimo Hijo. Los cabellos de púrpura o de oro que se atribuyen a la esposa de los Cantares, dice un autor que eran los pensamientos que esta Virgen preciosa tenía empleados constantemente en la Pasión y en la sangre que de sus llagas sacratísimas había de correr. Su hijo era la saeta que llevaba atravesada en el corazón, tanto más honda y dolorosa, cuanto Él, con los años, más iba descubriendo de hermosura y amabilidad. Consideremos, pues, el segundo dolor, que fue la huida a Egipto.

Cerciorado ya Herodes del nacimiento del Mesías, temió que le había de quitar el reino, y temió neciamente, porque no venía el Señor a conquistar el mundo guerreando, sino a sujetarle admirablemente muriendo. Esperaba, pues, el mal rey saber de boca de los Magos, el lugar fijo del nacimiento de aquel Niño, para quitarle la vida sin dilación; pero, no viéndolos volver, y dándose por engañado, al instante mandó dar muerte despiadada a todos los niños de la ciudad de Belén y sus contornos. Mas apareciéndose el ángel a san José le mandó que huyese a Egipto con el Salvador y su Madre, poniéndose en camino el santo aquella misma noche, como parece lo indica el Evangelio. Exclamaba diciendo la soberana Señora: "Pues qué, Dios mío, ¿ha de huir de los hombres el que viene a salvarlos?" Y entonces vio cuán pronto empezó a cumplirse lo que había profetizado el anciano de aquel divino Infante: sería como signo de contradicción, pues, apenas nacido, ya le perseguían y buscaban para matarle. ¡Qué pena tan amarga para el corazón de la tierna Madre oír que se les intimaba orden tan ejecutiva de destierro, y tener que dejar precipitadamente los parientes para vivir entre extraños, y cambiar el templo de Dios por los templos de la idolatría! ¡Qué mayor tribulación como que un niño recién nacido tenga que huir colgado del cuello de madre tan pobre y delicada!

Considérese lo que en este viaje sufriría la doncella purísima. El camino era largo, y, al menos, según dicen, de treinta días, áspero, pedregoso, lleno de malezas y apenas frecuentado. El tiempo, de invierno, con fríos, lluvias y fangos. María, doncella de quince años, no acostumbrada a semejantes viajes, y sin criado ni criada que le sirviese. ¡Cuánta compasión no causaba al ver huir a esta inocente Virgen de tan tierna edad con el Hijo en los brazos acabado de nacer! ¿Con qué se alimentaban? ¿Dónde se hospedaban? ¿Dónde dormían? ¿Qué otro alimento pudo ser suyo sino algún pedazo de pan duro que san José llevase, o que pidiesen de limosna? ¿Dónde habían de dormir, especialmente mientras duraban las doscientas millas que hay de desierto, sino en la dura tierra y al sereno, o entre matorrales y peligros de las fieras y malhechores? ¿Quién al encontrarlos hubiera imaginado lo que eran? ¿Quién no los hubiera más bien tenido por tres pobres mendigos y vagabundos?

Llegados a Egipto, unos dicen que habitaron en Manturea y otros que en Menfis, quedando a nuestra devota consideración el estimar lo mucho que sufrirían los siete años que parece permanecieron allí. Eran extranjeros desconocidos, pobres desvalidos, y apenas con mucho sudor y trabajo, ganaban lo preciso para sustentarse con estrechez. A tanto llegó a veces su indigencia, que pidiendo pan el Niño a su Madre, aquejado por el hambre, no lo tuvo. Oigan esto los pobres para su consuelo.

Luego que murió Herodes, volvió el ángel a aparecerse a san José, mandándole volver a tierra de Judea; y aquí reflexiona san Buenaventura que hubo de ser mayor entonces a la piadosa Madre la pena y fatiga que la vez primera, porque para ir el Niño por su pie era todavía demasiado tierno, y para ser llevado en brazos, ya muy grande, pues había cumplido los siete años.

¿Qué aprenderemos, pues, de Jesús y María, fugitivos y peregrinos? A vivir como tales en este mundo, sin aficionarnos a sus bienes pasajeros, como que pronto los hemos de dejar para ir a la región eterna. Aquí somos como huéspedes o viajeros, que en un momento ven las cosas y el siguiente pasan adelante.

También hemos de aprender a abrazar la cruz de los trabajos que Dios nos envíe, porque en este mundo nadie vive sin cruz. Para que así lo entendiese fue llevada una vez en espíritu la B. Verónica de Binasco acompañando a Jesús y María en aquella huida, y acabado el camino, le dijo Nuestra Señora: "Hija, ya has probado la fatiga de tan largo viaje; ahora conocerás que nadie sin padecer merece gracias y favores del cielo". El modo de sufrir menos es hacer buena compañía al Señor y a su Madre. Así es como todas las penas de este mundo se aligeran y dulcifican. Amémoslos a entrambos, y consolemos a la Madre acogiendo dentro de nuestros corazones a su Hijo santísimo, que aún sigue perseguido y maltratado por los pecadores.

EJEMPLO.— Se apareció una vez María Santísima con el Niño Jesús todo llagado a santa Coleta, diciéndole: "Así tratan a mi Hijo los pecadores, y así le vuelven a crucificar. Ruega, hija, que se conviertan". Y la B. Juana de Jesús, también franciscana, estando un día meditando este mismo misterio de la huida a Egipto, oyó estrépito como de gente que iba persiguiendo a uno que huía, y a poco vio delante de sí un niño muy hermoso, cansado y fugitivo, que le decía: "Escóndeme, querida Juana. Yo soy Jesús Nazareno, que vengo huyendo de los malos; me quieren matar como Herodes: líbrame tú".

ORACIÓN.— Madre afligida, ¿y no están satisfechos los hombres de haber quitado la vida una vez a tu precioso Hijo, sino que, multiplicando iniquidades, le persiguen todavía con tanto encarnizamiento y a cada hora renuevan tus dolores? Mas ¡ay!, que yo también le perseguí dulce Madre. Alcánzame del Señor lágrimas abundantes para llorar mi ingratitud; por las penas que uno y otro sufrieron en la huida a Egipto, les ruego me asistan en este viaje, por donde camino a la eternidad, para que llegue felizmente al puerto de salvación, donde en su compañía le vea y ame por todos los siglos. Amén.

TERCER DOLOR

EL NIÑO PERDIDO

Nos dejó escrito el apóstol Santiago que la perfección del cristiano está en la virtud de la paciencia; y como Dios nos quiso dar a la Virgen María como modelo de perfección, fue conveniente que acumulase penas en su alma pura para que en Ella tuviésemos todos ejemplo que admirar e imitar. Ahora bien, uno de los dolores más terribles que padeció en el curso de su vida fue el que vamos hoy a considerar de aquellos tres días que tuvo perdido a su dulce Hijo.

Poco sienten verse privados de la luz del día los ciegos de nacimiento, pero mucho los que la pierden después de haber visto y gozado. Del mismo modo, muy poca pena tienen de haber perdido a Dios los infieles pecadores que no le conocen por estar sumidos en las cosas terrenas; pero aquellas almas dichosas que, ilustradas de los rayos de la divina luz, tuvieron la suerte de experimentar la suavidad del amor divino y los regalos de la dulce presencia del Sumo Bien, ¡qué desconsuelo sienten si alguna vez, por sus altos juicios, se les esconde! Pues como María gozaba continuamente de la dulcísima presencia de su Amado, imaginémonos cuán aguda fue esta tercera espada de dolor, materia del presente discurso.

Cuenta san Lucas el suceso, diciendo que, como acostumbrase Nuestra Señora ir a Jerusalén todos los años a celebrar la Pascua en compañía de Jesús y de san José al volver una vez, siendo ya el Niño de doce años, se quedó en la ciudad, pensando la Madre que iba con otra gente. Mas cuando habiéndose todos vuelto a juntar vio que faltaba, se volvió corriendo a buscarle a Jerusalén.

Considérese cuál sería en este caso tan imprevista su aflicción y congoja, y cómo iría preguntando por todas partes, con más amor y más ansia que la santa Esposa: "¿Quién ha visto al amado de mi alma?" Mas como nadie le diese razón, diría con mucho más afán y desconsuelo que Rubén, cuando buscaba a su hermano José: "Mi amado no aparece, y yo no sé ya qué más hacer, porque vivir no puedo sin él que es todo mi bien y mi tesoro". Quizá repetiría las palabras de David: "Pan me son las lágrimas día y noche, mientras que me preguntan: ¿dónde está tu Dios?" Creíble es que aquellas tres noches no durmiese un instante, pasándolas en llorar y pedir al Padre protegiese a su amantísimo Hijo, y dirigiendo al Hijo sin cesar suspiros y expresiones sin comparación más tiernas y sentidas que las de la Esposa: "¿Dónde estás, Hijo mío, dónde estás? Oiga yo tu voz y volaré a tus brazos, y no andaré perdida por más tiempo, y tendrán fin las ansias con que te busco, y hallará de nuevo su tesoro mi corazón".

Hay quien piensa, con algún fundamento, que éste fue de todos su más sensible dolor, porque al fin en los otros siempre tuvo consigo a su querido Hijo, como en la profecía de Simeón y en la huida a Egipto; mas éste lo sufrió apartada de Él y sin hallarle, por más que le buscaba con tanto afán. "La luz de mis ojos he perdido", repetiría derramando torrentes de lágrimas. "Al Hijo de mi corazón he perdido y no le hallo". Más padeció que todos los mártires. Tres días fueron sólo, pero tres siglos de agonía le parecieron. ¿Quién le había de consolar faltándole su consolador? Y más, de los otros dolores conoció la ocasión, que de todos fue querer el Señor redimir el mundo por aquel medio; pero de haberle perdido ignoraba la causa, afligida por una parte, de verse privada de su dueño amoroso, y por otra creyéndose indigna, como tan humilde, de poseer tesoro tan rico. "¡Quién sabe —diría tal vez— si le habré servido mal! ¿Si me habrá dejado por alguna negligencia mía?"

Cierto es que para las almas que aman a Dios mucho, no hay mayor pena que el temor de haberle disgustado, y sin duda por esto de ningún otro se lamentó, sino de éste, quejándose amorosamente a Jesús, cuando le halló: "Hijo mío, ¿por qué lo has hecho así con nosotros? Tu padre y yo te hemos buscado con gran aflicción". Con cuyas palabras de ningún modo pretendió reprenderle, blasfemia inventada por los herejes, sino únicamente manifestarle el sentimiento y pena que había tenido, nacida de entrañable amor.

En prueba de lo penetrante y dolorosa que esta espada fue, pidiendo una vez con insistencia la Beata Bienvenida a Nuestra Señora que le diese parte de aquel dolor, y apareciéndosele, al fin, la Madre con el Niño en los brazos, después de permitirle gozar un rato de la vista del hermosísimo Infante, desaparecieron, y fue tal la pena de la sierva de Dios que daba voces a la Virgen y le suplicaba por piedad que no la dejase morir. A los tres días se le volvió a aparecer, y entonces le dijo que entendiera que su dolor no había sido más que una sombra en comparación con el que Ella sufrió todo aquel tiempo que estuvo su Hijo perdido en Jerusalén.

Este gran dolor ha de servir de alivio a las personas privadas de la amorosa presencia del Señor que antes gozaban. Lloren enhorabuena pero sea con paz y confianza, imitando a María y no creyendo que por esto han perdido la gracia de Dios, porque, como dijo el Señor a santa Teresa: "Nadie se pierde sin conocerlo; nadie se engaña sin quererse engañar". Se oculta, pero no se va. Se oculta para ser buscado con más amor, y deseo. Y quien hallarle quisiere, sepa que no ha de buscarle donde haya placeres mundanos, sino armado de mortificación y de cruz, como María le buscó y le encontró.

En segundo lugar, y principalmente, busquen los pecadores a Jesús, y fuera de Jesús no busquen otra cosa. No fue desdichado Job cuando lo perdió todo, pues no perdió a Dios, en quien todo lo tenía. Infelices y muy infelices son las almas que por el pecado han perdido a Dios. Si María derramó tantas lágrimas por verse privada de Él sin culpa, ¿qué deben hacer los pecadores viéndose sin la gracia divina? Miren que el pecado quita la vida del alma, que es Dios. Miren que todo es humo, miseria y nada fuera de Dios. "¡Ay —dice san Agustín—, que muchos, si pierden una bestia, no descansan hasta que la encuentran, y habiendo perdido a Dios, siguen comiendo y bebiendo sin pena ni cuidado ninguno!"

EJEMPLO.— En las cartas anuales de la Compañía de Jesús, se escribe que en las Indias hubo un joven que, yendo a salir de su cuarto para hacer una cosa mala, oyó que le decían: —¿A dónde vas? Detente. Y vuelto, vio que una imagen de Nuestra Señora de los dolores, puesta en la pared, se sacó una de las espadas y le dijo: —Toma esta espada y hiéreme con ella, más bien que herir a mi Hijo con ese pecado. Oyendo estas palabras, el joven se postró en tierra, y muy arrepentido pidió perdón a Dios y a su Madre, con gritos y sollozos, y obtuvo misericordia y gracia.

ORACIÓN.— Virgen bendita, ¿por qué buscas a tu amado Hijo con tan grande angustia? ¿No sabes que reside dentro de tu mismo corazón? ¿No dijiste tú: "Mi amado para mí y yo para mi amado, que vive entre azucenas?" Todos tus pensamientos, afectos y deseos, tan humildes, tan puros, tan santos, azucenas fragantes son que mueven al Esposo divino a venir a recrearse en tu dulce seno. Virgen Inmaculada, tú suspiras por Jesús, tú, que no tienes otro amante. Suspire yo, Señora, y suspiren también los que no le aman; ¿qué digo amar?, que desdichadamente le han dejado y perdido. ¡Ay, Madre mía! Si por mi culpa aún no he vuelto a los brazos de mi piadoso Salvador, haz tú que vuelva sin más demora. De todos los que le buscan y desean se deja encontrar. Enséñame a mí también a buscarle de modo que le encuentre. La puerta eres por donde se le halla. Le encuentre yo pronto y a ti deba yo dicha tan grande. Amén.

CUARTO DOLOR

CALLE DE LA AMARGURA

Para que nos formemos alguna idea del dolor de la Reina del cielo en la muerte de su santísimo Hijo, lo hemos de medir con su amor. Como propias sienten las penas de sus hijos las madres, y por eso cuando pidió al Señor la Cananea que librase a su hija del demonio que la atormentaba, sus expresiones fueron éstas: "Señor, ten misericordia de mí y libra a mi hija del enemigo". Pero ¿qué madre hubo nunca que amase tanto a sus hijos como al suyo amó esta Señora? Era Hijo único, creado con mil afanes, amable y amante de su Madre, hombre y Dios; y como venido al mundo para encender en los corazones el fuego de la caridad, imaginémonos qué llama encendería en el de su santa Madre, tan puro y tan vacío de todos los afectos humanos. Del suyo y el del Hijo había el amor hecho un solo corazón y el conjunto maravilloso de esclava y Madre de Hijo y Dios, levantaron en el pecho maternal un amor compuesto de mil amores y un incendio de mil incendios. Pero en la Pasión se convirtieron llamas tan altas en un mar de penas, y tan vehementes que, en el sentir de san Bernardino, todas las del mundo juntas hubieran sido menos, porque cuanto con más ternura amó, más honda fue la llaga, especialmente al encontrarle con la cruz a cuestas, yendo a morir al lugar del suplicio, cuarta espada y dolor que vamos a contemplar.

Lágrimas abundantes le venían a los hermosos ojos y sudores fríos le corrían por todo el delicado cuerpo cuanto más se acercaba la sagrada Pasión.

Llega, por fin, el día tan temido, y habiéndole pedido el Señor su licencia y consentimiento para ir a padecer y morir, ella pasó velando y llorando toda aquella noche dolorosa. A la mañana empezaron a venir los discípulos, quién refiriéndole un paso, quién otro, y cada cual más triste, de lo que iba el Señor padeciendo en casa de Anás, de Caifás y de los otros sitios y tribunales. Vino san Juan el último, y trajo la nueva de la injusticia con que le habían condenado a muerte de cruz, y que iba el Cordero inocente camino del Calvario con el grueso madero sobre los hombros. "Ven, Madre Santísima, le diría afligido el Apóstol; ven a dar a tu Hijo el último adiós en la calle por donde ha de pasar para salir al monte".

Salió con él al instante, y a poco vieron los rastros de la sangre dejados por Jesús, que iba ya delante. Atravesó la desconsolada Señora una callejuela para salir al encuentro, y como la conocían los judíos, le dirían, conforme iba pasando, injurias contra su Hijo, y quizá también contra ella. ¡Ay, qué pena para la angustiada Madre ver llegar el terrible aparato de clavos, martillos, cordeles y demás instrumentos de muerte! ¡Qué pena el oír publicar de trecho en trecho la sentencia a voz de trompetas y pregones! Alza después la vista, y entre verdugos ve venir al Señor con la pesada cruz en las espaldas y tan llagado y ensangrentado, que apenas le conoció, porque los cuajarones de la sangre y los golpes y cardenales habían desfigurado su divino rostro.

Mas el amor le reconoció, y entonces se levantó en su purísimo corazón una lucha entre el amor y el temor. El amor le estimulaba a que le mirase, pero el temor rehusaba ver aspecto tan lastimoso.

Finalmente vence el amor, y se miraron uno a otro. El Señor se limpió de los ojos la sangre cuajada y los fijó en su Madre, y la Madre los fijó en su Hijo. ¡Oh, miradas dolorosas con que aquellas dos almas amantes quedaron traspasadas como con dos saetas! Cuando yendo a morir el canciller Tomás Moro le salió al encuentro su hija Margarita, no pudo la doncella decirle más que estas dos palabras: "¡Padre, padre!", y cayó desmayada. María no se desmayó, porque no era decente que perdiera el uso de los sentidos, como dice con acierto Suárez, ni el dolor le quitó la vida, porque la reservaba Dios para mayor martirio que la misma muerte. Quiso abrazar al Hijo, pero los ministros la desviaron sin miramientos, empujando al Señor para que no se parase. Ella va siguiendo sus pasos. ¿A dónde vas, Señora? ¿Tendrás ánimo para ver pendiente de un madero al que es tu vida? "No vengas, Madre mía (podemos contemplar que le dijo interiormente el Señor), porque si estás allí presente, mi suplicio te dará tormentos y el tuyo a mí". Bien lo consideraba; pero, no obstante, se esfuerza y camina siguiendo a su Amado para ser crucificada juntamente con Él.

Pues si, como dice san Juan Crisóstomo, aun de las fieras tenemos compasión; si nos da lástima la leona que va tras el leoncillo llevado al matadero, ¿no la hemos de tener de esta Madre angustiada viéndola ir tan cerca del Cordero de Dios cuando le llevan al sacrificio? Sí, compadezcámonos de sus dolores y de los de su Hijo, nuestro amado Redentor, acompañándole y ayudándole a llevar la cruz, con sufrir la nuestra pacientemente, pues si en las otras penas y pasos de su sagrada Pasión no admitió compañía, a llevar el madero de la cruz quiso le ayudase un hombre para que entendiésemos que la suya sola no nos basta, sin la nuestra, para alcanzar la salvación.

EJEMPLO.— Se apareció una vez nuestro Señor a Sor Dionisia, monja florentina y le dijo: *Piensa en Mí y ámame, que Yo pensaré en ti y te amaré;* pero al mismo tiempo le presentó una cruz en medio de un ramo de flores, significando que con los consuelos de los santos va siempre en este mundo la cruz en compañía. Con la cruz se unen a Dios las almas. Bien lo comprueba el ejemplo de san Jerónimo Emiliano, que, como siendo soldado y hombre muy vicioso, le encerrasen sus enemigos en una torre, afligido de esta tribulación y alumbrado con la luz del cielo, acudió a María Santísima, y con su favor enmendó la vida y empezó tan santamente la carrera de la virtud, que continuándola con gran fervor y adelantándose cada día más, llegó a merecer que le mostrase Dios en el cielo el trono de la gloria que le tenía preparado. Fundó la religión de Somasca, murió en olor de santidad y ahora le veneramos en los altares.

ORACIÓN.— Madre angustiada, por el dolor que sentiste al encontrarte con tu Hijo en la calle de la Amargura, te ruego que me alcances del mismo Señor la gracia de llevar con paciencia las cruces que ahora me envía y las demás que me quiera dar de su mano piadosa. Feliz de mí, si con ellas logro acompañarte hasta la muerte. Mucho más pesadas fueron la tuya y la de tu santísimo Hijo. No rehúso yo abrazar la mía, ya que por mis delitos he merecido tantas veces el infierno. Virgen inmaculada, de ti espero ánimo y fortaleza para sobrellevar las tribulaciones de esta miserable vida, y con la virtud de la perseverancia conseguir finalmente los premios eternos de la otra. Amén.

QUINTO DOLOR

MUERTE DE JESÚS

Un nuevo género de martirio hemos de considerar ahora: una madre dispuesta a presenciar, entre tormentos atroces, la muerte de un hijo inocente y amado con todas las fuerzas de su alma. Dice san Juan que estaba cerca de la cruz, y en tan pocas palabras lo dice todo. En tan pocas palabras entendemos que nunca hubo dolor semejante a su dolor. Vamos con la consideración a meditar en el Calvario esta quinta espada de su traspasado corazón.

Luego que llegó el Salvador al lugar del suplicio le quitaron las vestiduras, y tendiéndole en el madero de la cruz, le clavaron de pies y manos en ella, con clavos romos, para más tormento, como contempla san Bernardo, levantada en alto y metida y afirmada en un hoyo, y así le dejaron desangrarse y padecer hasta morir. Su madre no le abandonó, antes se puso más cerca, esperando su muerte. ¡Ay, Madre honesta! ¿Qué es lo que haces? Si no la ignominia, que al fin, como madre, cae en tu persona, retráigate el horror de tan gran maldad, cual es que muera Dios a manos de sus mismas criaturas. Pero tu forzado corazón no miraba la pena propia: miraba la Pasión y muerte del Hijo tan amado, y le estabas acompañando para que a lo menos tuviese en aquella hora quién se compadeciese de sus dolores. ¡Madre amante! ¡Madre verdadera, a quien no pudo apartar del Hijo moribundo ni aun el espanto de muerte tan cruel!

¡Qué espectáculo tan doloroso era verle enclavado y agonizando, y a la Madre al pie del patíbulo, agonizando igualmente y sufriendo junto con Él

267

todas aquellas penas! Estaba el Señor estirado en la cruz con terrible agonía, entornados, hundidos y casi muertos los ojos, consumidos los carrillos y pegada la piel a los dientes, caídos los labios, abierta la boca, afilada la nariz, triste todo el semblante, inclinada la cabeza, sumido el vientre, empapados los cabellos de sangre, rígidos y helados los brazos y piernas, cubierto de llagas y sangre todo el cuerpo.

Todas estas penas las padecieron los dos, y en tal manera, que quien se hubiese hallado entonces en el monte Calvario, hubiera visto dos altares en que se ofrecían dos holocaustos: uno del cuerpo de Jesús y otro del Corazón de María. O bien el solo altar de la santa Cruz en que se estaba sacrificando el Cordero de Dios, y con Él unida su Madre. "¿Dónde te hallas, Señora? —Le pregunta san Buenaventura—. ¿Al pie de la cruz?" Más bien en la cruz, porque lo que hacían los clavos en el cuerpo adorable del Salvador, eso hacía el amor en tu Corazón atormentado. Muchas madres, por no ver morir a sus hijos, se alejaron de su vista a la última hora; y si alguna, esforzándose le acompaña y asiste, procura por todos los medios aliviarle las ansias y congojas, le compone la cara, le tiene, le conforta, y así entretiene y conforta su propio dolor. Pero tú, ¡oh, Madre la más afligida de todas las madres!, tú asistes a la agonía de tu Santísimo Hijo y no se te concede darle el menor alivio. Le oyó clamar que tenía sed, y no le permitieron que le diese un sorbo de agua con que aliviársela, como no fuese la de sus lágrimas. Le veía tendido en aquel madero y colgado de tres garfios de hierro, y queriendo acercarse para que a lo menos muriese arrimado a su pecho maternal, no le fue posible. Advertía que el afligido Señor estaba con la vista buscando quién en algo le consolase, y en lugar de consuelo, de todos lados le decían nuevos improperios, insultos, burlas y blasfemias, como que todos eran sus enemigos, y otras tantas espadas para el corazón de la Madre. Más crecieron sus penas cuando le oyó lamentarse del abandono en que su Padre le dejaba así padecer, con aquellas palabras tan sentidas que a la triste Señora no se le borraron de la memoria el resto de la vida. Por todas partes le veía lleno de tribulación y amargura, sin poderle aliviar en nada. Y más que todo la afligía conocer que ella misma, con su presencia y sentimiento, se las aumentaba, porque las angustias de la Madre iban a parar al corazón del Hijo; y aun se puede casi decir que padecía más el Señor de verla padecer que de sus propios dolores, así como la Madre, viéndole de aquel modo morir, vivía sin poder morir.

Reveló el Señor a la beata Juana Bautista de Camerino, que cuando estaba ya para morir, fue tanto lo que le entristeció ver al pie de la cruz a su querida Madre, que de la compasión que tuvo de ella murió sin consuelo ninguno. Y conociendo la beata algo de lo que esto fue, clamaba y decía: "Dios mío, no me digas más, que la pena me ahoga".

Grande admiración causaba en los presentes el silencio de Madre tan afligida y agraviada, porque nadie oyó de su boca una queja. Pero si callaban los labios, no callaba el corazón, pues estaba ofreciendo a la divina justicia la vida de su adorado Hijo por el remedio del mundo. Con el mérito de su padecer, cooperó a darnos la vida de la gracia, y así somos hijos de sus dolores. Y si algún alivio tuvo entrada en aquel mar de penas, fue saber que con ellas nos daba vida sin fin. En efecto, las últimas palabras que el Redentor le dijo desde la cruz fueron para encomendarnos por hijos suyos en la persona de san Juan, cuyo oficio amoroso empezó a ejercer al instante; convirtiendo y salvando al ladrón con la eficacia de sus ruegos, pagándole también así, como dicen algunos autores, el buen trato que le hizo siendo salteador de caminos cuando iban fugitivos a Egipto. Otro tanto ha hecho siempre y sigue haciendo con muchos pecadores.

EJEMPLO.— Prometió al demonio un joven de la ciudad de Perusa que le entregaría el alma, con tal que le facilitase el modo de cometer cierto pecado. Lo cometió, y, queriendo el diablo que le cumpliese la palabra, le llevó a un pozo para que se echara en él, amenazándole, si no lo hacía, de llevarlo al infierno en cuerpo y alma. Creyendo el joven que ya no podía escapar de aquellas malditas manos, se subió al brocal para arrojarse dentro; pero, atemorizado de la muerte dijo al enemigo que le faltaba el ánimo de tirarse, y así que le empujara él si quería que se ahogase. Tenía el muchacho al cuello un escapulario de Nuestra Señora de los Dolores, y el diablo le dijo que se lo quitase y le daría el empujón. Pero él, conociendo ya en esto la virtud del escapulario, no se lo quiso quitar, por lo que, después de altercar mucho huyó, al fin, confuso el enemigo, y agradecido el pecador a la Madre Santísima, fue a darle rendidas gracias, arrepentido del crimen y de todos sus extravíos, y mandó colgar por voto la tabla pintada de aquel favor en el templo de Nuestra Señora la Nueva de Perusa.

ORACIÓN.— Madre afligida, y la más angustiada de todas las madres; justa y muy justa causa tienes para llorar la muerte de tu Hijo santísimo. ¿Quién podrá consolarte? Si de consuelo puede

270

servirte alguna cosa, es el pensamiento de haber, con su muerte, vencido al infierno, abierto el paraíso y ganado innumerables almas. Desde aquel trono de la cruz reina y reinará en tantos corazones que, atraídos por la dulzura de su amor, se abrazarán con Él y le servirán con lealtad y perseverancia. Permíteme también a mí, Señora, acercarme a ti y acompañarte en tu llanto, porque habiéndole ofendido innumerables veces, tengo más que nadie razón para llorar. Madre de misericordia, por la muerte preciosa de mi amante Redentor y el mérito de tus dolores, espero confiadamente perdón de mis pecados y la salvación de mi alma. Amén.

SEXTO DOLOR

LANZADA Y DESCENDIMIENTO DE LA CRUZ

Lágrimas abundantes son necesarias ahora para acompañar a la Reina del cielo en este nuevo dolor o muchos dolores, porque si antes iban las penas martirizando su santísimo Corazón una después de otra, ahora parece que todas juntas le han asaltado. Vamos a contemplarlas con toda ternura y devoción.

Basta decir a una madre que ha muerto su hijo, para que más se le inflame y renueve todo el amor materno, y tanto, que alguna vez, como especie de consuelo, los que le dan el pésame le recuerdan los disgustos que de él recibió. Pero en ti, Señora, no tiene lugar esto; siempre te respetó, siempre te obedeció, siempre te amó tu Hijo. ¿Quién podrá, pues, decir a dónde llega tu aflicción? Dilo tú, si es posible.

Muerto que fue el Redentor divino, dice un autor devoto, que lo primero que hizo interiormente la Madre piadosa fue acompañar el alma de su Hijo, y presentarla en manos del Padre, diciendo: "Padre, te presento el alma santísima de tu Hijo y mío, y pues que te ha sido obediente hasta morir, recíbela en tus brazos amorosos. Satisfecha queda tu divina justicia, cumplida tu soberana voluntad y consumado el gran sacrificio digno de tu gloria". Volviéndose después a mirar el cadáver sacrosanto, dijo así: "¡Oh, llagas preciosas, llagas de amor! Las reverencio, adoro y ensalzo porque por medio suyo se ha redimido el mundo, y desde hoy quedarán abiertas para ser consuelo y refugio de cuantos a ti recurrirán. ¡Cuántos por tu virtud han de alcanzar perdón! ¡Cuántos, contemplándolas, se han de inflamar en el amor del Sumo Bien!"

Quisieron los judíos que se quitase pronto el cuerpo de la cruz, para no tener a la vista cosa tan triste y funesta el sábado siguiente, que era fiesta solemne; pero como antes de expirar no se permitía bajar del patíbulo a ningún ajusticiado, para que muriese presto vinieron unos hombres con masas de hierro y rompieron las piernas a los dos ladrones. Seguía llorando la madre, cuando los vio venir hacia la cruz del Salvador y se espantó; mas después les rogó muy humildemente que, pues ya estaba muerto su querido Hijo, no le hiciesen aquella nueva injuria ni añadiesen otro dolor a tan desconsolada Madre. Mas, ¡ay!, que mientras esto decía, se ve por otra parte a un soldado, que enristrando la lanza, la vibra y dirige con ímpetu al cuerpo del Señor, y con ella le pasa y abre el santísimo costado. Tembló la cruz, y quedó traspasado el Corazón divino saliendo de él, con un poco de agua, las últimas gotas de sangre, con que nos quiso dar a entender que no le quedaba ninguna más que derramar por nosotros.

La injuria se hizo al Señor, pero el dolor fue para el corazón de la Madre; y, en el sentir de los santos Padres, ésta fue propiamente la espada que profetizó Simeón, no de hierro sino de la pena con que fue herida y martirizada su alma pura y santa en el corazón de su Hijo, donde moraba; de tal manera, que para no morir entonces fue menester un milagro de la omnipotencia divina; que, al fin, en los otros dolores tuvo quien de ella se compadeciese, es decir, a su amoroso Hijo; pero aquí no.

Pues temiendo la dolorida Madre nuevos sarcasmos y afrentas, suplicó a José de Arimatea ir a casa de Pilato y pedirle el cuerpo difunto para llevárselo consigo y librarle de nuevos ultrajes. Lo hizo José y expuso al emperador el gran desconsuelo de aquella Madre afligida; con lo cual dicen que se enterneció y accedió a la demanda.

Le bajan, pues, de la cruz los piadosos varones. Ahora, Virgen pura, te devolverán al Hijo, aquel Hijo que tú diste al mundo por nuestra salud. Pero, "¡ay, mundo ingrato, diría entonces esta Señora, en qué estado y sazón me lo restituyes! Era el más hermoso de los hijos de los hombres, y tú me lo devuelves muerto, cárdeno, denegrido y desfigurado. Con su gracioso aspecto enamoraba los corazones, y ahora causa lástima el mirarle". En fin, cuantas eran las llagas y cardenales, otras tantas espadas herían y martirizaban el pecho maternal.

Para bajarle arrimaron escaleras los santos varones, y primero desclavaron las manos, después los pies, y uno de ellos entregó los clavos a la Madre Santísima. Unos arriba sostenían el cuerpo;

otros abajo; y un autor dice que la misma Virgen, levantada en la punta de los pies, tendió los brazos en alto, y recibiendo en ellos el cuerpo de su Hijo, se sentó con Él abrazada al pie de la cruz. Mira con gran dolor abiertos aquellos labios puros, y los ojos sin vida; va contemplando todos los miembros despedazados, y por las heridas descubiertos los huesos, le quita la corona de espinas, ve atravesada la cabeza santa, y exclama de este modo: "¡Oh, Hijo mío! ¡A qué estado tan lastimoso te ha traído el amor de los hombres! ¿Qué mal han recibido de ti, Hijo mío, mi pena y desconsuelo? Mírame, háblame, y consuela a tu afligida Madre. Pero, ¡ay, que no hablas! ¡Ay!, que no respiras. ¡Espinas atroces! ¡Clavos y lanza cruel! ¿Cómo así han podido atormentar a su Creador? Mas no las espinas y los clavos: ustedes, pecadores, ustedes han sido".

Así lloraba entonces esta Madre afligida; así se lamentaba de nuestra crueldad. Pero si ahora fuese capaz de dolor, ¿qué diría?, ¿cómo se quejaría?, ¿cuánta sería su pena viendo que siguen los hombres crucificando y despedazando a su precioso Hijo?

Pues desistamos de atormentarla ya y si hasta hoy la hemos martirizado tanto al ofender a Dios, oigamos ya sus gemidos y mostrémonos dóciles a lo que ella misma nos está diciendo: "Vengan pecadores, vengan al Corazón llagado de mi dulce Hijo, apelen del tribunal riguroso al ara de la Cruz, del Juez al Redentor, lleguen contritos y quedarán perdonados...". Con los brazos abiertos expiró, y cuando ya depuesto del madero santo, le recibió la Madre en su regazo, le cerró los ojos, pero no le pudo cerrar los brazos, con lo que el Redentor piadoso nos quiso dar a entender que era su voluntad conservarlos abiertos para acoger en ellos a todos los pecadores arrepentidos.

Vengan todos, vuelve a decir María, que ésta es la ocasión de quedar perdonados y reconciliados. No es tiempo ya de temer, sino de amar, pues por amar ha sufrido la muerte. Herido ha quedado su Corazón amoroso del amor invisible. Nos dio su Corazón, justo es que nosotros le demos el nuestro. Añadamos, para concluir, que si no queremos ser desechados del Corazón divino, hemos de ir con María. Así nos recibirá benignamente, como lo comprueba el siguiente:

EJEMPLO.— Cuenta cierto discípulo que hubo un hombre de tan mala vida, que entre otros delitos, había matado a su padre y a un hermano suyo, y andaba por esto fugitivo de la justicia. Entró en una iglesia, y oyendo un sermón de la misericordia de Dios, se fue llorando a los pies del confesor. Éste, oyendo tantos crímenes, le mandó que fuese delante de una Virgen de los Dolores a pedir más dolor y alcanzar remisión de sus pecados. Va, se pone de rodillas al pie del altar, empieza su oración y, dando gemidos, cae a poco en tierra y queda muerto repentinamente. Al otro día, estando el predicador encargando a sus fieles que pidiesen por el alma de aquel hombre, vino volando una paloma, que del pico dejó caer a los pies del sacerdote una estampa, en la cual estaban escritas estas palabras: "Apenas salió del cuerpo el alma del difunto de ayer, subió derecho al cielo; sigue tú predicando y ensalzando la misericordia divina".

ORACIÓN.— Virgen dolorosa, espejo de virtudes, y mar de todas las penas, pues, que las unas y las otras trajeron su principio del amor abrasado que tuviste a Dios; compadécete de mí, pecador miserable, que lejos de haberle amado como debía, le ofendí millares de veces. Gran confianza me inspiran tus dolores, y por ellos te pido, no sólo misericordia y perdón, sino también amar al

Señor en adelante con todos los afectos del alma. Nadie mejor que tú me puede alcanzar esta gracia; tú, que eres la Madre del Amor hermoso. A todos los acoges, a todos los amparas y favoreces; acógeme también a mí y te bendeciré para siempre. Amén.

SÉPTIMO DOLOR

SEPULTURA DEL SEÑOR Y SOLEDAD DE LA VIRGEN

No hay duda que una madre siente en su corazón todas las penas de su hijo si le ve sufrir y morir; pero una de las mayores es cuando llega la hora de la despedida y separación para ser enterrado. Esta pena y agudísima espada de Nuestra Señora, nos queda todavía por contemplar.

Para ello volvamos de nuevo con la consideración al monte Calvario, en que la dejamos abrazada con el cuerpo muerto de su divino Hijo, a quien diría con gran sentimiento: "¡Hijo de mi corazón! ¡Cuán diferente de lo que fuiste te ven ahora mis ojos y te estrechan mis brazos! Aquellas tus graciosas miradas, y dulces palabras, muestras apacibles de tierno amor, y los favores singulares que de ti recibía se me han cambiado en otras tantas saetas de dolor, y cuanto más encendían tantas gracias de cariño en mi pecho maternal, con más fuerza me dan a sentir ahora la pena de haberte perdido, pues perdiéndote a ti lo he perdido todo, porque tú eras mi hijo, mi padre, mi esposo, mi vida y mi alma".

Así, con Él estrechamente unida, se estaba deshaciendo de aflicción y amargura; por lo cual, temerosos los discípulos que se le acabase allí la vida, determinaron quitárselo pronto de los brazos y darle sepultura. Se acercan, pues, con piadosa y reverente violencia se lo apartan del regazo materno, y embalsamándole con especias aromáticas, le envuelven en una sábana, dispuesta para el caso, donde tuvo a bien el Señor dejar estampadas las señales de su sagrado cuerpo. De esta manera le toman en hombros y empiezan a caminar, acompañados de las jerarquías celestiales, seguidos de las piadosas mujeres y en medio de la Santísima Virgen. Cuando llegaron y ya se disponían para dar al santo cuerpo sepultura, ¡de cuán buena gana se hubiera quedado la Madre sepultada con Él! Pero como no era ésta la voluntad divina, dicen que, a lo menos, quiso entrar y ver el hueco en que lo habían de poner, donde también dejaron los clavos y las espinas. Al ir a levantar la gran losa que le habría de cubrir, dirían los discípulos: "Señora, mírale por la postrera vez, y dale el último adiós". "¡Ay, querido mío! —exclamó—. ¡Recibe de tu angustiada Madre la última despedida, junto con estas lágrimas, y quede aquí mi corazón encerrado contigo!"

Finalmente, ponen la piedra y dejan sepultado aquel cuerpo divino, que es el mayor tesoro del cielo y de la tierra.

Hagamos aquí una reflexión antes de pasar adelante.

Si dejó esta Señora su corazón donde tenía su tesoro, no pongamos el nuestro nosotros en el lado de las criaturas, sino entreguémoslo enteramente al amable Jesús, que, aunque después de haber vivido en la tierra con los hombres se volvió a los cielos, se quedó también glorioso en el Santísimo Sacramento para estar continuamente en nuestra compañía y poseer como dueño nuestros corazones.

La Virgen sacrosanta, antes de retirarse del sepulcro, bendijo la sagrada losa, diciendo así: "Piedra afortunada, que ahora encierras al que yo tuve dentro de mis entrañas, te bendigo mil veces y te encargo le guardes cuidadosamente". Después, alzando al cielo la voz y los afectos del alma, dijo así: "Padre celestial, en tus manos queda este divino tesoro, Hijo de tus complacencias e Hijo de mi Corazón". Mira de nuevo el sepulcro, se despide otra vez del Hijo querido, y se vuelve con aquel triste séquito, tan llorosa y tan desolada, que movió a lágrimas a muchos de los que la vieron pasar, y los mismos discípulos y personas del séquito lloraban ya más de la pena y quebranto de la Madre que de la muerte del Señor. Las piadosas mujeres le echaron encima un manto negro, y al pasar delante de la cruz, bañada todavía con la preciosa sangre, se postró en tierra, y fue la primera criatura que adoró aquel santo madero, diciendo de este modo: "¡Santa Cruz! Yo te adoro y beso devotamente, pues, ya no eres leño infame, sino trono del amor y altar de misericordia, consagrado con la sangre del Cordero, que quita los pecados del mundo, sacrificado en ti por la salud del genero humano".

Luego que llegó a su pobre morada, volvió a todos lados la vista, y no viendo a su dulce Hijo, se le representaron vivamente los hechos y ejemplos de vida tan santa, la dulce memoria de aquella noche gloriosa de su sagrado nacimiento, los regalados abrazos que le dio en su seno maternal, las conversaciones íntimas y suaves por tantos años en la casa de Nazaret, el tierno amor con que mutuamente se correspondían, las miradas amorosas y las palabras de vida eterna que salían de su boca divina. Pero después se le volvió a renovar con mayor sentimiento y viveza la dolorosa tragedia de aquel día triste, los clavos, espinas y llagas profundas, las carnes despedazadas, los huesos descarnados, la boca sedienta y los ojos oscurecidos y muertos. ¡Qué noche tan amarga!

Preguntaba al amado discípulo: "Juan, ¿dónde está tu divino Señor y Maestro?" Preguntaba a la Magdalena: "Hija, ¿dónde está tu Amado? ¿Quién nos ha quitado nuestro único bien? ¿Quién nos ha puesto en tan amarga soledad?" Lloran sus ojos virginales; lloran todos con ella. Y tú alma, ¿qué haces? Dile por fin: "Señora, yo soy quien debo llorar, y no tú, yo soy el reo y tú inocente. Permíteme que siquiera te acompañe en tu llanto y soledad: *Fac ut tecum lugeam*. Tus lágrimas nacen de amor. Broten las mías de la fuerza del dolor y arrepentimiento de mis pecados". Estos y otros afectos semejantes le has de decir con los labios y el corazón. Haciéndolo así, puedes esperar la muerte dichosa que oiremos referida en el ejemplo que sigue:

EJEMPLO.— Cuenta el P. Engelgrave de un religioso tan atormentado de escrúpulos, que le ponían a veces en las puertas de la desesperación; pero se valía del favor de la Virgen de los Dolores, de quien era muy devoto, y con la contemplación de las penas de la soberana Señora, sentía que las suyas se le aliviaban. Así pasó la vida, y llegó a la hora de la muerte, en la cual le apretaba el demonio con más violencia y encono que nunca; pero cuando más sufría el buen religioso y más en peligro estaba de desesperarse, he aquí que se le aparece María Santísima, diciéndole estas dulces palabras: "Hijo mío, ¿por qué te consumes de angustia y dolor, tú que tantas veces me consolaste a mí? Ea, alégrate, pues me envía mi divino Hijo a que ahora yo te consuele. Llegó para ti la hora dichosa. Vente conmigo al cielo". Con estas palabras disipaba en un punto toda la borrasca, y lleno de júbilo, entregó el alma en manos de su querida Madre para ser feliz eternamente.

ORACIÓN.— Madre dolorosa, tengo yo la dicha de acompañarte en tus penas, juntando con tus lágrimas las mías, con memoria continua y tierna devoción de la Pasión de Jesús y la tuya, para que consagre todo el tiempo que me reste de vida, esperando confiadamente que en la hora de mi agonía ellos me darán fuerzas y aliento para no desesperar de mi salvación en vista de los muchos pecados con que tengo a Dios ofendido. Por los dolores de uno y otro confío alcanzar perdón, perseverancia y gloria, donde contigo, Madre amorosa, cantaré para siempre las misericordias de Dios. Amén.

DISCURSO OCTAVO
LA ASUNCIÓN DE MARÍA (I)

En estos días celebra la Iglesia en honor de María Santísima, la fiesta de su dichoso tránsito y gloriosa Asunción a los cielos, que nos dan materia para dos discursos. Hablemos primero de su feliz tránsito, considerando cuán preciosa fue su muerte.

1º. Por las circunstancias que la acompañaron.

2º. Por el modo con que murió.

Siendo la muerte pena del pecado, no parecía que la Madre de Dios, limpia y pura de todo pecado, debiese morir, por no haberle alcanzado la desgracia de los hijos de Adán, contaminados con la ponzoña de la primera culpa. Pero queriendo Dios que en todo fuera semejante a su Hijo, y habiéndose dignado el Señor sujetarse a morir, convino que su Madre Santísima muriese también. Quería Dios igualmente dar a los justos un ejemplar de la muerte preciosa con que han de salir de este mundo, a cuyo fin ordenó que fuese dulce y feliz la de esta Virgen inmaculada.

Pues, consideramos primeramente las circunstancias o prerrogativas singulares con que la suya vino acompañada.

Punto primero.— Tres cosas principales hacen la muerte amarga: el apego a la tierra, los pecados cometidos y la incertidumbre de la salvación. Pero en la de María, ninguna hubo de las tres; antes bien, murió totalmente desapegada de los bienes de la tierra, como había vivido, con la conciencia tranquila y segura de conseguir la bienaventuranza.

En cuanto a lo primero, ninguna duda hay de que el amor a las cosas de acá hace la muerte de los mundanos muy triste y desdichada, según el Espíritu Santo. "¡Oh, muerte, cuán amarga es tu memoria al que tiene su contento en los bienes terrenos que posee!" Pero los santos, como mueren desprendidos de los bienes de esta vida, no tienen la muerte amarga, sino dulce y preciosa; y preciosa quiere decir digna de ser comprada a precio muy alto. ¿Quiénes son, realmente, los que antes de morir están ya muertos, muertos al mundo?

Los afortunados, que al salir de él para la patria celestial, se hallan libres de todo lo terreno, por haber puesto su felicidad sólo en Dios, pudiendo decir como san Francisco: "Dios mío, y todas las cosas". Pero ¿qué alma hubo nunca tan desapegada de cuanto el mundo tiene, como el alma pura de María? Desasida estuvo de parientes, habiéndolos dejado en la tierna edad, la más menesterosa y de más afición para con los padres, y a los suyos, y encerrándose en el templo, buscando sólo a Dios. Desapegada estuvo de los bienes de fortuna, prefiriendo la pobreza y sustentándose con la labor de sus manos. Desasida de honores, estimando más la vida humilde y baja condición, aunque era descendiente de los reyes de Israel.

Figurada la vio san Juan en aquella mujer vestida de sol, con la luna a los pies; explicando por la luna los sagrados intérpretes los bienes mundanos, inconstantes y defectuosos como la luna. En ningún tiempo tuvo María aficionado el corazón a estos bienes perecederos, sino que siempre los miró con desprecio, hallándolos como cosa vil y viviendo en el mundo como tórtola solitaria.

Pues, como no tuvo jamás apego a cosa de la tierra y vivió siempre unida con sólo Dios, no le pudo ser amarga la muerte, sino muy dulce y deseada, pues, era medio de unirse en el cielo a su Amado más íntimamente, con lazo indisoluble y eterno.

Lo segundo que hace tan preciosa la muerte de los justos, es la alegría de la buena conciencia; así como los crímenes cometidos son los gusanos que más roen y despedazan en aquella hora el corazón de los infelices moribundos; son los compañeros con que pronto ven que se han de presentar en el tribunal de Dios; son los verdugos más atroces; son los enemigos que más espantan, dando voces y diciendo: "Obras tuyas somos, no te dejaremos". Pero la Virgen, ¿qué remordimiento pudo tener a la hora de la muerte habiendo sido siempre santa, pura y exenta de la sombra de todo pecado actual y original, y merecido que el esposo divino le dijese: "Toda eres hermosa, amiga mía, y no hay mancilla en ti"?

Desde que tuvo uso de razón, que fue desde el primer instante de su ser, empezó a amar a Dios con todas sus fuerzas, y siguió creciendo en perfección hasta el fin de la vida, y amándole siempre más y más. A Dios levantaba todos sus pensamientos, afectos y deseos, sin pronunciar palabras, sin hacer movimiento, sin dar ojeada ni respiración que no fuese por agradarle y buscar en todo su mayor gloria, sin nunca torcer un paso ni desviarse un punto su santo amor.

Así cuando llegó la hora de su dichoso tránsito, vio delante de sí todas las virtudes practicadas durante su vida, firme fe, confianza amorosa, paciencia heroica, humildad profunda, modestia, mansedumbre, amor al prójimo, celo ardiente de la hora divina y principalmente, caridad perfecta para con Dios y conformidad entera para con su santísima voluntad. Todas, sin que faltase una, le rodearon las virtudes en aquella hora, y, alegrando su espíritu, le decían: "Obras tuyas somos, no te dejaremos, y en este día en que vas a salir de este miserable destierro, iremos en tu seguimiento para festejarte en el cielo, donde por nosotros te sentarás en trono de gloria, como Reina de ángeles y hombres, por toda la eternidad".

La tercera cosa que hace dulce la muerte es el estar uno cierto de conseguir la vida eterna. Tránsito se llama la muerte, porque por ella se pasa de vida breve a vida sin fin; y por este motivo, así como es tan grande el temor de los que mueren dudosos de su salvación, viendo llegar aquel momento decisivo, principio para muchos de penas eternas, así es grande el gozo de los santos al acabárseles el hilo de la vida, porque esperan ir a gozar de Dios para siempre. Una monja de santa Teresa, oyendo que el médico la desahuciaba, tuvo tanta alegría, que le dijo con la risa en la boca: "¿Cómo no me pide usted albricias, señor doctor, dándome noticia tan alegre?" Y san Lorenzo Justiniano, estando ya para expirar y viendo llorar a sus familiares, les dijo que se fuesen de allí con sus lágrimas, pues aquél no era tiempo de llorar.

Con igual muestra de júbilo acabaron sus días san Pedro de Alcántara, san Luis Gonzaga y muchos otros santos, con no tener entera propia santidad, como María Santísima. ¿Qué júbilo sería el de esta dichosa Madre al oír la nueva de su cercana muerte, estando segura de poseer la gracia de Dios, especialmente después de que el Arcángel san Gabriel le aseguró que estaba llena de gracia? Bien sabía que su corazón estaba continuamente ardiendo en el fuego del divino amor, y por un privilegio singular, no concedido a ningún otro santo, amando a Dios actualmente en todos los instantes de su vida y con tal ardor, que fue menester que Dios obrase un milagro continuo para que pudiese vivir abrasada siempre en tan vivo incendio. De ella se dijo en los *Cantares*: "¿Quién es ésta que viene del desierto como un ramo de olor de incienso y mirra?" Su entera mortificación figurada en la mirra; su oración ferviente, representada en el incienso, y sus demás virtudes, inflamadas por la caridad, inflaman su corazón en el amor divino, y aquella viva fragancia subía hasta el trono de Dios, y como fue la vida fue la muerte. Murió de amor, porque, o no debió morir, o morir sólo de amor.

Punto segundo.— Veamos ahora cómo fue su dichosa muerte. Después de la Ascensión del Señor, quedó María en la tierra para atender a la propagación de la fe, y así, los discípulos de Jesucristo la consultaban en todas las dudas, y ella los confortaba en las persecuciones y los animaba a trabajar para la gloria de Dios y salvación de las almas. Vivía en este destierro gustosamente, por entender que así era la voluntad de Dios, para que mirase por el bien de la Iglesia; pero no podía dejar de sentir la pena de verse ausente de la vista y posesión de su querido Hijo.

Donde uno tiene su tesoro, allí tiene su corazón y todo su deseo; y como para esta Señora no había más tesoro que Jesús, estando el Hijo en el cielo, al cielo iban todos los afectos y deseos de la Madre, y en el cielo tenía su continua morada, desprendida enteramente de las aficiones terrenas, guiada siempre por la divina luz, mirando cuál era la voluntad de Dios para ponerla por obra, y unida con Él íntimamente como con su tesoro, centro y único bien. Y para aliviar en el destierro las penas de la ausencia se consolaba con visitar (como cuentan) los santos lugares de Jerusalén y demás de la Palestina que su santísimo Hijo había santificado con su presencia, yendo muchas veces de Belén a Nazaret, del Huerto al Pretorio, al Calvario y santo Sepulcro. Mas poco satisfechas con esto sus amorosas ansias, ni hallando en ninguna parte completo descanso, enviaba sin cesar suspiros abrasados al Señor, exclamando como David, pero con más vehemencia: "¿Quién me dará alas para volar a mi Dios y descansar unida para siempre con Él? Por ti, Dios mío, suspira mi alma con más deseo que la cierva herida corre a buscar la fuente". ¡Ah!, que los suspiros de esta tórtola solitaria y amante no podían menos de herir y penetrar el corazón de Dios, y viendo que su amor no resistía por más tiempo lo que con tan vivas ansias deseaba, condesciende al fin con sus ruegos y la llama a los goces eternos.

Dicen que algunos días antes de su muerte le envió Dios al Arcángel san Gabriel, el mismo que antes le trajo el anuncio dichoso de haber sido escogida para ser Madre de Dios, y le dijo: "Reina y Señora mía, el Señor ha escuchado tus santos deseos y me manda decirte que te dispongas a dejar la tierra, porque quiere ya tenerte en su compañía reinando en los cielos. Ven a tomar posesión de tu reino, pues todos los cortesanos celestiales están deseando verte en su compañía".

Al oír esta embajada de tanto gozo, qué otra cosa haría la humilde Virgen sino anonadarse más que nunca en el abismo de su profunda humildad y proferir las mismas palabras que la primera vez: "Aquí está la esclava del Señor. Yo no merecía ni la dignidad de Madre suya, ni ser ahora admitida a los gozos de la eterna felicidad; pero pues que así lo quiere por su bondad infinita, heme aquí pronta para ir a donde me llama: cúmplase en todo su santa voluntad".

Sin tardanza se dio parte al evangelista san Juan, el que, sin duda, oiría la nueva con gran ternura acompañada de igual dolor, viendo que iba a quedar privado de la compañía y celestial conversación de aquella Madre Santísima, de cuya familiaridad había gozado por tantos años como hijo tan predilecto. Visitó la Señora por última vez los Lugares Santos de Jerusalén, y especialmente el monte Calvario, despidiéndose de ellos con particular devoción, y volviendo a su casita pobre, empezó a prepararse para la partida. Desde aquella hora no cesaron los ángeles de venir a saludarla y recrear a su dulce Señora, alegrándose de que la verían en breve coronada en el cielo de la gloria inmortal.

Muchos autores dicen que, por divina disposición, fueron traídos los Apóstoles y otros discípulos del Señor, que estaban diseminados en diversas partes del mundo, para que se hallasen presentes en el dichoso tránsito de su Reina y Señora, y que viéndolos a todos juntos delante de sí, empezó, con rostro afable y muestras de singular amor, a decirles de esta manera: "Queridos míos, al subir al cielo mi dulce Hijo me dejó en este mundo por amor y alivio de ustedes. Ya la fe se ha propagado por todas partes; ya la mies de la divina semilla se ve crecida; y así, viendo el Señor que mi presencia no es ya necesaria en la tierra, compadecido de la pena que yo sufro con su ausencia tan larga, ha escuchado mis deseos de ir a gozarle. Quédense aquí ustedes para seguir trabajando en la dilatación de su gloria. Aunque yo me ausento corporalmente, mi corazón se queda, y nunca dejaré de amarlos. Voy a la patria celestial a pedir por ustedes".

Cuando aquellos santos oyeron tan dolorosa nueva, ¿quién podría decir las lágrimas que empezaron a derramar y los sollozos y lamentos, considerando que iban a quedar privados de Madre tan querida? "¡Ay, Madre dulce! (decían todos entre suspiros y lágrimas), ¿conque ya nos quieres dejar? No es la tierra digna de ti, ni merecemos gozar nosotros de la compañía de la Madre del mismo Dios, pero acuérdate que hasta ahora también has sido Madre nuestra, guía de nuestras dudas, consuelo en las penas, fortaleza en las persecuciones; y ¿quieres abandonarnos y privarnos de tu sombra y amparo, dejándonos en medio de tantos enemigos y expuestos a tantos combates? Perdimos a nuestro Padre y divino Maestro, pero nos consolábamos con tenerte a ti. ¿Cómo quieres ahora dejarnos huérfanos de padre y madre? ¡Ah, Señora! O quédate con nosotros, o llévanos en tu compañía". "No, queridos míos (volvió a decir, con palabras más dulces, la piadosa Señora); no es esa la voluntad de Dios. Confórmense con lo que de mí y de ustedes dispone. Tienen todavía que sudar por la gloria de nuestro Redentor y acabar de ganar la corona de felicidad eterna. No los dejo yo para abandonarlos, sino para favorecerlos más y pedir a Dios en el cielo por ustedes. Quédense aquí contentos, y miren que les encargo y recomiendo la santa Iglesia y las almas redimidas con el precio de la sangre de Nuestro Señor. Éste sea el último adiós y recuerdo que les dejo. Háganlo así, si me aman, trabajando por el bien de las almas y la gloria de mi divino Hijo, y vendrá día en que otra vez nos juntemos para no volvernos a separar".

Enseguida les pidió que diesen sepultura a su cuerpo, les dio su bendición, encargó a san Juan que entregase dos vestidos suyos a dos doncellas que le habían servido por algún tiempo, y acto seguido se recostó en su pobre camilla con toda modestia y devoción, esperando la muerte, y con ella la venida de su divino Esposo, que en breve iba a llegar para llevarla consigo a las montañas eternas. Ya empieza a sentir dentro del pecho una alegría nueva y desusada, como anuncio de la próxima venida del Señor.

Los santos Apóstoles, conociendo que se acercaba el último instante, prorrumpen otra vez en lamentos, se ponen de rodillas alrededor de la cama y unos le besan los sagrados pies, otros le piden una gracia o le recomiendan una necesidad, y todos lloran amargamente, traspasados de dolor, mas ella, como Madre amantísima, se enternecía con todos y daba a cada uno su consuelo especial, ofreciendo a éste su patrocinio, bendiciendo a aquél con singular afecto, animando a otro a la conversión del mundo, y dirigiéndose a san Pedro particularmente, como a Cabeza de la Iglesia y Vicario de Jesucristo, le recomendó principalmente la propagación de la fe, prometiéndole continuo favor y asistencia. Pero con singular distinción mandó a san Juan que se acercase, el cual sentía más pena que todos en aquel momento, y no habiendo olvidado la agradecida Señora el cuidado y amor filial con que la había servido desde la muerte del Salvador hasta entonces, le dijo con gran ternura: "Juan, hijo mío muy querido, te doy gracias por el esmero con que has cuidado de mí; bien puedes estar seguro que no te olvidaré. Si ahora te dejo, voy a pedir por ti, hasta que nos volvamos a ver en la gloria, donde te espero. Confía en mi amor, y en todas tus necesidades llámame, que yo no me olvidaré de ti, amado hijo mío. Recibe mi bendición; adiós, quédate en paz".

Mas ya se acerca el último momento. Ya el amor divino, con llamas ardientes, va consumiendo los espíritus vitales y acabando el hilo de aquella santa vida. Las jerarquías angélicas iban llegando para acompañarla en su triunfo y subida solemne. Se alegraba con la vista de aquellos soberanos espíritus, pero no del todo, por no ver todavía llegar al dulce Jesús, centro de su amor, pero no cesaba de decirles: "Bienaventurados habitantes de la celestial Jerusalén; aunque les agradezco el consuelo, con que alegran mi espíritu en esta hora, no es mi gozo completo, ni lo será, hasta ver a mi dulce Hijo. Si me aman, vuelvan y díganle de mi parte que venga y no tarde más, porque me siento morir de deseo de verme en su amable presencia y abrazarme con Él".

Llega, al fin, el Señor para llevar consigo a su querida Madre. Supo santa Isabel, por revelación, que Jesucristo se apareció a su Madre Santísima, con la cruz en la mano, en señal de fruto y gloria especial que por medio de la redención había conseguido en la adquisición y bienaventuranza de criatura tan excelente y privilegiada, de quien por siglos eternos había de recibir más ensalzamiento y honor que todos los santos y ángeles juntos.

Y san Juan Damasceno refiere que el Señor le dio por viático la comunión de su sagrado Cuerpo, diciéndole, con palabras dulces: "Recibe, Madre, de mis manos el mismo Cuerpo que tú me diste"; y que habiendo tomado aquel pan divino y última comunión con grandísimo amor y reverencia, respondió, entre los postreros afectos y suspiros: "Hijo mío, en tus manos encomiendo mi alma, desde el principio de su ser preservada por ti de todo pecado y colmada de gracia; te encomiendo mi cuerpo, de quien te dignaste tomar carne; te encomiendo también a estos mis hijos muy amados y afligidos, como aquí los ves, por mi próxima partida; consuélalos tú, que más que yo los amas, bendiciéndolos y dándoles esfuerzo en sus trabajos apostólicos para dilatación de la fe y gloria de tu santo nombre".

En esto se empezó a oír suave armonía y se llenó la estancia de resplandor, conociéndose claramente que había llegado el momento. Los santos Apóstoles, renovando las lágrimas y ruegos, levantaron sus manos y voces, diciendo: "¡Ay, Madre! Pues que al fin te vas, dejándonos huérfanos, danos de nuevo tu santa bendición". Y María, mirándolos dulcemente, les dijo: "Adiós hijos míos, reciban mi bendición cumplida, y estén seguros de que no me olvidaré de ustedes".

Al acabar de decir estas palabras llegó la muerte, no enlutada y triste, como viene de ordinario, sino revestida de luz y alegría, o mejor diremos, que el amor divino cortó el hilo de tan preciosa Vida y que, oyéndose convidar de su santísimo Hijo a que le siguiese, inflamada en el fuego de la caridad y exhalando suspiros ardientes, da uno mayor y más amoroso, con el cual expira, volando a los cielos su alma purísima, donde por siglos sin fin triunfa y triunfará como Reina y Señora de todo lo creado.

Desde allí, pues, amorosamente nos está mirando peregrinos aún en este valle de lágrimas; se compadece de nuestras miserias, y nos promete su amparo y favor. Pues supliquémosle humildemente que por los méritos de su preciosa muerte nos alcance también tener una muerte dichosa, y siendo voluntad del Señor, en día de sábado, consagrado especialmente a su honor, o en día de novena u octava de alguna de las festividades, gracia concedida a muchos devotos suyos, y entre ellos a san Estanislao de Kostka, que obtuvo de la soberana Señora la dicha de morir y entrar en la gloria el día de su gloriosa Asunción, según veremos en el siguiente:

EJEMPLO.— Vivía este santo joven enardecido en el amor de la Reina de los ángeles, cuando, a primeros de agosto, oyó un sermón predicado por san Pedro Canisio, en que, con fervorosa eficacia, exhortó a los novicios de la Compañía a vivir como si cada día hubiera de ser el último de la vida y hubiesen de presentarse aquella misma hora en el tribunal divino. Acabado el sermón, Estanislao dijo a sus compañeros que para él especialmente había sido aquella exhortación y aviso del cielo, pues había de morir dentro del mismo mes; y al aseverarlo así, fue lo que supo por revelación, o a lo menos presentimiento que no le engañó. Cuatro días después, fue a la iglesia de Santa María la Mayor con el P. Manuel Sa, y hablando de la fiesta de la Asunción de Nuestra Señora, que se acercaba, le dijo: —Padre, creo que todos los años habrá en el paraíso celestial otro paraíso nuevo, viendo los bienaventurados la gloria de la Madre de Dios coronada por Reina del cielo sobre todos los coros de los ángeles y en trono tan cercano al trono del Altísimo. Y si es así, como yo no lo dudo, espero tener este año la dicha de presenciarla.

Le había tocado en suerte por santo de mes (según la costumbre de la Compañía) el glorioso mártir san Lorenzo, en cuyo día comulgó, poniéndole como intermediario para que entregase a la Virgen Santísima una carta en que le pedía la gracia de hallarse en el cielo presente a la fiesta de su gloriosa Asunción; y antes de acabarse el día 10, se sintió con calentura que, aunque ligera, la tuvo él por señal cierta de haber conseguido su petición, pues al entrar en la cama aseguró muy alegre que de allí no se levantaría; y al Padre General, que le fue a visitar, le dijo: —Padre, creo que san Lorenzo me ha alcanzado de Nuestra Señora la gracia de ir a verla en el cielo el día de su Asunción.

Nadie hizo mucho caso de sus palabras, y aun era ya la vigilia sin que el mal se hubiese agravado; pero el santo aseguró al hermano que le asistía que la noche siguiente había de morir, a lo cual éste contestó que mayor milagro sería morir que sanar de cosa tan leve. Después del mediodía le asaltó una congoja y desfallecimiento mortal, empezó a correrle un sudor frío, y las fuerzas le faltaron enteramente. Acudió el Superior, a quien Estanislao suplicó que le mandase poner en la tierra desnuda para morir en acto y espíritu de penitencia, y en parte se lo concedió por darle gusto, permitiendo que lo echasen en un jergón tendido en el suelo. Enseguida se confesó y recibió el Viático, no sin copiosas lágrimas de los circunstantes, porque al entrar en el cuarto el Santísimo, vieron todos que le relucían los ojos con celestial alegría, y con el semblante tan inflamado (incendio de amor divino), que parecía un serafín; recibió también la Extremaunción, y entre tanto, levantaba al cielo la vista, o la fijaba en una imagen de la Virgen, besándola y estrechándola al pecho amorosamente. Le dijo un Padre que para qué quería tener el rosario en la mano si no lo podía rezar, y respondió que le servía de consuelo, por ser cosa de su querida Madre, y replicándole que mayor sería verla en el cielo, a donde pronto había de ir a besarle la mano, levantó las suyas en alto con vehemente deseo. A poco se le apareció la divina Señora, y él mismo lo manifestó sencillamente a los circunstantes, y no mucho después, que fue el romper del alba del día 15 de agosto, expiró con la paz y alegría de los santos, puestos los ojos en el cielo y sin movimiento alguno, pues acercándosele la imagen de la Virgen, y viendo que no hacía ninguna demostración, conocieron que ya su alma había salido de este mundo y volado al trono de Dios y a los brazos de su amorosa Madre.

ORACIÓN.— ¡Oh, Señora dulce Madre! Subiste al cielo para ser Reina gloriosa de todos los coros de los ángeles, como la Iglesia canta. No éramos dignos los pecadores de tenerte en este valle de crímenes y miserias; pero tú, en medio de tus glorias, no has olvidado a estos pobres desterrados y peregrinos, antes bien, mayor es ahora la compasión que tienes de los desdichados hijos de Adán. Vuelve, pues, desde el trono de tu grandeza, compadecida de nosotros, esos ojos misericordiosos, teniendo presente que al salir de este valle de lágrimas prometiste no olvidarte nunca de tus hijos. Ve las tempestades que se levantan, los peligros que nos rodean y los temores de otros que sobrevendrán mientras nos dure la vida. Pues por los méritos de tu santa muerte te pedimos nos alcances del Señor la dicha de perseverar hasta la última hora en su amistad y gracia para que, llegado al término con felicidad, subamos triunfantes a los cielos, donde, en compañía de todos los bienaventurados, besemos tus santos pies y cantemos tu misericordia por todos los siglos de los siglos. Amén.

DISCURSO NOVENO

LA ASUNCIÓN DE MARÍA (II)

Justo parecería que en esta solemnidad de la Asunción de Nuestra Señora a los cielos nos exhortase la santa Iglesia más bien a llorar que a regocijarnos, viendo que nuestra querida Madre nos deja privados de su dulce presencia. Pero tiene razón la Iglesia santa en querer que nos alegremos, porque si amamos a nuestra Madre, más debido es que nos alegremos de su gloria que de nuestro interés y consuelo. ¿Qué hijo, aunque quede ausente, no se llena de júbilo si sabe que va su Madre a tomar posesión de su reino? Esta Señora es coronada hoy por Reina de los cielos, ¿y no haremos fiesta los hijos, si le tenemos verdadero amor? Regocijémonos, pues, y para que sea mayor el gozo de verla, tan ensalzada, consideremos estos dos puntos:

1º. Su triunfo solemnísimo al subir a los cielos.

2º. El trono de gloria en que fue colocada.

Punto primero.— Habiendo acabado ya Jesucristo nuestro Salvador, con su preciosa muerte, la obra de nuestra redención, anhelaban los ángeles verle en el cielo, con su santísima Humanidad, diciéndole repetidas veces las palabras del Real Profeta: "Levántate, Señor, y ven al lugar de tu descanso, tú, y el arca de su santificación, el arca tuya santa"; es decir, la Madre dulce, que fue el arca que santificó el Señor habitando en su seno inmaculado.

Lo tuvo, en fin, a bien, accediendo a los deseos de toda la corte celestial; pero así como antiguamente quiso que el arca del Testamento fuese llevada con gran pompa a la ciudad de David, con otra pompa más solemne y gloriosa ordenó que entrase en el paraíso su querida Madre. Dicen los sagrados intérpretes que aquel carro de fuego en que fue arrebatado el profeta Elías, no fue otra cosa que un grupo de ángeles que le levantaron de la tierra. Pero para llevarte y acompañarte a ti al cielo, Reina de los profetas, no bajaron algunos pocos ángeles, sino que vino el mismo Rey de la gloria con toda su corte.

Antes que su Madre pura subió el Señor a los cielos, no sólo para prepararle trono en aquellos palacios eternos, sino para que su entrada fuese gloriosa, acompañándola el mismo Señor con todos los espíritus bienaventurados; y de esta manera su Asunción fue más solemne que la Ascensión de Jesucristo, porque para acompañar al Redentor no vinieron más que los ángeles; pero la Madre dichosa subió acompañada y festejada del mismo Rey de la gloria, con la corte y séquito de todos los santos y ángeles del cielo.

Luego, pues, que el Señor se descubrió a su Madre Santísima, le diría las palabras de los Cantares: "Ven, amiga mía, paloma mía, hermosa mía; ven aprisa, ven. Ya pasó el invierno, deja el valle de lágrimas, donde tanto has sufrido por mi amor, y ven a ser coronada. Ven a recibir en cuerpo y alma el premio de tu santa vida; ven a gozar la gloria que te tengo dispuesta; ven a sentarte cerca de Mí; ven a ser coronada como Reina de todo el universo".

Con tan amorosa invitación, lleno su espíritu de inexplicable alegría, empieza a subir, dejando la tierra aunque mirándola con afecto, por los favores que en ella había recibido, y compasión al mismo tiempo de los hijos que dejaba en medio de tantos riesgos y miserias.

Jesús la lleva de la mano y la Madre, felicísima, corta los vientos, pasa las nubes, atraviesa las altas esferas y llega a las puertas del cielo. Allí los ángeles que la acompañan alzan la voz a semejanza de lo que decían cuando entró el Señor triunfante de vuelta del destierro. Vean, repetirían ahora también, a los que adentro la aguardaban: "Abran, príncipes, esas puertas y levántense, puertas eternas, para que entre la Reina de la gloria". Al instante se abrieron de par en par, y entró victoriosa en la celestial patria, preguntándose, unos a otros, aquellos soberanos espíritus, al verla tan hermosa: "¿Quién es ésta que llega del desierto, lugar de espinas y de abrojos? ¿Quién es ésta que viene tan pura y llena de virtudes, sostenida en su Amado y tan honrada de Él?" Y los ángeles que la iban acompañando, respondían: "Es la Madre de nuestro Rey, nuestra Reina, la bendita entre todas las mujeres, la llena de gracia, la Santa de los santos, la querida de Dios, la Inmaculada, la más hermosa de todas las criaturas". Entonces todos prorrumpieron en bendiciones y alabanzas, cantando mucho mejor que los hebreos de Israel, honor de nuestro pueblo... ¡Oh, Señora!, tú eres gloria del paraíso, alegría de esta santa ciudad, honra de todos sus habitantes. Sé mil veces bienvenida; éste es tu reino, y todos nosotros vasallos tuyos, rendidos a tus pies y prontos a lo que nos mandes".

Enseguida se acercaron a darle la bienvenida y proclamarla por su Reina y Señora todos los santos que hasta entonces había en el Cielo. Llegaron las vírgenes y le dijeron: "Señora, todas nosotras somos aquí reinas; pero tú eres Reina nuestra, porque fuiste la primera en darnos el ejemplo de consagrar a Dios el tesoro de la virginidad, y así te bendecimos y damos gracias". Llegaron los confesores y la saludaron como a guía y maestra, por haberles enseñado con la luz de su santa vida la práctica de todas las virtudes. Llegaron los mártires, y la saludaron como a capitana y modelo, porque con su constancia admirable en las angustias y dolores que padeció en la Pasión de su santísimo Hijo, les había enseñado la virtud del sufrimiento, fortaleza para dar la vida por la fe de Jesucristo.

Llegó, de los Apóstoles, Santiago el Mayor, único que gozaba de la visión de Dios, a darle gracias, por sí y en nombre de sus compañeros, del consuelo y asistencia que les había prestado durante su permanencia en la tierra. Llegaron los profetas, y la saludaron y reconocieron por aquella mujer prodigiosa, significada en las profecías. Llegaron los patriarcas, y le dijeron: "Doncella purísima, tú siempre fuiste nuestra esperanza; tú, el blanco de nuestros suspiros y deseos". Pero con el mayor afecto se acercaron nuestros primeros padres Adán y Eva, diciéndole: "Hija predilecta, tú has reparado el daño que nosotros hicimos a nuestra descendencia; tú devolviste al mundo la bendición que nosotros perdimos por nuestra culpa, y por ti hemos alcanzado la salvación eterna. Bendita seas para siempre jamás". Llegó después san Simeón a besarle los pies, y le recordó, lleno de júbilo, el día en que recibió de sus manos, en el templo a Jesucristo Niño.

Llegaron san Zacarías y santa Isabel, y de nuevo le dieron las gracias por aquella amorosa visita que con tanta humildad les hizo, colmando su casa de bendiciones celestiales. Llegó más obsequioso, san Juan Bautista, a darle también las gracias por haberse dignado ir en persona a santificarle en el vientre materno. Y ¿qué le dirían sus padres, san Joaquín y santa Ana? ¡Con cuánto amor y ternura la bendecirían diciendo!: "¡Oh, hija querida, qué dicha la nuestra en haber tenido una hija como tú! Ahora eres nuestra Reina y Señora, porque eres Madre de Dios. Como a su Madre verdadera te veneramos y bendecimos". Y ¿quién podrá explicar los afectos de su dulce esposo san José? ¿Quién pintar la alegría del santo Patriarca viendo entrar a su amada Esposa con tan solemne triunfo y ser proclamada Reina de los cielos? Con qué gozo, con qué entusiasmo le diría: "Señora y Esposa mía, ¿cómo podré yo dar a nuestro buen Dios las gracias que le debo por la suerte afortunada de haberme elegido para esposo tuyo, que eres su verdadera Madre? Por ti merecí asistir y servir en el mundo al Verbo Encarnado, tenerle tantas veces, siendo niño, en los brazos, lograr otros mil favores y gracias especiales. Benditos sean los momentos que empleé en servirle y acariciarle, y en servirte y venerarte a ti, amada Esposa mía. Aquí está nuestro dulce dueño. Alegrémonos de verle tan glorioso, no ya reclinado en las pajas, no pobre y despreciado en el taller, no pendiente de un patíbulo infame, sino a la diestra del Padre, como Señor y Rey del cielo y de la tierra. Ya no nos volveremos a separar, y aquí estaremos a sus pies benditos amándole y gozándole por toda la eternidad".

Se acercaron después los santos ángeles a venerarla y ensalzarla, dándoles ella las gracias por haberla asistido en la tierra con tanto cuidado, particularmente el Arcángel san Gabriel, por la embajada dichosa que le llevó al mundo de parte de Dios, cuando fue elevada a la dignidad de Madre suya. Por último, la humilde Señora se postró delante de la divina Majestad y, abatida en su propio acatamiento, dio gracias al Señor por todas las bondades que le había dispensado y, más que todo, por haberle elegido para Madre del Verbo divino. ¿Quién podrá comprender el amor con que la bendijo la Santísima Trinidad, el recibimiento del Padre como a Hija, del Hijo como a Madre y del Espíritu Santo como a Esposa suya? El Padre la coronó poniendo en sus manos el poder; el Hijo, la sabiduría; el Espíritu Santo, el amor; y colocando su trono al lado de la Santísima Humanidad de Jesucristo, la declararon Reina del cielo y de la tierra, mandando a los ángeles y a todas las criaturas que como a tal la reconociesen, obedeciesen y sirviesen.

Pasemos ahora a considerar la alteza del trono en que fue colocada.

Punto segundo.— Si en ningún entendimiento creado puede caber idea de la gloria que Dios tiene preparada en el cielo a los que en la tierra le aman, ¿quién podrá conocer la que reservó para su Madre Santísima, que desde el primer instante de su ser le amó más que todos los hombres y ángeles juntos? Ensalzada fue sobre todos los coros angélicos, sin que haya ningún otro trono más alto que el suyo, sino el de Dios, constituyendo por sí sola una jerarquía aparte, la más sublime de todas, y segunda después de Dios. Porque así como no hay comparación entre la señora de la casa y sus esclavos, así tampoco entre la gloria de María y la de los ángeles. Reina del cielo es, y a la diestra de Dios está sentada.

Como el mérito de sus obras supera incomparablemente al de las obras de todos los santos, no hay lengua que pueda decir la gloria que mereció por ellas; y siendo cosa cierta que Dios da el premio según los méritos, fue premiada y ensalzada sobre todas las jerarquías celestiales, por haber merecido incomparablemente más que todos los hombres y todos los ángeles. En una palabra: quien quisiera saber la gloria que alcanzó en el cielo, mida la gracia singular que mereció en la tierra. Su gloria es completa, a diferencia de la que gozan los demás santos, pues aunque todos los habitantes de la patria celestial poseen perfecta paz y contento, no deja de ser verdad que si más hubieran amado y servido a Dios, mayor hubiera sido la recompensa, porque si allí no dan pena los pecados que se cometieron y el tiempo que se malogró durante la vida, no se puede tampoco negar que produce sumo gozo el mayor bien hecho, la inocencia nunca perdida y el tiempo mejor empleado. Mas aquella Santísima Señora, ni desea ni tiene qué desear. ¿Cuál de los santos, fuera de María, puede decir ahora: Yo nunca pequé? No cometió culpa, ni el más mínimo defecto. Nunca perdió la gracia, nunca la ofuscó, nunca la tuvo ociosa. No practicó acción en que no mereciese, ni dijo palabra, ni tuvo pensamiento o respiración que no fuese guiada a mayor gloria divina. Nunca se entibió, nunca dejó de correr hacia Dios como a su centro único. Jamás perdió por negligencia punto de perfección; siempre correspondió a la gracia con todas sus fuerzas y amó a Dios cuanto le pudo amar, pudiéndole decir en el cielo ahora: "Señor, si no te amé cuanto tú mereces, te amé con todo mi poder".

Diversos son los dones y gracias especiales de cada santo, como enseña el Apóstol; y así, correspondiendo cada uno a la que Dios le da, viene a ser excelente en alguna virtud; quién en salvar almas, quién en hacer penitencia, quién en padecer martirio, quién en el ejercicio de la contemplación; que por esto la santa Iglesia dice de cada uno que no tuvo semejante en la guarda de la divina ley. Y según son aquí los méritos, son los premios en la gloria. Los apóstoles se distinguen de los mártires; los confesores, de las vírgenes; los inocentes, de los penitentes. Pero la Virgen Santísima estuvo colmada de todos los dones y gracias celestiales, y poseyó en sumo grado todas las virtudes. Fue Apóstol de los apóstoles, Reina de los mártires, Capitana de las vírgenes, Modelo de los casados, y unió en sí perfecta inocencia con perfecta mortificación, y todas las demás gracias, prerrogativas, méritos y virtudes en grado heroico y superior al de todos los santos juntos.

A la luz de las estrellas excede con mucho la luz del sol, y a la gloria de los santos, la gloria de María; o más bien: así como cuando sale el sol, la luz de las estrellas desaparece como si nada fuera, así oscurece la gloria de María el resplandor de ángeles y santos, como si no estuviesen en el cielo, porque éstos participan, en parte, de la gloria divina; pero María está tan rica y llena de aquella gloria inmensa, que parece imposible pueda una pura criatura, llegar a unirse con Dios más íntimamente, contemplándole y gozándole con más conocimiento, amor y felicidad que los demás bienaventurados juntos, sin ninguna comparación, y todos recibiendo de los destellos de su luz y parte de su alegría, pues es cierto que desde el instante que entró en el cielo aumentó con su presencia la dicha de sus habitantes, cuyo mayor gozo, fuera de la vista de Dios, es estar siempre mirando con delicia inefable el rostro de tan hermosa criatura.

Regocijémonos con esta feliz Señora, viéndola en aquel trono tan elevado, dándonos, igualmente más parabienes a nosotros al considerar que si en la tierra ya no gozamos de su dulce presencia, nos conserva en el cielo todo el amor de Madre, donde, por hallarse más cerca de Dios, conoce mejor nuestras angustias, se apiada más pronto de ellas y puede socorrernos mucho más fácilmente.

Sí, Virgen clemente, sé que no por haber sido tan ensalzada te has olvidado de los miserables desterrados en este valle de lágrimas, porque un corazón tan misericordioso no puede dejar de compadecerse de miseria tan grande como la nuestra, siendo corazón de madre, que si aquí nos amó con ternura, ahora, ciertamente, nos ama mucho más.

Entre tanto, dediquémonos con esmero a servirla y amarla, sabiendo que su condición no es como la de los señores que en la tierra tienen autoridad y mando, los cuales, por lo común, aumentan y agravan los pesos en vez de aliviarlos; antes bien, continuamente enriquece a sus siervos, colmándolos de gracias, méritos y coronas. ¡Oh, Madre misericordiosa! Pues que te miras tan cerca de Dios, como Reina de todo lo creado y en trono tan eminente venerada, regocíjate enhorabuena en la gloria de tu Creador, pero envía a tus siervos alguna muestra de tanta abundancia y felicidad. Sentada estás a la diestra de Dios. Nosotros, como hambrientos y necesitados, desde este valle oscuro y miserable a ti levantamos la vista. Míranos con ojos de piedad.

EJEMPLO.— Refiere el P. Silvano Razzi que un devoto clérigo muy favorecido de Nuestra Señora, oyendo hablar de su hermosura admirable, deseó ardientemente verla siquiera una vez, y le pedía sin cesar este especial favor. La piadosa Madre le mandó decir con un ángel que la vería, con tal de que conviniese en quedarse ciego. Aceptó el devoto la condición, y entonces se descubrió a sus ojos la Virgen soberana. Él, por no perder del todo la vista, quiso al principio mirar con un ojo solamente, cerrando el otro; pero poco después, hechizado de tanta belleza, estaba ya para abrir el que tenía cerrado, cuando desapareció la visión. Viéndose privado de tan dulce presencia, lloraba y se afligía, no por la pérdida del ojo, sino por no haberla mirado con los dos, y así le volvió a suplicar de nuevo se dejase ver, sin importarle nada quedar para siempre ciego. —Por muy feliz me tendré, decía, en perder totalmente la vista por volverte a ver, ¡oh dulce Madre!, porque así quedaré prendado de ti—. En efecto: se le apareció la benigna Señora, y como a nadie sabe hacer nunca mal, lejos de quitarle del todo la vista, se la restituyó totalmente, y así por todos los títulos fue completo el favor.

ORACIÓN.— Señora gloriosa, desde este valle de lágrimas levantamos humildemente el corazón al cielo y te veneramos humildemente ensalzada en ese trono de tanta grandeza, alegrándonos de la gloria de que fuiste colmada por la mano del Señor. Ahora no te olvides de tus siervos pobres y desvalidos, sino dígnate volver hacia aquí tus ojos de misericordia, y, pues que te hallas tan cerca de la fuente, fácil te será conseguir que llegue hasta nosotros alguna parte de tanto bien. Alcánzanos la gracia de ser en esta vida siervos tuyos fieles y leales, para que algún día subamos a bendecirte en el cielo, a cuyo fin nos consagramos a ti en este día, en que fuiste constituida y proclamada Reina del universo. No me desecharás, porque en medio del gozo y triunfo tan solemne, no dejas de ser nuestra Madre. ¡Madre dulce, Madre amable! A muchas personas ves hoy pidiendo a tus pies prosperidades en la tierra, salud, fortuna, buena cosecha, salir de un pleito con felicidad; pero nosotros te pedimos favores de tu mayor agrado. Pedimos humildad, desapego del mundo, resignación, temor de Dios, buena muerte, salvación eterna. Ea, Señora, cámbianos de pecadores en justos; haz este milagro, para ti más glorioso que dar a mil ciegos la vista y a mil difuntos la vida. Eres, con Dios, todopoderosa, eres Madre suya, eres la más amada de su corazón y estás llena de gracia. ¡Oh, princesa hermosa! No pretendemos verte en esta vida, pero en el cielo sí. Tú nos has de alcanzar esta dicha. Así lo esperamos con toda confianza. Amén.

TERCERA PARTE

DE LAS VIRTUDES
DE MARÍA SANTÍSIMA

DE LAS VIRTUDES DE MARÍA SANTÍSIMA

Dice san Agustín, que para merecer la protección de los santos, los hemos de imitar, porque viendo que imitamos las virtudes en que más resplandeció cada uno, más se mueven a pedir por nosotros. En particular, la Reina de todos los santos, que es nuestra mayor y mejor abogada, después que ha sacado un alma de las garras de Lucifer, y reconciliándola con Dios, pide que la imite aquella alma libre, porque si en las costumbres no se le parece, no seguirá enriqueciéndola con sus beneficios. Ésta es la razón de que tanto ame y llame dichosos a los que siguen sus huellas; que muy cierto es que el que ama se asemeja o procura asemejarse al amado, según el proverbio. Ni hay obsequio más grato que la imitación, ni se puede nadie tener por verdadero hijo de María, sino el que procura vivir como ella vivió. Haga, pues, todo hijo por imitar a tan amorosa Madre, si desea lograr sus caricias. Sea con ella buen hijo, y ella será con él buena Madre.

Hablando ahora de sus virtudes, aunque poco dejaron escrito los Evangelios, basta que aseguren que estaba llena de gracia, para que entendamos que poseyó todas las virtudes y en el grado más heroico y perfecto a que se puede llegar; de modo que, como dice santo Tomás, habiendo sido los otros santos excelentes en alguna virtud particular, María en todas lo fue, y de todas la puso Dios a los fieles por ejemplar y modelo. Y como los santos Padres enseñan que la humildad es el fundamento de todas, veamos primeramente lo grande y admirable que fue la humildad de María.

1. Humildad de María

Fundamento y guardiana de todas las virtudes llaman los santos a la humildad, porque sin ella no hay en alma ninguna virtud; aunque todas las posea, todas faltarán al momento que la humildad se ausente y le falte. Así como, al contrario, tanto es lo que Dios estima la santa humildad, que dondequiera que la ve, allí corre al instante a complacerse con ella. Antes de la venida del Hijo de Dios al mundo no se conocía por acá tan hermosa y necesaria virtud; pero habiendo venido a enseñarla con su ejemplo, quiso que en ella mayormente le imitásemos, diciéndonos que de Él aprendamos a ser mansos y humildes de corazón. Conforme a esto, habiendo sido María en todas las virtudes la mejor discípula de Jesucristo, en la humildad lo fue, por consiguiente, y así mereció ser más ensalzada que ninguna de las criaturas. Aun desde niña fue la humildad la primera y principal virtud en que más se esmeró.

Especificando ahora los diversos actos de tan preciosa virtud, primero es que el humilde siente el abajamiento de sí, y María tuvo siempre de sí misma tan bajo concepto, que a nada se prefirió jamás. "Con uno de sus cabellos, le dice el Esposo en los Cantares, que le hirió amorosamente el corazón" y por el cabello, cosa tan delicada y sutil, dicen los intérpretes que se entiende la humildad y bajo concepto que tuvo de sí misma la honestísima Virgen; no que se reputase por pecadora, antes bien conocía no haber ofendido nunca a Dios, porque la humildad es verdad, como dice santa Teresa ni que dejase de entender que había recibido de la mano divina más gracias y favores que las demás criaturas, siendo muy cierto que el corazón humilde conoce, para humillarse, los favores especiales que Dios le dispensa, sino que, viendo con la abundancia de soberana luz que tanto ilustraba su entendimiento la infinita grandeza y bondad de Dios, veía también su propia bajeza y nada, humillándose tanto más y diciendo con la Esposa: *Nolite me considerare quod fusca sim, quia decoloravit me sol.* No repararás en que soy morena, pues que me tostó el sol. Así como cuando a una pobre le ponen un rico manto de tisú de oro, que, lejos de envanecerse, más se humilla entonces delante de su bienhechora, acordándose mejor de su pobreza; así María, cuanto más rica se consideraba, más humilde era viendo que todo venía por gracia de la mano del Señor. No hubo, pues, criatura más ensalzada, porque nunca la hubo más humilde.

Otro de los actos de esta virtud es tener ocultos los dones celestiales, y así vemos que María quiso ocultar a su santo esposo el misterio de su divina maternidad, aunque parecía necesario que se lo descubriese, a lo menos, para librarle de entrar en sospechas contra su honestidad cuando la viese encinta: cosa que realmente puso en gran confusión al santo Patriarca, no pudiendo, por una parte, dudar de lo que sus mismos ojos veían, ni acertando, por otra, dar ninguna culpa a doncella tan querida y tan pura; tanto que si por orden de Dios no le hubiese revelado un ángel aquel soberano misterio, determinado estaba ya a dejarla y separarse de ella.

Otro de los actos del verdadero humilde es no querer las alabanzas que se le dan, sino referirlas todas a Dios como hizo María cuando a los elogios que le daba el Arcángel san Gabriel quedó tan turbada, y cuando su prima santa Isabel la ensalzó tanto, llamándola bendita entre todas las mujeres, bienaventurada en haber dado crédito a las palabras del Señor, y admirándose grandemente de que, siendo ya Madre del mismo Dios, hubiese venido en persona a visitarla. De todas estas cosas atribuyó todo el honor al Altísimo, respondiendo con aquel cántico divino del *Magníficat*, como si claramente hubiera dicho: "Isabel, tú me alabas a mí, pero yo alabo al Señor, a quien solamente se debe la alabanza y gloria; tú te admiras de que venga yo a ti, y yo admiro la divina bondad, en quien sólo se regocija mi espíritu; tú me ensalzas por haber creído, y yo ensalzo al Señor por haber mirado mi bajeza, levantándome de la nada". ¡Oh, humildad verdadera, humildad dichosa! Ésta fue la que nos trajo a Dios, nos libró de la muerte eterna y nos abrió los cielos.

Propio es también de los humildes ofrecerse a cualquier obsequio y servicio, por lo cual visitó y sirvió María a su prima Isabel tres meses con mucho amor y gozo.

Busca también el último lugar, como cuando la misma Virgen, según refiere san Mateo, no quiso entrar en aquella casa donde predicaba su Hijo, así como en el Cenáculo escogió también el último puesto, y en el último la pone san Lucas, no porque dejase de conocer el Evangelista el mérito de la Madre para nombrarla primero que a los demás, sino porque habiéndola puesto la última de todos, los nombra por el orden con que allí estaban.

Además, los humildes quieren ser despreciados, y por esto no leemos que acompañase al Salvador el día en que entró en Jerusalén con palmas y olivos, pero sí en el monte Calvario, donde, como Madre de quien moría en una cruz con voz de infame y criminal, había de ser por consecuencia también infamada y menospreciada.

Un asomo o vestigio de tan estupenda humildad dio a conocer el Señor en un éxtasis a la venerable Sor Paula de Foligno, y dando ella cuenta de aquel rapto a su confesor, decía como pasmada: "¡Ah, Padre, la humildad de la Virgen, la humildad de la Virgen! No hay en el mundo ni un viso que con la suya se pueda comparar". Y otra vez puso el mismo Señor delante de santa Brígida otra representación semejante, que fue la figura de dos señoras, una con gran fasto y vanidad, que representaba la soberbia, y de la otra le dijo: "Ésta que ves con la frente inclinada, los ojos modestos, con Dios en la mente, tan afable, y que al mismo tiempo se tiene en nada, ésta es la humildad, y se llama María"; con lo cual le quiso significar que su querida Madre había sido tan humilde, que bien se podía llamar la humildad en persona.

No hay quizá virtud más difícil a nuestra naturaleza mal inclinada, pero hay que pedirle al Señor; ya que mientras que no seamos humildes, no llegaremos a ser hijos verdaderos de María. Dice san Bernardo: "Si no puedes imitar su virginidad, imita su humildad. Ella desecha a los soberbios y llama a los humildes". Con el manto de su humildad, quiere que nos cubramos y abriguemos, y a los que ve cobijados con él, los estima sobremanera. Se apareció en Valencia al P. Martín Alberto, de la Compañía de Jesús, a tiempo que, por obsequiarla con actos de humildad y mortificación, estaba recogiendo la basura de casa, y le dijo así: "Hijo, mucho me agradas en eso".

Pues bien, Señora, convencido quedo de que sin la humildad nunca lograré la dicha de ser tu hijo. Mas como después que ofendí a Dios me hicieron también soberbio mis pecados. Tú has de remediar este daño, alcanzándome la virtud de la santa humildad, con que merezca, en fin, la fortuna de ser contado en el número de tus hijos.

2. De la caridad de María para con Dios

Donde hay pureza hay amor. Cuanto más puro estuviere un corazón y más vacío de sí, más lleno estará del amor de Dios. Pues, como la Virgen nuestra Señora fue tan humilde y desprendida de sí misma, la llenó plenamente el amor divino, habiendo amado a Dios más que todos los hombres y todos los ángeles, por lo cual muy bien la llamó san Francisco de Sales "Reina del amor". Nos impuso el Señor precepto de amarle con todo el corazón, pero hasta que le veamos en el cielo no cumpliremos este precepto perfectamente.

Por otra parte, Dios, en cierta manera, se hubiera retractado de imponer a los hombres una ley que nadie hubiese de cumplir del todo, si no hubiera criado a su Madre Santísima, que la observó con la mayor perfección, pues, el amor divino hirió, traspasó y poseyó totalmente su corazón puro; y así, amó siempre sin defecto alguno, diciendo con toda verdad: "Mi Amado es todo para mí, y yo para mi Amado". Hasta los serafines podían bajar del cielo y aprender de su corazón a amar al Señor.

Vino el Señor a encender en el mundo el fuego de la caridad; pero en ningún pecho prendió tanto como en el de su querida Madre que, como tan libre y desocupado de todos los afectos terrenos, estaba también mucho más dispuesto a encenderse en tan preciosa llama que otro ninguno. Su dulce corazón se podía llamar fuego y hoguera, como se dice en el libro de los Cantares: *Lampades ejus, lampades ignis atque flamarunt*. Fuego que ardía dentro, y llamas que con el ejercicio de todas las virtudes resplandecían de fuera.

Cuando llevaba en los brazos a su Hijo santísimo, bien pudo llamarse fuego que llevaba otro fuego, mucho mejor que aquella mujer de quien lo dijo Hipócrates por verla pasar con fuego en la mano. Como el fuego penetra en el hierro, así la penetró el fuego del Espíritu Santo, y con tal fuerza y ardor, que nada se vio en ella que no fuese fuego de amor divino. La zarza que ardía y no se quemaba fue símbolo suyo, y el haberla visto san Juan vestida de sol, significa que estuvo tan unida con Dios, que no parece posible pueda llegar a tanta pureza la criatura. Jamás sufrió tentación, ni aun leve, porque sintiendo de lejos los demonios el ardor de su caridad, huían precipitadamente. Ni tuvo nunca más pensamiento, más deseo, más gozo que a Dios; y así, eran sinnúmero los actos de amor que hacía su bendita alma, como enseña Suárez, estando casi siempre en contemplación, o más bien era un acto solo, continuo, sin interrupción, porque como águila real, tenía siempre fijos los ojos del alma en el divino Sol de Justicia, con tanta firmeza, que ni las acciones exteriores impedían su contemplación elevada, ni ésta el atender a las ocupaciones externas. Y por eso en la antigua ley fue figura suya el propiciatorio, del que ni de noche faltaba fuego.

Tampoco el dormir le estorbaba para amar, porque si, como dice san Agustín, se concedió este privilegio a nuestros primeros Padres en el estado de la inocencia, no se debe negar a María, y en esto concuerdan con el P. Suárez varios otros Doctores. Mientras su cuerpo descansaba, velaba su alma, y en ella se cumplía lo que se escribe en el libro del Sabio: "No se apagará su lámpara de noche". No le impedía el sueño hablar con Dios y estar en contemplación más alta y perfecta que jamás lo estuvo en la vigilia ningún otro viviente racional. "Yo duermo, y mi corazón vela", podía muy bien decir con la Esposa de los Cantares. Tan feliz durmiendo como velando. De manera que mientras vivió en la tierra amó continuamente a Dios, haciendo siempre todo aquello que sabía era más grato a sus divinos ojos, y amándole todo cuanto le debía amar. En suma, tanto la llenó y poseyó la caridad divina, que no fue posible cupiese más en pura criatura; y así vino pronto a ser a los ojos de Dios tan hermosa y placentera que, vencido y preso de su amor, descendió y se hizo hombre en su seno virginal. Ésta es la doncella que con su virtud le hirió y robó el corazón.

Ahora bien, pues que tanto le ama, ciertamente que ninguna otra cosa pide con más insistencia de sus devotos como el que le amen ellos también cuanto alcancen sus fuerzas. Así lo dijo a la beata Ángela de Foligno un día durante la comunión: "Ángela, mi Hijo te bendiga, y tú, ámale cuanto puedas"; y a santa Brígida: "Si quieres tenerme contigo, has de amar a mi Hijo". Como su amado es Dios, solicita que de nosotros también lo sea. Pregunta un autor por qué suplicaba la Esposa que dijesen a su Esposo lo mucho que le amaba. ¿No lo sabía Él? ¿No había de tener noticia de llama tan amorosa el mismo que la hizo? Lo decía, no para que el Señor lo supiese, sino los hombres, a fin de que del modo que ella estaba herida, procurásemos estarlo también nosotros. Por lo cual, así como arde en ella este divino fuego, así a todos los que la veneran y procuran acercársele les comunica tan envidiable incendio, haciéndolos semejantes a sí. Por la misma razón santa Catalina de Siena la llamada *Portatrix ignis:* la que lleva fuego. En fin, si queremos que en nuestros corazones se encienda esta preciosa llama, acerquémonos a nuestra Madre con ruegos y encendidos afectos.

¡Oh, Reina de amor!, la más *amable,* la más *amada* y la más *amante* de todas las criaturas, como te decía san Francisco de Sales. Tú, Madre mía, que siempre ardiste en amor celestial, dame siquiera una centella de amor tan soberano. Tú que pediste por los esposos en aquellas bodas, cuando el vino se les acabó, pide por nosotros, pues ve que nos falta el vino del amor sagrado. Di al Señor así: *No tienen amor*, y alcánzanoslo tú misma con tus ruegos poderosos. Madre piadosa, por el amor que le tienes, no desistas de rogar por nosotros hasta conseguirnos esta gracia.

3. De la caridad de María para con el prójimo

En un mismo precepto nos dio el Señor la obligación de amarle y amar al prójimo, porque, como enseña santo Tomás, quien ama a Dios, ama todo lo que Dios ama. Le decía una vez santa Catalina de Génova: "Señor, tú quieres que ame al prójimo, y yo, fuera de ti, no acierto a amar a nadie". A lo que su divina Majestad le respondió: "Amándome a Mí, amas todo lo que Yo amo".

Pues así como no hubo ni habrá quien a Dios ame tanto como María, así tampoco hubo nunca ni habrá quien ame tanto al prójimo. Dice Cornelio a Lápide que esta amantísima Virgen estaba representada en aquella muy rica y preciosa litera fabricada por Salomón, de que habla el Sagrado Texto, porque su vientre virginal fue la litera rica, pura y hermosa en que, habitando el Verbo Encarnado llenó a su Madre de ardiente caridad para cuantos recurriesen a ella; y así, mientras vivió en el mundo, estuvo tan colmada de esta virtud, que, aun sin que nadie se lo rogase, socorría toda suerte de necesidades y miserias, como lo dio bien a conocer en aquellas bodas. Pero, en nada fue su caridad tan encendida y generosa como en ofrecer a su santísimo Hijo a la muerte por nuestra eterna felicidad: tanto amó al mundo, que por él dio a su mismo Hijo, como del Padre Eterno pondera san Juan. Ni porque ya se ve feliz y glorificada en los cielos se le ha olvidado o entibiado en algo su amor; antes, es ahora mayor, no habiendo nadie que deje de sentir los efectos de su piedad con sólo alzar el corazón para implorarla. Y ¿qué sería del mundo si no estuviese continuamente rogando por nosotros? Ni esperanza de misericordia nos quedaría.

"¡Dichoso aquel (dice María) que, dócil a los ejemplos y avisos que le doy, toma de mí lecciones de caridad para ejercitarla con sus prójimos!" No hay cosa con que más fácilmente nos granjeemos su amor y protección, como en ser buenos y caritativos. A todas horas nos está diciendo: "Sean misericordiosos, como su Madre lo es"; y sin duda usan Dios y su Madre de misericordia a la medida que lo seamos. El pago de aquello en que favorezcamos o hagamos bien a cualquier pobre, será la posesión entera de la gloria pues, por boca del Apóstol, tiene prometido el Espíritu Santo que, así en esta vida como en la otra, los caritativos serán felices; como que el que socorre al necesitado es lo mismo que dar en préstamo a Dios y hacerle nuestro deudor.

Madre de misericordia, pues que con todos la tienes tan grande, no te olvides de las miserias mías. Las estás viendo. Habla por mí al Señor, que nunca te niega nada de lo que pides. Pídele, Madre mía, y alcánzame la gracia de que siempre le ame sobre todas las cosas, y al prójimo como a mí mismo.

4. *De la fe de María Santísima*

Del mismo modo que del amor y la esperanza es Madre la sacratísima Virgen María, lo es igualmente de la fe, porque con ella reparó los daños que nos hizo Eva con su incredulidad. Por haber dado crédito a la serpiente astuta la primera madre, contra el mandato de Dios, nos acarreó la muerte; pero María trajo al mundo salud y vida, por haber creído las palabras con que el ángel le anunciaba de parte de Dios que, sin detrimento de su pureza virginal, iba a ser madre del Salvador del mundo, con lo cual abrió a los hombres las puertas del cielo. Ésta fue la virgen fiel por cuya fe se salvó Adán y toda su posteridad. Ésta la Virgen sabia a quien, por haber creído, la llamó bienaventurada su prima Isabel y a quien san Agustín llama más dichosa por haber abrazado la fe de Cristo que por concebir en sus entrañas la carne de Cristo.

El P. Suárez sostiene que fue mayor su fe que la de todos los hombres y todos los ángeles. Veía en un establo a su Hijo recién nacido, y creía firmemente que aquel Niño era el Creador del mundo. Le veía huir de Herodes, y no dudaba que era el Rey de reyes. Le vio nacer, y creyó que era eterno. Le veía pobre y necesitado, y le creía Señor del universo; recostado en las pajas, y que era omnipotente; no hablar siendo niño y que era la sabiduría infinita; llorar, y con todo, ser el gozo eterno de los santos. Le vio, finalmente, morir con afrenta y dolor, y bien que los discípulos titubeasen en la fe, ella estuvo siempre firme en creerle verdadero Dios; por lo cual dicen algunos que esto significa el dejar encendida una vela sola al fin de las tinieblas de la Semana Santa, pues a este propósito le aplica san León las palabras de la divina Escritura: *Non extinguetur in nocte lucerna ejus;* y sobre aquel otro texto de los Proverbios, en que dice el Señor que pisaría solo y sin compañía de otro varón el lugar de su Pasión sacrosanta; explica santo Tomás que, al decir varón fue por no comprender a María Santísima, en la cual nunca faltó la fe. Realmente, fue heroica y admirable esta virtud en aquella ocasión, pues dudando todos los demás, ella no dudó. Por eso mereció ser luz y guía de todos los fieles y Reina de la verdadera fe. Por el mérito de fe tan excelente le atribuye la santa Iglesia la victoria contra todas las herejías; y los ojos hermosos con que se dice en los Cantares que la Esposa santa hirió y cautivó el corazón de su Esposo, fue la fe de María, tan acendrada y agradable al mismo divino Esposo.

Imitémosla, pues, en esta virtud tan principal. Y ¿de qué manera? Don y virtud es la fe. En cuanto don, es una luz sobrenatural que infunde Dios en el alma. En cuanto virtud, consiste en el ejercicio de ella, como que sirve, no sólo de regla de lo que debemos creer, sino también lo que debemos hacer. En esto ha de ser la imitación. Esto es lo que se llama tener fe viva: vivir conforme a lo que uno cree. Así vivió la Virgen Santísima. Los que no conforman las obras con lo que creen, no viven así, porque tienen la fe muerta, como dice Santiago. Andaba Diógenes entre la multitud buscando un hombre, y Dios entre los fieles parece que busca quien sea cristiano, porque de tantos hombres como reciben el Bautismo, pocos son cristianos de veras. A los de sólo nombre se les pudiera decir lo que una vez dijo Alejandro a un soldado, llamado también Alejandro, pero cobarde: "O deja el nombre, o el proceder"; aunque a tales fuera mejor llamarlos locos (como decía el P. M. Ávila), pues creyendo que después de esta vida habrá gloria eterna para quien viva bien, e infierno sin fin para quien viva mal, viven como si no creyesen. Sean nuestros ojos, ojos de cristianos, que es consejo de san Agustín; esto es, veamos las cosas como quien tiene fe, pues por falta de ella pecan los hombres, como aseguraba santa Teresa.

Pidamos a Nuestra Señora, que por la excelencia y mérito de su fe, nos la alcance a todos muy viva.

5. *De la esperanza de la Virgen María*

De la fe nace la esperanza, porque el fin que Dios se propone en iluminar nuestros entendimientos con la luz de la fe es animarnos a esperar y desear poseerle y gozarle después de esta vida.

Y pues tuvo la fe María en grado tan alto como hemos visto, a igual altura llegó su esperanza pudiendo decir mejor que el Profeta Rey, que su bien consistía en estar unida con Dios y poner su esperanza en Él. Fue esta Señora aquella Esposa fiel de quien se dijo en los Cantares: "¿Quién es ésta que sube del desierto derramando delicias y apoyada en su Amado?" Porque desprendida del mundo, que miraba como un desierto, y sin confiar en las criaturas ni en sus méritos propios, sino poniendo toda su confianza en la divina gracia, iba subiendo por instantes en el amor de Dios.

Dio bien a conocer cuán arraigada y firme la tuvo en sólo Dios cuando advirtió la inquietud y turbación de su casto y querido esposo, que por verla encinta, resolvió finalmente separarse de ella. Necesidad parecía, como ya dijimos, descubrir a su esposo en aquel caso el alto y oculto misterio de la Encarnación obrado en sus entrañas virginales. Pero no quiso sino dejarse del todo a la disposición y voluntad de la divina Providencia, con esperanza segura de que el Señor defendería su inocencia y honor.

La dio también a conocer cuando, llegada la hora del sagrado parto, se le cerraron en Belén todas las puertas, y hubo de recogerse a una cueva o establo para dar a luz al Salvador del mundo. No se quejó de tan injusto desvío, no mostró sentimiento, no desplegó los labios, sino que, arrojándose en las manos de Dios, confió firmemente, y no dudó que le asistiría en aquella urgencia y necesidad.

La dio igualmente a conocer cuando, al primer anuncio y mandato de que huyese a Egipto con san José y el Niño, salió sin demora aquella misma noche a viaje tan largo, a región extranjera y desconocida, sin más compañía, ni dinero, ni provisión alguna.

Finalmente la descubrió mucho más cuando en las bodas intercedió pidiendo el primer milagro de los que obró su divino Hijo, pues habiéndole respondido el Señor con aquellas palabras que parecieron claramente negar el favor, con todo, manda a los que servían diciéndoles que hagan lo que su Hijo les dijese, confiada en la bondad divina y segura de alcanzar la gracia deseada, como así fue.

Aprendamos, pues, de esta gran Señora, modelo de todas las virtudes, a tener en toda ocasión, como debemos, completa confianza en la bondad de Dios, y mucho más de que al fin alcanzaremos la salvación eterna, pues aunque de nuestra parte nos pide para ello cooperación y esfuerzo, esto ha de ser presuponiendo siempre que la gracia necesaria para conseguirla viene solamente de su bondad y misericordia, y por lo mismo, desconfiados de nuestras propias fuerzas, hemos de repetir con el Apóstol: "Todo lo puedo en Aquel que me conforta".

Madre mía, de ti se nos dice en el libro del Eclesiástico que eres Madre de la Esperanza, y esperanza nuestra te llama la santa Iglesia. ¿Cuál otra buscaré yo? En ti, después de tu Hijo, la pongo toda. No se me caerán de los labios las palabras de san Bernardo, para decirte que eres toda la razón o motivo de mi esperanza, ni cesaré con san Buenaventura, de clamar y decir: "Salud de todos los que te invocan, sálvame".

6. De la castidad de María

Caído Adán en pecado, rebelada contra la razón nuestra sensualidad, ninguna virtud se nos hace más difícil y cuesta arriba que la castidad, donde, como dice san Agustín, es más porfiado el combate, más frecuente la lucha y raras las victorias. Pero bendita y alabada sea la piedad del Señor, que en la Virgen María nos dio ejemplar y dechado de tan preciosa virtud. "Virgen de vírgenes" es y se llama muy justamente, porque habiendo sido la primera en consagrar a Dios su virginal pureza, sin consejo de nadie ni ejemplo anterior de ninguna otra virgen, ella lo fue de todas las que a su imitación después se mantienen puras y castas, y así quedó cumplido el vaticinio de David, en que anunciaba que en pos de ella irían las demás vírgenes del templo de Dios. Sin consejo ni ejemplo, vuelvo a decir, y por lo mismo le pregunta san Bernardo: "Virgen purísima, ¿quién te enseñó a complacer a Dios con tu virginidad y a vivir en la tierra como los ángeles?" Ninguno sino Dios. Dios escogió Virgen tan pura por Madre, para que fuese para todos modelo de pureza y abanderada y guía de la virginidad.

Por eso la llamó el Espíritu Santo "hermosa como la tórtola", y en otro lugar, "azucena entre espinas". Entre espinas, porque como dice un autor, las demás vírgenes son espinas para sí o para otros; pero esta Reina soberana ni para sí ni para nadie fue jamás espina; antes, al contrario, con sólo dejarse ver infundía en los que la miraban pensamientos limpios y honestos. San Jerónimo creyó que el haberse mantenido el Patriarca san José toda su vida virgen, lo debía a la compañía de su santísima Esposa, pues escribiendo contra Elvidio, hereje, dice así: "Te atreves a decir que María no conservó su virginidad, y yo sostengo que por María fue virgen san José".

Otros autores llegan hasta afirmar que era tanto lo que estimaba esta preciosa virtud, que por no perderla hubiera renunciado a la dignidad de Madre de Dios; lo cual no deja de inferirse de la respuesta que dio al ángel cuando le dijo: "¿Cómo se ha de hacer esto, si yo no conozco varón?" Y también de lo que, asegurada ya, prorrumpió después: "Hágase en mí según tu palabra"; significando que daba su consentimiento para ser Madre no por obra de otro que del Espíritu Santo.

Sentencia de san Ambrosio es que las personas que conservan la castidad son ángeles, y las que la pierden, demonios, pues dijo el Señor que los castos serían como los ángeles de Dios. San Remigio aseguraba que la mayor parte de los adultos que se condenaban, se condenaban por este vicio. Pocas son, en efecto, contra él las victorias; pero ¿por qué sino por no tomar los medios para vencer? Tres medios señalan, con Belarmino, los maestros de la vida espiritual: *ayuno, huir de las ocasiones y oración*, comprendiendo en el ayuno la mortificación, especialmente en custodiar la vista y refrenar la gula.

La Virgen Santísima, aunque llena de gracia, tenía siempre a raya los sentidos, y los ojos especialmente, que nunca los fijó en rostro de ningún hombre, como atestiguan san Epifanio y san Juan Damasceno; habiendo sido tanta su modestia desde niña, que despertaba en todos admiración. San Lucas advierte que cuando va a ver a su prima Isabel iba muy de prisa, sin duda para que en el camino la observasen menos. Acerca del comer, san Gregorio Turonense dice que ayunó toda su vida, y san Buenaventura tenía por cierto que sin la virtud de la templanza tan admirable no hubiera hallado tanta gracia a los ojos del Señor. En suma: fue siempre en todo tan mortificada, que, por ser la mirra símbolo de mortificación, se dijo en los Cantares de ella: "Mirra destilaron mis manos".

Acerca del segundo medio, que es la huida de las ocasiones, se nos dice en el libro de los *Proverbios* que quien evite los lazos quedará libre. En la guerra sensual, vencen los prudentes, decía san Felipe Neri, dando a entender que hay los que no buscan las ocasiones. María evitaba con gran cuidado la vista de los hombres, y sin aguardar al parto de su prima santa Isabel, en sentir de varios autores, se volvió a Nazaret, por no hallarse entre el bullicio y conversación de tanta gente como se esperaba acudiría a dar parabienes por el nacimiento del niño Juan.

El tercer medio es la oración, porque dice el Sabio: "Conociendo que no podía ser continente sin darlo Dios, acudí a Él y rogué". Y la Santísima Virgen como referimos en otro lugar, reveló a santa Isabel, benedictina, que sin trabajo y oración no había poseído ninguna virtud. Pura es María, y como tan amante de la pureza, desdeña a los impuros. Pero todos los que a ella recurran saldrán victoriosos de la lucha, invocando su nombre con filial confianza, pues asegura san Juan de Ávila que solamente con el afecto y devoción a su Concepción Inmaculada bastó para que muchas personas saliesen victoriosas de la tentación.

¡Oh María, paloma cándida y pura! ¡Cuántos desventurados, por este abominable vicio, arden en las llamas eternas! Líbranos a nosotros, Señora, alcanzándonos la gracia de que en los peligros y tentaciones recurramos a ti y venzamos por ti. Amén.

7. De la pobreza de María

Pobre quiso ser en el mundo nuestro amoroso Redentor, para enseñarnos a despreciar los bienes de la tierra, y a ser pobres exhortaba a todos los que hubiesen de seguir sus huellas, entre los cuales la que más de cerca le siguió, y más perfectamente, fue María. Con lo que de sus padres había heredado hubiera podido pasarlo en este mundo cómodamente; pero todo lo dio al templo y a los pobres, reservando muy poco para sí, y aun dicen algunos que hizo voto de pobreza. Las ofrendas de los santos Magos no serían de poco valor, pero también fueron a parar a manos de los pobres; y así se deduce de presentar en el templo el día de la Purificación, no el don propio de los ricos, que era un cordero, sino dos pichones o tórtolas, que ofrecían los pobres. De manera que, a excepción del vestido y un escaso alimento, nada poseyó de este mundo. Por amor a la pobreza admitió por esposo a un artesano, manteniéndose con el trabajo de sus manos y con hilar y coser. En fin, pobre vivió y pobre murió, porque a la hora de la muerte no se sabe que dejase otra cosa aparte de dos vestidos ordinarios a dos mujeres que la habían asistido.

Ninguno que ame los bienes de la tierra será santo, decía san Felipe Neri; y santa Teresa añadía que muchas veces se procura con los dineros el infierno y se compra fuego y penas sin fin; y, al contrario, aseguraba de sí misma que con la pobreza le parecía que poseía todas las riquezas del mundo.

Pero adviértase que esta virtud no consiste meramente en ser pobre, sino en serlo voluntariamente. Bienaventurados los pobres de espíritu, porque de ellos es el reino de los cielos. Dichosos y bienaventurados, porque buscando sólo a Dios, en Dios hallarán todos los bienes, y aun en la tierra el paraíso, como los halló san Francisco, que decía: "Mi Dios y mi todo".

Amemos también nosotros aquel bien en quien están todos los bienes, pidámosle con san Ignacio de Loyola: "Dame, Señor, tu amor y gracia, y seré rico". Y si alguna vez nos diese a sentir los efectos de la santa pobreza, alegrémonos sabiendo que antes fueron pobres Jesús y María.

Madre mía, Madre Santísima, tú, que con inflamado corazón dijiste que en Dios únicamente estaba todo tu contento, porque en este mundo nada quisiste ni a nada aspiraste sino poseer sólo a Dios, ayúdame a desapegarme del mundo y llévame a ti Señora, para que yo también, por tu medio, tenga la dicha de amar sobre todas las cosas a aquel Señor, único bien digno de ser amado. Amén.

8. De la obediencia de María

El haber pronunciado la Santísima Virgen, cuando el ángel le anunció el misterio de la Encarnación, aquellas palabras tan humildes: "Aquí está la esclava del Señor", nacieron del afecto, y muy singular, a la virtud de la obediencia, pues ni de obra ni de pensamiento se opuso jamás a las disposiciones de Dios su fiel esclava, sino que siempre, desasida de su voluntad propia, estuvo en todo rendida totalmente al beneplácito divino. En su cántico lo declaró cuando dijo que había Dios mirado con suma complacencia la bajeza y humildad de su sierva consistente en obedecer en todo tiempo lo que le manda el Señor.

Con su obediencia remedió el daño hecho por la primera Madre, y fue sin comparación, más aventajada que la de todos los santos, porque, como por uno de los tristes efectos del pecado original, tienen los hombres tanta inclinación a lo malo, sienten no poca dificultad en el bien obrar; pero María, inmune de la mancha de nuestro origen viciado, ningún impedimento tuvo para obedecer con toda perfección; antes fue siempre su voluntad como una rueda ligera que se movía con gran prontitud y agilidad a cualquier impulso de la inspiración divina; y así, mientras vivió en el mundo, toda su ocupación y esfuerzo fue mirar y cumplir cuanto conocía ser del divino agrado. Por ella se dijo en los *Cantares*: "Mi alma se derritió así que habló mi amado, pues, su alma inocente y pura fue por el ardor de la caridad, como un metal dócil, blando, derretido y dispuesto a recibir todas las formas que Dios de su mano le quiso imprimir".

Bien mostró lo subido y acrisolado de esta virtud, en primer lugar, cuando, tan sumisa y pronta en cumplir el edicto del Augusto César, salió para Belén, distante de Nazaret más de noventa millas, estando encinta, y siendo su pobreza tan extrema, que se vio precisada a buscar un portal o establo donde recogerse y dar a luz al Salvador del mundo.

Muy puntualmente obedeció también cuando se puso en camino a la primera insinuación de san José, huyendo por caminos largos y fangosos a tierra de Egipto; y si el mandato se dio al varón y no a su santa Esposa, fue para que no perdiese tan buena ocasión de obedecer, a lo que en todo momento se hallaba dispuesta.

Pero principalmente la mostró muy heroica cuando por conformarse, requerida por la divina buena ocasión de obedecer, a lo que en todo momento se hallaba dispuesta.

También la mostró muy heroica cuando por conformarse, requerida por la divina voluntad, ofreció al morir a su mismo Hijo; como un santo dice, no hubiera repugnado ser ministro de la divina Justicia a falta de otros ejecutores. De este modo fue más feliz por haber escuchado y guardado las palabras de Dios que por la dignidad de Madre suya, como significó el mismo Señor cuando, por oírle predicar un día, alabó tanto una mujer el vientre dichoso que le había llevado y los pechos purísimos de que se alimentó.

De aquí proviene que le sean tan agradables los que practican esta virtud. Una vez se apareció a un religioso franciscano, por nombre Acorso, que, llamado en aquel instante para confesar a una enferma, dejó sin detenerse la celda y aquella soberana visita; pero al volver, la halló esperándole todavía, y le alabó mucho tan pronta obediencia; así como reprendió a otro religioso que, por acabar sus devociones, no acudió a comer al primer toque de la campana. Y otra vez dijo a santa Brígida que a todos salva la obediencia; porque, en efecto, no pedirá Dios cuenta de nada que hiciéramos por obedecer, teniendo ya dicho de antemano que el que oye a los superiores oye al mismo Dios. Finalmente, reveló también a la misma santa que por los méritos de esta virtud, le había concedido el Señor el privilegio de que todos los pecadores que, arrepentidos, recurran a su protección, hallarían misericordia y serían perdonados.

¡Oh, Reina y Madre nuestra! Ruega a Jesús por estos pobres pecadores, alcánzanos por el mérito de tu excelente obediencia la gracia de obedecer también nosotros a la divina voluntad y a los consejos y dirección de nuestros padres espirituales.

9. De la paciencia de María

Siendo la tierra en que habitamos lugar destinado a merecer, con toda propiedad es llamado valle de lágrimas, porque en ella vivimos para sufrir y, con el sufrimiento y la paciencia, ganar nuestras almas para la vida eterna, como nuestro Divino Redentor y Maestro nos dejó prevenido. Nos dio a este fin a su Madre Santísima por dechado de todas las virtudes, y de la paciencia especialmente. Tal vez haberle negado al principio aquel milagro que con las bodas de Caná le pidió, fue para poner a nuestra vista, en la paciencia de su querida Madre, un ejemplo muy singular que imitar. Toda su vida fue un ejercicio continuo de esa virtud, porque así como entre espinas crece la rosa, así en medio de las tribulaciones iba creciendo en virtud de esta soberana Señora; y aunque otra pena no hubiera sufrido, que la compasión de los dolores de su divino Redentor, hubiera bien bastado para haberla hecho mártir de paciencia, llegando a decir san Buenaventura que concibió crucificada al Crucificado.

Cuántos y cuán grandes fuesen sus padecimientos, así durante el viaje y estancia en Egipto, como en todo el tiempo que vivió con el Señor en Nazaret, ya lo dijimos antes de la consideración de los misterios de sus dolores. Pero la constancia con que al pie de la cruz perseveró aquellas tres horas terribles de agonía, basta para conocer lo heroico y admirable de su paciencia, cuando por ella mereció el título y autoridad de Madre de todos los hombres.

Si apreciamos, pues, la dicha de los hijos suyos, en la virtud de la paciencia nos hemos de parecer a nuestra Madre, y más sabiendo que no hay cosa con que más podamos crecer aquí en merecimientos, y allá en premios y coronas de gloria, como con el sufrir pacientemente las adversidades de esta vida. El camino de los escogidos está sembrado de espinas. Pero así como a la viña el vallado espinoso la cerca y guarda, así Dios rodea de tribulaciones a todos sus siervos para tenerlos más libres y apartados de la afición a las cosas terrenas. Tanta verdad es esto, que san Cipriano llegó a decir que la paciencia es la que nos libra del pecado y del infierno. ¡Qué maravilla si ésta forma los santos y los hace perfectos! ¿Cómo? Sufriendo con confianza las cruces que Dios les envía directamente, como enfermedades, pobreza y otras, y también las que sufren de parte de los hombres como injurias, persecuciones, etc. Vio san Juan en el cielo a todos los santos con palmas en las manos (símbolo del martirio), y con esto significó que todas las personas con uso de razón que se hubiesen de salvar han de ser mártires de sangre o de paciencia.

Pues, ánimo, exclama san Gregorio, que podemos ser mártires sin pasar por hierro ni sangre, sólo con ser pacientes, o mejor, como explica san Bernardo, sufriendo las penas de esta vida con paciencia y aun con gusto y alegría. ¡Qué premio tan grande nos aguarda en el cielo si lo hacemos así! A tanto bien nos exhorta el Apóstol, asegurándonos, que un momento de tribulación aquí produce allá peso y colmo eterno de gloria. Con gran espíritu y verdad dijo, pues, la gloriosa santa Teresa: "Quien se abraza con la cruz, no la siente". Y en otra parte: "En determinándose a padecer, se acaba la pena". Y si alguna vez nos parece que, por su mucho peso, nos oprime la cruz, acudamos a María, consoladora de los afligidos y remedio y mediación de todos los males.

Dulce Señora, habiendo tú llevado con paciencia heroica tus angustias y dolores, yo, que por mis pecados he merecido mil veces el infierno, ¿no he de querer sufrir pena ninguna? Madre mía, no te pediré ya que me quites la cruz de los hombros, sino que me alcances gracia para llevarla con paciencia cristiana. Alcánzamela, Señora, por amor de Jesús. Así lo espero de ti con toda confianza.

10. De la oración de María

No hubo nunca alma en la tierra que tan perfectamente cumpliese, como la Virgen, aquel importante mandato de nuestro Salvador: "Conviene siempre orar y no entibiarse ni desfallecer"; de nadie, como de María, podemos tomar ejemplo de lo necesario que nos es perseverar en la oración, pues, en el ejercicio de esta santa virtud fue también la Madre pura, después de Jesucristo, la criatura más perfecta de todas. Primeramente, porque su oración fue continua y perseverante. Desde el primer instante de su ser, en que ya tuvo el uso completo de la razón, como dijimos antes en el sermón del nacimiento, ella empezó a darse a la oración.

Por darse más a la oración, entre otros motivos, quiso encerrarse en el templo siendo niña de tres años, donde no sólo en el día oraba con gran fervor, sino que se levantaba a media noche para hacer oración ante el altar. Y después de la Pasión de su Santísimo Hijo, para tenerla más en la memoria y meditarla con mayor fruto, hacía frecuentes estaciones en los lugares donde nació, padeció y fue sepultado.

En segundo lugar, fue su oración recogida, sin distracción y muy ajena de todo intento o inclinación menos ordenada. Por esto amaba tanto la soledad, y por esto rehusaba tratar en el templo ni con sus mismos padres, siendo tan santos. Y aquí observa san Jerónimo sobre las palabras de Isaías: *Ecce virgo concipiet*, que en aquel texto la palabra virgo significa con propiedad virgen retirada, pareciendo que en él quiso el Profeta significar el amor que la Virgen Santísima había de tener a la soledad y al retiro.

En gran manera amaba la soledad, y por eso el ángel hallándola sola cuando le anunció el misterio de la Encarnación, la saludó diciendo: "El Señor está contigo". Por la misma razón nunca salía de su casa, como no fuese al templo, y entonces, con gran compostura y recogimiento. Por igual motivo fue con rapidez a visitar a su prima santa Isabel. Buen ejemplo, dice san Ambrosio, para que aprendan las vírgenes a huir del bullicio y concurso de las gentes.

Del deseo de oración y soledad nació también su cuidado en evitar el trato y comunicación con los hombres, y quizá por esto la llamó Tórtola, en los Cantares, el Espíritu Santo. Finalmente, vivió en el mundo como en un desierto, y a esta causa dice de ella la Iglesia: "¿Quién es ésta que sube del desierto como una vara llena de toda fragancia?"

En la soledad habla Dios a las almas. El mismo Señor lo declaró por Oseas: *Ducam eam in solitudinem et loquar ad cor ejus;* sobre cuyas palabras exclamó san Jerónimo: "¡Oh, soledad, en que Dios habla con los suyos familiarmente!" Y lo confirma san Bernardo enseñando que en la soledad y el silencio en que ella se goza, se esfuerza el alma a salir de la tierra con el pensamiento, y a concentrarse en la meditación de los bienes del cielo.

Virgen fiel, alcánzanos tú afecto y estima de la oración y la soledad, para que, desprendidos del amor de las criaturas, aspiremos sólo a Dios y a los bienes eternos de la gloria, donde esperamos verte, alabarte y amarte juntamente con tu dulce Hijo, por todos los siglos de los siglos. Amén.

OBSEQUIOS

Es tan agradecida y generosa la Reina de los ángeles, que por cortos servicios y obsequios de sus siervos retribuye gracias y favores muy grandes y especiales. Mas para merecerlos, dos cosas son necesarias; una, que le ofrezcamos nuestros obsequios con el alma libre de pecado, porque, si no, fácilmente nos podrá decir lo que le dijo a un soldado vicioso que todos los días la veneraba con alguna devoción, y al cual, estando una vez casi para morir de hambre, se le apareció, trayéndole una comida exquisita, pero dentro de una vasija tan sucia, que el soldado no tuvo ánimo para alargar la mano: "Yo soy —le dijo entonces— María, la Madre de Dios, y he venido a darte de comer". "Pero, Señora —respondió el soldado— ¿cómo lo he de comer ahí donde viene?" "Y ¿cómo quieres tú —replicó la Virgen— que acepte yo tus devociones, si me las ofreces con el alma tan manchada?" Estas palabras bastaron para conmoverle y convertirle, pues, se hizo ermitaño, y pasados treinta años en el desierto, a la hora de la muerte se le volvió a aparecer la Santísima Virgen para llevárselo consigo al cielo.

Dijimos en la primera parte que, moralmente hablando, no es posible que se condene ningún devoto de María; pero se ha de entender a condición de vivir sin pecado, porque así la Virgen Santísima le ayudará sin duda. Pero quien, al contrario, quiera seguir pecando, con la esperanza de que la Virgen le ha de salvar, se hará por su culpa indigno de su soberana protección.

Como segunda condición se pide la perseverancia en la devoción de la dulcísima Señora. Siendo joven Tomás de Kempis, tenía costumbre de rezarle cada día algunas devociones. Un día las dejó; después, por algunas semanas no las dijo tampoco, y finalmente las dejó del todo. Vio una noche en sueños, a María Santísima abrazando a sus compañeros, y llegando a él le dijo: "¿Qué esperas tú? Retírate, que no eres digno de mis brazos". Despertó con esto el joven, despavorido, y tuvo buen cuidado de comenzar de nuevo sus devociones.

No hay que dudarlo: todo el que logre con la perseverancia el favor de María, será dichoso, porque todas las cosas le saldrán bien, aunque, como de perseverar nadie está seguro hasta morir, tampoco lo puede estar de su salvación. A este propósito, es digno de recuerdo el dicho del santo joven Juan Berchmans, de la Compañía de Jesús, que a la hora de la muerte, al preguntarle sus hermanos, que le asistían, qué obsequio pensaba sería más agradable a la Virgen Santísima para merecer su protección, respondió: "Cualquiera, por poco que sea con tal que haya constancia".

Pues, con el mismo fin de ganarnos su amparo y protección, pondré aquí ahora algunos servicios y devociones fáciles, y me parece que habrá sido lo más provechoso de cuanto va escrito en esta obra, no para que todas se practiquen por todos, sino para que escoja cada quien el que vea que más le agrada, siempre con perseverancia, por temor de perder, si no, la protección de esta gran Señora. ¡Cuántos que ahora están ardiendo en los infiernos se hubieran salvado si hubieran perseverado en ofrecer a María los obsequios que una vez empezaron!

OBSEQUIO PRIMERO

EL AVEMARÍA

1°. Mucho agrada a María Santísima la salutación angélica, porque oyéndola parece que se le renueva el gozo que tuvo cuando le anunció san Gabriel la dicha de ser la escogida para Madre de Dios, y con este fin y con las mismas palabras, debemos venerarla frecuentemente. Dijo la misma Virgen a santa Matilde, que con ninguna otra oración la podría nadie complacer mejor que con el Avemaría. Quien así la salude, será de ella saludado, como lo fue san Bernardo, que una vez oyó distintamente que le respondía una imagen de esta Señora, diciendo: *Ave Bernarde*. A su salutación seguirá siempre alguna de aquellas gracias con que nos corresponde y favorece, porque, ¿cómo ha de negar su favor a quien acuda a sus pies, llevando en los labios el Avemaría? A santa Gertrudis prometió que a la hora de la muerte la asistiría con tantos auxilios como Avemarías le hubiese dicho en su vida. Todas las veces que el Avemaría resuena, se alegra el cielo y huyen los demonios. Por experiencia lo probó así el venerable Tomás de Kempis en una ocasión en que los hizo huir precipitadamente con sólo alzar la voz y decir: Avemaría.

Viniendo a la práctica, sea en primer lugar decir por la mañana y por la noche, al levantarse y acostarse, tres Avemarías, postrados en tierra o de rodillas, y añadir a cada una de esas palabras: ¡Por tu purísima Concepción, oh María, haz puro mi cuerpo y santa mi alma!, pidiéndole su bendición como madre, a imitación de Estanislao, poniéndonos bajo su manto para que nos preserve de todo pecado aquel día y la noche siguiente. A este fin, será bueno tener cerca de la cama una hermosa imagen suya.

2°. Decir las oraciones del *Angelus Domini* con las tres Avemarías de costumbre por la mañana, al mediodía y al oscurecer. Se ganan indulgencias por esta devoción. El primer Papa que las concedió fue Juan XXII, con el motivo que cuenta el Padre Grasset, y fue que un hombre condenado al fuego, con sólo invocar a María en la vigilia de su gloriosa Asunción quedó ileso en medio de las llamas, que ni el vestido le tocaron. (S. S. Pío X concedió por la misma 10 años de indulgencias, y cada mes, una plenaria confesando y comulgando). Antiguamente, al primer toque de campana, todos se ponían de rodillas para rezar, y ahora muchos se avergüenzan de hacerlo. No se avergonzaba san Carlos Borromeo de bajar de la carroza o del caballo, a hincarse de rodillas en medio de la calle, y a veces en el lodo. Se cuenta que un religioso indolente, que no se arrodillaba al Avemaría, vio un día inclinarse tres veces un campanario, y oyó una voz que le dijo: "Las criaturas insensibles hacen lo que tú no quieres hacer". En el tiempo pascual, en vez de *Angelus* se dice el *Regina coeli, laetare,* como advirtió el Papa Benedicto XIV.

3°. Rezar el Avemaría a cada hora que dé el reloj. San Alfonso Rodríguez, así lo hacía, le despertaban los ángeles para que la rezase.

4°. Rezarle también un Avemaría al salir y entrar a la casa para que, dentro y fuera, nos guarde de todo pecado, y besar al mismo tiempo los pies de alguna imagen suya como lo hacen los cartujos.

5°. A cada imagen que se vea, rezarle otra Avemaría, y en las paredes de la calle ponga quien pueda alguna buena imagen, para que todos la veneren al pasar. En Nápoles, y más en Roma, hay en las calles y portales algunas muy primorosas, puestas por sus devotos.

6°. A imitación de lo que tiene ordenado la santa Iglesia, que cada hora del Oficio divino se empiece y acabe con un Avemaría, hace lo mismo al empezar y al acabar todas las acciones del día, sean espirituales, como orar, confesar, comulgar, lectura espiritual, sermones y otras semejantes; sean corporales o temporales, como estudiar, aconsejar, trabajar, comer, dormir, etc. ¡Dichosas las obras que se encierren entre dos Avemarías! Al despertar por la mañana, al cerrar los ojos para dormir, al sentir la tentación, en todo peligro, en cualquier ímpetu de ira, y en todo lo demás, di siempre un Avemaría, que haciéndolo así verás la gran utilidad que te resulta. La Santísima Virgen prometió a santa Matilde una buena muerte si cada día rezaba tres Avemarías en honor de su poder, sabiduría y bondad; y dijo a la Beata Juana de

Francia, que el Avemaría le era siempre muy aceptable y agradable, especialmente rezada en veneración de sus diez virtudes más principales.

NOVENAS

Con singular esmero y devoción suelen los devotos de la Virgen celebrar sus novenas, y esta benigna Señora se lo recompensa con favores muy especiales. Vio un día santa Gertrudis una porción de almas que la Virgen Santísima tenía cobijadas bajo su manto, mirándolas con mucho amor, y entendió la santa que eran las que con sus devotos ejercicios se habían preparado aquellos días a la fiesta de la Asunción. Las devociones que, entre otras, se pueden practicar en las novenas, son las siguientes:

1ª. Oración mental por la mañana y tarde, visitando además el Santísimo Sacramento y rezando nueve veces el Padrenuestro, Avemaría y Gloria.

2ª. Venerar entre horas distintas alguna imagen de la Virgen, dando gracias a Dios por los dones y gracias con que la enriqueció, y pidiendo a la misma Señora algún beneficio particular.

3ª. Hacer al día muchos actos de amor a Dios y a su Madre (a lo menos ciento cincuenta), pues nada puede ser más agradable a esta divina Señora como el que amemos a su amantísimo Hijo.

4ª. Leer cada día de la novena, por un cuarto de hora, algún libro que trate de las glorias y excelencias de la misma Virgen.

5ª. Alguna mortificación externa, como cilicio, disciplina, ayuno, o dejar en la mesa la fruta o bocado que nos guste más, o masticar alguna hierba amarga y en la vigilia de las fiestas ayunar a pan y agua, aunque todo esto con licencia siempre del confesor o padre espiritual. Mejores son las mortificaciones internas, como privarse de oír o mirar algo que nos agrade, el retiro, silencio, obediencia y negación propia de la voluntad, no responder con enfado, sufrir los genios y contradicciones y cosas semejantes, en que hay mayor mérito y no peligro de vanidad, y para las cuales no es necesario el permiso del confesor. Todavía será más útil proponerse, desde el principio de la novena, la enmienda de algún defecto más frecuente, a cuyo fin convendrá que en cada una de las tres visitas que hemos dicho pidamos perdón de las caídas pasadas, con propósito firme de enmendarnos, y que para ello imploremos la asistencia y favor de María Santísima. Pero lo que le agrada, sobre todo, es la imitación de sus virtudes, y así será bueno proponer en cada novena el ejercicio de alguna más propia del misterio que se celebra, como, por ejemplo, en la fiesta de la Purísima, la pureza y rectitud de intención; en el Nacimiento, la renovación del espíritu y salir del estado de tibieza; en la Presentación, el desapego de alguna cosa a que nos sintamos aficionados; en la Anunciación, la humildad y sufrimiento de los desprecios; en la Visitación, la caridad con el prójimo, dando limosna o haciendo otra obra de misericordia, o a lo menos pidiendo a Dios por los pecadores; en la Purificación, obediencia a los superiores, y finalmente, en la Asunción, empezar a practicar el desapego de las cosas del mundo y preparación a la muerte, comenzando a vivir como si cada día hubiese de ser para nosotros, el último de la vida. De este modo, serían las novenas de gran provecho.

6ª. Además de la comunión del día de la fiesta, se podrá pedir al padre espiritual hacerla otro día dentro de la novena. Decía el Padre Señerí que de ningún modo se honra mejor a María que con Jesús, y la misma Señora reveló a un alma santa que nadie le podía ofrecer don más grato y precioso que la comunión, porque en ella comunica Jesucristo a las almas el fruto de su sagrada Pasión. Así es que ninguna cosa diríamos que desea más la Virgen de sus siervos que les está diciendo: "Vengan y coman el pan y beban el vino que les he preparado yo".

7ª. Por último, el día de la fiesta, después de la comunión, nos hemos de ofrecer de nuevo a servir a esta Madre dulcísima, pidiéndole humildemente la virtud que tengamos en mira y alguna otra gracia particular. Será también muy útil escoger cada año la fiesta de nuestra mayor devoción, y en ella, con más espacio, esmero y preparación, dedicarnos a su amor y servicio, eligiéndola de nuevo por nuestra Señora, abogada y Madre, pidiéndole perdón de la negligencia y descuido del año anterior, prometiendo la enmienda para adelante y rogándole con insistencia nos reciba por suyos, y nos alcance, por último una muerte feliz.

ROSARIO Y OFICIO PARVO

Todos saben que la piadosa Virgen reveló a santo Domingo de Guzmán la devoción del Rosario cuando, estando afligido y quejándose a la misma Señora de los males que causaba en Francia la herejía de los albigenses, le dijo así: "Este terreno será estéril hasta que en él caiga la lluvia"; entendió el santo que la lluvia no era otra que la devoción del Rosario, que él había de divulgar. Así lo hizo, y fue la devoción abrazada por todos los católicos, de manera que ahora no hay entre los fieles ninguna tan extendida y practicada como ésta. Los herejes modernos, Lutero, Calvino y demás, ¿qué no han dicho para desacreditarla? Pero, ¡cuántas personas han salido por ella del pecado! ¡Cuántas llegado a mucha santidad! ¡Cuántos conseguido con una muerte dichosa la salvación eterna! Léanse los muchísimos libros que de esto están escritos. Basta saber que la santa Iglesia la tiene aprobada, y los Sumos Pontífices enriquecida con innumerables indulgencias.

Benedicto XIII concedió, rezando con cuentas benditas por los Padres de santo Domingo, todas las que se ganan con la Corona de santa Brígida, que son cien días por cada Avemaría y cada Padrenuestro. Se ganan asimismo, confesando y comulgando, indulgencia plenaria en todas las fiestas de la Virgen y demás principales del año, visitando las iglesias; aunque todo esto sólo comprende a los cofrades del Rosario, los cuales el día que se agregan, confesados y comulgados, ganan otra plenaria, y cien años llevando consigo el Rosario. Finalmente, a todos los que tengan media hora de oración mental al día, siete años por cada vez, y todos los meses otra plenaria.

Pero para ganar todo este rico tesoro de indulgencias parciales y plenarias se han de ir contemplando los misterios por orden que en varios libros está señalado, aunque, si alguno no lo sabe, basta que vaya pensando en cualquiera de los pasos de la Pasión de Nuestro Señor Jesucristo, como los azotes, el Calvario y demás. También es necesario rezar con atención, sobre lo cual tengan todos presente lo que la Madre Santísima dijo a la beata Eulalia, que más estimaba cinco decenas rezadas con pausa y devoción, que quince con mucha prisa. Por esto conviene hacerlo de rodillas delante de alguna devota imagen de Nuestra Señora, y al empezar cada diez, hacer un acto de amor a Jesús y María, pidiendo alguna gracia especial. Adviértase, por último, que es mejor rezar en compañía que solo cada uno.

Acerca del *Oficio Parvo*, que dicen fue compuesto por san Pedro Damián, Urbano II le concedió muchas indulgencias, y la misma Virgen ha manifestado diferentes veces lo mucho que le agrada, como puede verse en el Padre Auriema. También estima sus letanías, que tienen asignados trescientos días por cada vez, y el himno *Ave Maris stella*, que santa

Brígida rezaba diariamente por orden del cielo, y más el cántico del *Magníficat,* porque en él alabamos a Dios con las mismas palabras con que la divina Señora le alabó y ensalzó.

AYUNO

Muchos son los devotos de María que acostumbran ayunar a pan y agua los sábados y vigilias de sus festividades. Le consagra los sábados la santa Iglesia, porque, como dice san Bernardo, en el sábado que siguió a la muerte de su Santísimo Hijo estuvo firme y constante en la fe. Por esto mismo le obsequian sus siervos aquel día con alguna devoción particular, y especialmente con el ayuno a pan y agua, como lo hacían san Carlos Borromeo, el Cardenal Toledo y muchos otros; aun los ha habido tan fervorosos, que ni un bocado probaban en todo aquel día, como Nitardo, obispo de Barberga, y el P. José Arriaga de la Compañía de Jesús. Los favores especiales con que siempre los ha recompensado la Madre de Dios se pueden leer en el P. Auriema. Basta por todos el muy singular que dispensó a aquel capitán de ladrones que, por haber tenido, a pesar de su mala vida, esa loable costumbre de ayunar los sábados a pan y agua, mereció quedar vivo después que le cortaron la cabeza, hallándose en pecado mortal, y confesarse bien, como él lo declaró antes de morir.

No hará mucho, pues, en obsequiarle con este ayuno quien pretenda ser su esclavo y especial devoto, y más si por sus pecados tiene merecido el infierno. Yo digo que difícilmente se condenará ninguno de cuantos practiquen esta laudable devoción, no porque si alguno tiene la desgracia de acabar la vida en pecado mortal le haya de librar la Virgen con un gran milagro de las penas del infierno, como al capitán de bandidos; éstos son prodigios muy raros de la divina misericordia, en los cuales sin más sería locura fiarse para pretender la salvación eterna; lo que digo es que a todo el que hiciere este obsequio a la Virgen Santísima fácilmente le alcanzará la divina Señora que persevere en gracia y tenga buena muerte. Todos los Hermanos de nuestra mínima Congregación que puedan, harían bien observar en los sábados este ayuno, y los que no, bueno es que con el ayuno ordinario se reduzcan a un solo plato, o se abstengan de fruta u otro manjar que más les guste.

Entre las demás devociones que se pueden ofrecer aquel día privilegiado, se cuentan, igualmente la comunión, misa, visita y oración a cualquier imagen suya; cilicio y otros semejantes, porque el sábado es día en que nos hemos de señalar con alguna cosa que le complazca. A lo menos, procuren sus devotos ayunar sus vigilias a pan y agua o en la mejor forma que puedan.

VISITAR LAS SAGRADAS IMÁGENES

No ha sabido encontrar el demonio arte con que mejor se haya desquitado de lo que perdió cuando quedó por tierra la idolatría, que persiguiendo por medio de los herejes las sagradas imágenes. Pero la santa Iglesia las ha defendido siempre hasta derramar la sangre en las batallas de los gloriosos mártires que ha tenido por esta causa, y la Virgen Santísima muchas veces ha manifestado, aun con milagros evidentes, lo mucho que le agrada el culto y veneración de ellas. Cortaron la mano los perseguidores a san Juan Damasceno porque con la pluma las defendía, y la piadosa Madre se la restituyó y sanó milagrosamente.

Cuenta el P. Spinelli que en Constantinopla, todos los viernes, después de Vísperas, se descorría por sí mismo un velo de una imagen de nuestra Señora, y acabadas las Vísperas del sábado se volvía a correr también por sí mismo. Otra vez se abrió igualmente por sí un velo suyo a san Juan de Dios, que oraba delante, y teniéndole por ladrón el sacristán, le dio un puntapié; pero el pie se le secó en el acto. Por todo lo cual, los devotos de María muy frecuentemente van a visitar y venerar sus sagradas imágenes a iglesias, que éstas son cabalmente, según el dicho de san Juan Damasceno, las ciudades de refugio donde nos libramos de las tentaciones y castigos merecidos por nuestros pecados. La primera cosa que hacía san Enrique, emperador, entrando en cualquier ciudad, era ir a la iglesia de nuestra Señora; y el P. Tomás Sánchez, de la Compañía, devotísimo suyo, nunca se volvía a su casa sin entrar en alguna de ellas.

No dejemos, pues, de visitarla también nosotros en templos, en capillas o en nuestra propia casa, donde a este fin será bueno tener oratorio con imagen adornada de gasas, flores, lámparas y velas, y rezar allí las letanías, el Rosario y demás oraciones. Con este intento he compuesto yo un libro (impreso ya ocho veces) que se intitula *Visita al Santísimo Sacramento y a María Santísima* para todos los días del mes. Es, igualmente, cosa muy laudable que sus devotos manden celebrar solemnemente sus festividades con novenas, manifiesto, sermón y Misa.

Quiero añadir el caso que cuenta el P. Spinelli en su obra de los *Milagros de la Virgen*. El año de 1611, Vigilia de Pentecostés, en el famoso santuario de Montevirgen, sucedió que, profanando la fiesta con bailes, borracheras, y otros desórdenes e indecencias de mucha gente que había concurrido, de pronto se prendió fuego en el albergue donde se juntaban y fue tan voraz y violento, que en menos de una hora y media quedó hecho ceniza, y murieron en él abrasadas más de mil quinientas personas. Y cinco de las que lograron escapar y quedar vivas, declararon con juramento haber visto a la Virgen con dos teas en la mano aplicando el fuego en varias partes de aquella posada que era de madera.

Suplico, pues, a sus devotos que nunca en las fiestas solemnes vayan a tales romerías, e impidan ir a todos los que puedan, porque son ocasiones en que más fruto y ganancia suele sacar el infierno que honor la soberana Señora. Los que tengan esta devoción vayan más bien a los santuarios o iglesias en que haya poco ruido y concurrencia.

EL ESCAPULARIO

Así como en el mundo hay grandes señores que tienen a honor y decoro de la clase y elevación en que están el que los criados y dependientes suyos se adornen y hagan como gala de llevar puesto el escudo de sus familias, así gusta la Reina de los ángeles ver pendientes sus escapularios del pecho de sus hijos y devotos, consagrados especialmente a su amor y servicio como personas de su casa y familia. Los herejes modernos se burlan, como suelen, de esta piadosa devoción; pero la santa Iglesia la tiene aprobada y recomendada con diferentes bulas y larga concesión de indulgencias; y según que, hablando del escapulario del Carmen, lo refiere el P. Grasset y Lezana, hacia el año 1251 se apareció la Virgen al B. Simón Stoch y, dándole su escapulario, le dijo que todos aquellos que hasta la muerte lo llevasen puesto se librarían de las penas del infierno. Las palabras fueron éstas: "Toma, querido hijo, este escapulario de tu Orden, divisa de mi confraternidad y privilegio tuyo y de todos los Carmelitas; ninguno de los que entre ellos acabe la vida padecerá los incendios eternos". Dice además el P. Grasset, que apareciéndose, otra vez, María Santísima al Sumo Pontífice

Juan XXII, le mandó hiciese saber que todos los que lleven el mismo escapulario saldrían del purgatorio el sábado próximo al día de su muerte, y así lo declaró el Papa en su bula, confirmada por las de Alejandro V, Clemente VII y otros Padres santos. Y, según ya dijimos en la primera parte de esta obra, Pablo V lo insinuó igualmente, y parece quiso explicar las bulas de sus antecesores, ordenando en la suya los requisitos que ha de guardar quien quiera ganar las indulgencias, a saber: observar castidad conforme al estado de cada uno, rezar el Oficio de Nuestra Señora, o el que no sepa o no pueda guardar, a lo menos, los ayunos de la Iglesia y abstinencia de carne todos los miércoles.

HERMANDADES DE LA VIRGEN

No falta quien desapruebe las cofradías diciendo que algunas veces dan origen a disgustos y contiendas, y que muchos entran en ellas por fines humanos. Pero así como no se condena entrar en los templos y recibir los Sacramentos, aunque de ambas cosas abusen muchos, así tampoco se deben reprobar las congregaciones. Los Sumos Pontífices, lejos de condenarlas, las han aprobado y enriquecido con innumerables indulgencias.

San Francisco de Sales insta y exhorta a los seglares a que se agreguen en ellas. Y ¿qué no hizo san Carlos Borromeo para establecerlas y multiplicarlas?

Hasta en los sínodos que celebró encarga a los confesores que orienten a ello a sus penitentes. Y con razón, porque cada hermandad, especialmente de la Virgen, es como un arca en el diluvio, donde las personas seglares hallan refugio de las tentaciones y pecados que tienen inundada la tierra. Y nosotros, enseña con la experiencia de las misiones, muy bien hemos visto lo útiles que son. Ordinariamente hablando, peca más un hombre que de ninguna es cofrade, que veinte que lo sean. Podemos compararlas a la torre de David, de la que cuelgan mil escudos y armas defensivas contra el infierno, por razón de los medios de conservar la divina gracia que en ellas se practican, los cuales fuera de allí muy poco usados son de las personas del mundo.

Digamos algunos, y veremos su gran utilidad.

Primeramente, uno de los medios que hay de salvación es pensar y meditar en las máximas eternas. "Acuérdate de tus postrimerías y nunca pecarás", dice el Espíritu Santo, que por esto se pierden tantos, por no pensar en ellas. Pues dentro de la hermandad se recogen frecuentemente la intención y los pensamientos para meditar, para leer y para oír la palabra divina; y dijo el Señor, que los que oyen su palabra son ovejas suyas.

En segundo lugar, para salvarnos es necesaria la oración: "Pidan y recibirán", es oráculo del mismo Jesucristo. Y en las cofradías, esto hacen los hermanos continuamente, y allí los oye Dios, porque tiene prometido que oirá las oraciones de muchos en común; sobre lo cual dejó san Ambrosio escrita una sentencia muy preciosa, que dice así: "Muchos que estando solos son pequeños y mínimos, reunidos se hacen grandes, y es imposible que no sean oídas las oraciones de muchos juntos".

En tercer lugar, en las congregaciones se frecuentan más los Sacramentos, tanto por ser regla como el ejemplo que de ello dan a los otros hermanos. Así también se consigue mejor la perseverancia en el estado de gracia, pues enseña el Concilio Tridentino que la Sagrada Comunión especialmente es antídoto con que sanamos de las culpas de cada día y nos preservamos de caer en pecado mortal.

Como cuarta razón, allí se practican muchos actos de penitencia, humildad y caridad con los hermanos pobres y enfermos. Y sería bueno que en todas ellas se introdujese esta santa costumbre de asistir y socorrer a los enfermos pobres de la parroquia. Gran provecho resultaría también fundar en honor de la Virgen las cofradías secretas o especiales, compuestas de los hermanos más fervorosos, en las cuales se suelen practicar los ejercicios siguientes: media hora de lectura espiritual, vísperas y completas del Espíritu Santo, las letanías de Nuestra Señora, poniéndose algunos, mientras se dicen, una cruz a cuestas o haciendo otra mortificación; un cuarto de hora de meditación sobre la Pasión de Nuestro Señor Jesucristo; acusarse de las faltas cometidas contra las reglas y recibir con humildad la penitencia que el Padre les impone; leer las florecillas, o sea mortificaciones y buenas obras hechas aquella semana; anunciar las novenas, fiestas concurrentes, etc.; disciplinas durante un Miserere y una Salve, y finalmente, besar los pies del santo Cristo puesto en medio del altar.

Las reglas suelen ser éstas: oración mental diaria, visita al Santísimo Sacramento y a María Santísima, examen de conciencia antes de acostarse, lectura espiritual, evitar juegos y conversaciones peligrosas, frecuentar los Sacramentos, alguna mortificación de cadenilla, disciplina, etc.; pedir todos los días por las benditas ánimas y por los que están en pecado mortal, y finalmente visitar a los cofrades enfermos.

Volvamos a lo de antes, y digamos la quinta razón de la utilidad de las hermandades. Esto será volver a insinuar lo mucho que importa para salvarse el venerar y servir a la Madre de Dios; pues ¿qué otra cosa hacen los cofrades? ¡Cuántas alabanzas le dan allí! ¡Cuántas oraciones y ruegos le hacen! Desde el día que entran la escogen por su Madre y Señora, y sus nombres quedan escritos en el catálogo de María, y pues ellos son desde entonces sus hijos siervos, la Madre amorosa los empieza a mirar con más amor y distinción que a otros, protegiéndolos en vida y en muerte, tanto, que puede cualquiera de ellos decir con verdad que ha recibido todos los bienes con haber entrado en la cofradía de esta dulcísima Señora.

En dos cosas principales deben todos ellos poner la mirada: 1° en el fin, que no debe ser otro sino una firme resolución de servir a Dios y a su bendita Madre y salvar su alma; 2° en no dejar por ningún motivo del mundo de asistir los días señalados, pues allí les espera el solo negocio que les importa, que es la salvación eterna. Procuren también invitar a otros a que se agreguen, y especialmente a los desertores.

Gravísimos castigos ha dado el Señor a los que salen sin razón de las hermandades de la Virgen. Salió en Nápoles uno, y exhortándole a volver, respondió: "Cuando me rompan las piernas y me corten la cabeza, volveré". Y fue profeta, porque al poco tiempo, unos que le querían mal le rompieron de hecho las piernas y le cortaron la cabeza. Al contrario, de los que perseveran cuida como Madre la Virgen benigna en lo espiritual y temporal. Léanse en el P. Auriema los favores que a muchos ha dispensado en vida, y mucho más en muerte.

Cuenta el P. Grasset, que el año de 1856, estando para morir un congregante joven, que tenía a su confesor a la cabecera, le dijo: "¡Ay, Padre!, en gran peligro me he visto de condenarme; pero, al fin, me ha librado Nuestra Señora. Presentaron los demonios en el tribunal de Dios el proceso de mis pecados, ya iban a llevarme consigo, cuando llega la Virgen, y diciéndoles: '¿A dónde llevan ese joven, y qué tienen ustedes que ver con quien tanto me ha servido en mi congregación?', huyen despavoridos y así escapé de sus garras". El mismo autor refiere poco después del lugar citado, que otro congregante tuvo en el momento de su muerte una gran batalla con los secuaces del demonio, y saliendo vencedor, exclamó: "¡Oh, qué gran fortuna es servir a la Virgen en su cofradía!" Y así murió lleno de gozo.

Añade, finalmente, que en la misma ciudad de Nápoles, estando para expirar el duque de Pópoli, dijo estas palabras a su heredero: "Has de saber, hijo mío, que de todo el bien que hice, aunque poco, mientras he vivido, me reconozco deudor de esta hermandad en que me alisté, y así, ninguna herencia más rica ni mejor tengo que dejarte cual la congregación de María Santísima. Más estimo ahora haber sido cofrade y esclavo suyo, que duque".

DAR LIMOSNA

También acostumbraban los devotos de la Virgen socorrer a pobres, especialmente los sábados. Cada sábado les repartía lo que ganaba en la semana aquel zapatero santo llamado Deusdedit, que cuenta san Gregorio, y en pago de esta caridad mostró Dios en el cielo a esta buena alma un suntuoso palacio, que solamente los sábados se fabricaba destinado para su siervo. San Gerardo nunca negaba cosa que le pidiesen en nombre de la Virgen, y lo mismo hacia el P. Martín Gutiérrez, de la Compañía de Jesús, asegurando no haberle jamás pedido ninguna gracia que no alcanzase, y habiendo muerto a manos de los herejes hugonotes al pasar por Francia de viaje hacia Roma, se dignó la misma Señora bajar en persona del Paraíso con otras vírgenes donde quedó el cadáver, envolverle en un lienzo y llevárselo consigo. Igual facilidad de conceder todo por María empleaba san Everardo, obispo de Salzburgo, y en premio vio una vez un santo monje que le llevaba en brazos como a un niño la Madre dulcísima, diciendo así: "Éste es mi hijo Everardo, que nunca me negó nada". Otro tanto hacía Alejandro de Alés, pues rogándole un lego franciscano que por ella se hiciese fraile franciscano, al instante dejó el mundo y tomó el hábito.

No omitan, pues, sus hijos y devotos dar alguna pequeña limosna y los sábados mayor. Quien no pudiere, súplalo con cualquier otra obra de caridad, como visitar a los cofrades enfermos, pedir por los pecadores y ánimas del purgatorio, etc.; pues es mucho lo que le agradan las obras de misericordia.

OBSEQUIO NOVENO

ACUDIR CON FRECUENCIA A MARÍA

Entre todas las demás devociones con que podemos complacer a la Reina de los ángeles, ninguna le agrada tanto como el que acudamos a ella pidiéndole socorro, acierto y favor en todos nuestros negocios y necesidades, como cuando haya que dar o pedir consejo en los peligros, en las angustias y en las tentaciones, y más si son contra la castidad. Para todo nos favorecerá y de todo nos sacará bien si nos acogemos a su poderoso patrocinio, llevando en los labios la antífona *Sub tuum praesidium*, o el Avemaría, y aun con sólo invocar su santísimo nombre, que tiene singular virtud y eficacia contra los demonios. Acudió a valerse de ella el B. Santi, de la Orden de san Francisco, acosado de una tentación deshonesta, y en el mismo instante se le apareció, y poniéndole en el pecho la mano, le dejó libre y victorioso. En semejantes casos es bueno también besar el rosario o estrecharle consigo, o bien el escapulario, o mirar alguna imagen suya. Sépase, por último, que Benedicto XIII concedió cincuenta días de indulgencia cada vez que se pronuncien los dulces nombres de Jesús y María.

VARIOS MODOS DE VENERARLA Y OBSEQUIARLA

1º. Pondremos juntos aquí otros varios modos de venerarla y obsequiarla, a saber: decir Misa o mandarla decir en honor suyo, pues, aunque es cierto que el Santo Sacrificio no se puede ofrecer más que a Dios, y esto principalmente en reconocimiento del supremo dominio que tiene sobre nosotros, no se quita por eso, como enseña el santo Concilio Tridentino, que juntamente se pueda ofrecer en acción de gracias por los beneficios concedidos a su Santísima Madre y a los demás santos, como también para que haciendo aquí memoria de ellos, se dignen interceder por nosotros donde ya reinan, pues a esta causa decimos en la Misa: *Ut illis proficiat ad honorem nobis autem ad salutem*. Por lo cual es cosa muy agradable a la celestial Señora, tanto la Santa Misa, cuanto el que recemos tres Padrenuestros, Avemarías y Gloria en acción de gracias a la Santísima Trinidad por los favores y privilegios que le dispensó, porque no bastando todas las que ella le da para agradecerle cumplidamente tanto, tan colmados y tan admirables como fueron, gusta que le ayuden sus hijos a bendecir y ensalzar al Señor.

2º. Invocar la protección de los santos que le son más cercanos, como san José, san Joaquín y santa Ana. La misma Señora recomendó a una persona principal la devoción de su madre santa Ana. Lo mismo digo de la veneración a los que le fueron más devotos, como san Juan Evangelista, san Juan Bautista, san Bernardo, san Juan Damasceno, defensor de sus sagradas imágenes; san Ildefonso, defensor de su virginidad, y otros así.

3º. Leer cada día en algún libro que trate de sus glorias, excelencias y prerrogativas.

4º. Predicar o exhortar a otros a su devoción, y especialmente a parientes, amigos y conocidos acordándose de lo que dijo a santa Brígida una vez la misma Señora: "Procura que tus hijos sean hijos míos".

5º. Rogar todos los días por los vivos y difuntos más devotos suyos.

Omito añadir más devociones, como la de los siete gozos, la de las doce prerrogativas, y semejantes, porque están explicadas en varios libros, y concluyo con aquellas hermosas expresiones y afectos de san Bernardo, que dicen así: "¡Oh, bendita entre todas las mujeres! Tú eres el honor y gloria del género humano y la salud de nuestro pueblo. Tus méritos no tienen límites y tu poder es absoluto sobre todas las criaturas. Eres Madre de Dios, Señora del mundo y Reina del cielo. Eres dispensadora de todas las gracias y decoro de la santa Iglesia. Eres modelo de los justos, consuelo de los santos y raíz de nuestra salvación. Eres puerta del cielo, alegría del paraíso y gloria de Dios.

Hemos publicado tus grandezas. Te pedimos, ¡oh, Madre de bondad!, que suplas nuestra escasez, perdones nuestro atrevimiento, aceptes nuestros servicios y bendigas nuestras fatigas, infundiendo tu suave amor en el corazón de todos, para que después de haber reverenciado y amado en la tierra a tu Santísimo Hijo y a ti, te amemos y bendigamos eternamente en el cielo. Amén".

Y con esto, querido lector y hermano mío, amante de nuestra dulce Madre, me despido de ti, suplicándote que sigas obsequiándola, sirviéndola y amándola con alegría de corazón, procurándolo también en otros, con lo cual no dudes, que si así perseveras hasta la muerte, te salvarás con certeza.

Yo voy a poner punto, no porque en su elogio falte qué decir, sino por no cansarte más. Lo poco que va dicho hasta aquí es bastante para que te aficiones y aprendas del gran tesoro que está encerrado en la devoción de la dulce Madre, quien en pago, como lo tiene por costumbre, no dejará de ampararte y favorecerte. Estima, pues, el deseo que en esta obra he tenido de que te santifiques y salves siendo muy amante suyo. Y si de él sacas algún provecho para mejor bien de tu alma, te ruego que, por caridad, me encomiendes a la misma Señora, pidiéndole igual gracia que yo pido para ti, y es que algún día nos veamos en el cielo postrados a sus santos pies en compañía de sus demás queridos hijos.

Y vuelto a ti, en fin, ¡oh, Madre de mi Dios y Madre mía!, te suplico humildemente que aceptes este corto trabajo y deseo que me ha movido a verte de todos alabada y grandemente amada. Bien sabes lo mucho que he deseado llegase al término este opúsculo, de tus glorias. Ahora moriré contento dejándole en la tierra, para que prosiga ensalzándote, como yo lo he procurado hacer por mi persona desde el día que por tu medio me convertí. Te encomiendo, Virgen Inmaculada, a todos los que te aman, y más a los que lean esta obra, y muy especialmente a los que hagan conmigo la caridad de pedirte por mí. Dales el don de la perseverancia, hazlos buenos y santos, y después llévalos a que te bendigan para siempre en el cielo. En cuanto a mí, cierto es que soy un pobre pecador, pero tengo el amarte a mucha gloria, y de ti espero muy grandes favores, y, al fin, el especial de morir abrasado en tu amor. Confío que cuando en las angustias de la muerte me ponga el demonio mis pecados delante, me confortará la Pasión santísima de Jesús y tu poderosa intercesión para salir en gracia de Dios de esta miserable vida, subir en triunfo a verle y amarle en la patria celestial, y a ti, Madre mía dulcísima, a darte gracias y bendiciones por todos los siglos de los siglos. Amén.

ÍNDICE

VIII. Y DESPUÉS DE ESTE DESTIERRO MUÉSTRANOS A JESÚS, FRUTO BENDITO DE TU VIENTRE

IX. ¡OH, CLEMENTE! ¡OH, PIADOSA!

X. OH, DULCE VIRGEN MARÍA

TERCERA PARTE

DE LAS VIRTUDES DE MARÍA SANTÍSIMA

Se terminó de imprimir en los talleres de
EDITORIAL ALBA, S.A. DE C.V.
Calle Alba 1914, San Pedrito, Tlaquepaque, Jal.
el 15 de noviembre de 2012. Se imprimieron
3,000 ejemplares, más sobrantes para reposición.